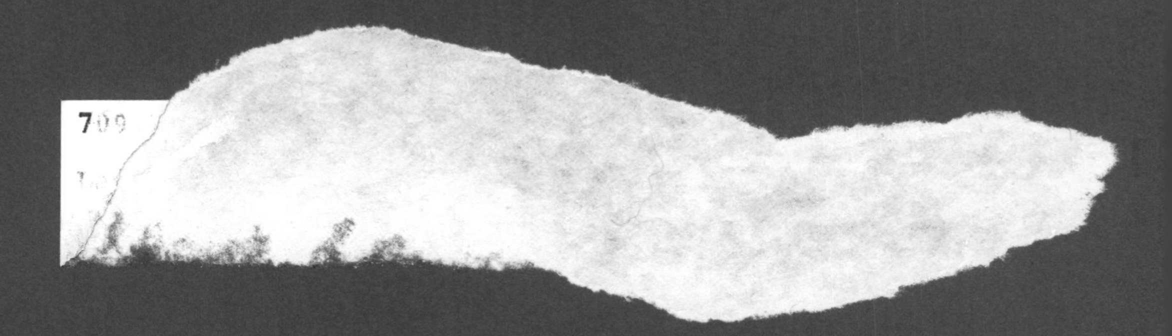

Quálitas

Visión de México y sus Artistas

Quálitas Compañía de Seguros

Dirección Editorial • *Editorial Director*
LUPINA LARA ELIZONDO
PROMOCIÓN DE ARTE MEXICANO

Textos • *Texts*
CARLOS ELIZONDO MAYER-SERRA
ELISA GARCÍA BARRAGÁN
LUPINA LARA ELIZONDO

Corrección de textos • *Editing*
MALE CORREA DE CORTINA

Traducción • *Translation*
TRENA BROWN

Diseño • *Design*
FERNANDA OGARRIO COMPEÁN

Fotógrafo principal• *Head Photographer*
GUILLERMO MONTESINOS

Fotografía artística • *Artistic Photography*
FRANCISCO KOCHEN

Fotógrafos colaboradores • *Other Photographers*
CARLOS ALCÁZAR, BERNARDO ARCOS MIJAILIDIS,
LAURA CASTAÑEDA, ROGELIO CUÉLLAR,
JAVIER HINOJOSA, GRACIELA ITURBIDE,
FRANCISCO KOCHEN, DAVID MAAHUAD,
JUAN JOSÉ MÁRQUEZ, ROBERTO ORTÍZ GIACOMÁN,
MARCO ANTONIO PACHECO, MARCELA TABOADA,
JESÚS SÁNCHEZ URIBE.

La presente edición ha sido posible
gracias al patrocinio de:
This edition has been sponsored by:
QUÁLITAS COMPAÑÍA DE SEGUROS S.A. DE C.V.
José Ma. Castorena # 426
Cuajimalpa, 05200, México D.F.

Primera edición, México, 2002

Impreso y hecho en México
Printed and made in Mexico
ISBN 968-5005-03-6

PÁGINAS 14-15
PEDRO DIEGO ALVARADO
CANDELABRO OAXAQUEÑO I, 2001
Oleo sobre lino, 114 x 154 cm.

PÁGINAS 36-37
JOSÉ CASTRO LEÑERO
PAISAJE FRAGMENTADO III, 1999
Temple y óleo sobre tela, 110 x 165 cm.

PÁGINAS 54-55
GUILLERMO OLGUÍN
CUERVO CON YONI, 1999
Oleo sobre tela, 250 x 370 cm.

Contenido

Table of Contents

Promoción de Arte Mexicano

Visión de México y sus Artistas

Encuentros Plásticos, Umbrales del Siglo XXI

Tomo III

Lupina Lara Elizondo

Herlinda Sánchez Laurel

Pablo Almeida

Abelardo López

Luciano Spanó

Alejandro Santiago

Nunik Sauret

Pedro Diego Alvarado

Enrique Canales

Encuentros Plásticos, Umbrales del Siglo XXI

Roberto Parodi

Alejandro Colunga

Luis Granda

Mario Rangel

Guillermo Olguín

José Castro Leñero

José Villalobos

Raúl Oscar Martínez

Dulce María Núñez

Teresa Olabuenaga

Ismael Guardado

Naomi Siegmann

Luis Fracchia

Alberto Castro Leñero

Hiroyuki Okumura

Teresa Cito

Guillermo Pacheco

Jorge Alzaga

Pedro Martínez

Marco Vargas

Rubén Leyva

Treinta Pintores, Cinco Escultores

Carla Rippey

Fernando Andriacci

Paloma Torres

Rosendo Pérez Pinacho

Georgina Quintana

Luis Zárate

Quálitas Compañía de Seguros

Joaquín Brockmann

La idea de haber iniciado un nuevo siglo podría motivar en nosotros un espíritu renovador, un espíritu de cambio para transformar las circunstancias y el tiempo por venir. Los retos que enfrentamos exigen de nosotros capacidad y dedicación. Dos palabras que pueden traducirse en preparación y compromiso, o en aptitud y responsabilidad, pero que finalmente implican tener los conocimientos y el deseo de participar en esta gran obra que podríamos titular "nuestro futuro", con la cual Quálitas Compañía de Seguros está solidariamente comprometida.

Bajo estas circunstancias nos transformamos en creadores, a la par de los artistas, quienes involucrados en convertir la materia inerte en materia expresiva, emplean a fondo su capacidad, talento y dedicación.

La coincidencia de actitudes en estos artistas contemporáneos, reunidos en las páginas del libro: *Visión de México y sus Artistas -Encuentros Plásticos, Umbrales del Siglo XXI – Tomo III*, junto con las de tantos otros creadores mexicanos, alberga un futuro lleno de promesas y de grandes aportaciones para la cultura y el arte de este país, un futuro en el que la plástica seguirá aportando una expresión rica en contenido y sustanciosa en el oficio, pues el arte para los mexicanos es una necesidad vital y sobre todo un don heredado.

El objetivo de Quálitas Compañía de Seguros en esta tarea editorial, es el de dejar un testimonio visual de la riqueza artística de México, renglón en el que durante muchos años hemos ocupado, a nivel mundial, una posición destacada y de liderazgo.

Lic. Joaquín Brockmann L.
Presidente del Consejo de Administración

AGRADECIMIENTOS

Acknowledgments

Un libro deja un legado histórico y cultural a las futuras generaciones, establece un enlace entre el hoy y el ayer. Sin la participación de todos ustedes, sería imposible llevar a cabo esta importante tarea, por ello agradecemos su amor por el arte y, sobre todo, su deseo de compartir.

Sr. Noel Cayetano

Sra. Graciela Cervantes

Galería Arte Mexicano

Galería OMR

Howard Scott Gallery

Sr. Tomás González Sada

Rebeca García de Guardado

Sra. María Maldonado

Lic. Manuel Medina Mora

Martine Menard

Museo de Arte Contemporáneo

Sr. Oscar Román

Sra. Esthela Shapiro

Sra. Lourdes Sosa

Marilyn Walloman

Introducción

Introduction

NADA ENVEJECE CON RAPIDEZ MAYOR QUE EL PERIÓDICO DE AYER, SEGÚN lo estableció José Ortega y Gasset. La historia inmediata, la historia que apenas acabamos de vivir carece de asidero suficiente. Intentar decir algo veraz sobre ella acaso sea más difícil que levantar una teoría económica, elaborar una ley científica o inventar un teorema matemático. La realidad que está en tránsito de muerte (aquella que apenas acaba de morir), es de tal modo cercana que todo intento de asirla es tarea de poetas, antes que de historiadores o de críticos. Es posible que hasta una descripción objetiva parezca vaticinio (y las profecías pertenecen al terreno del pensamiento mágico y no a las esferas del rigor científico).

Estos pintores que hoy desfilan ante nuestros ojos, ¿qué valor han de tener mañana? ¿Los habrá de respetar la injuria del tiempo? ¿Qué carácter tiene esta pintura si es que a esta profusión de estilos y tendencias, si es que a esta amplia diversidad, se le puede asignar algún rasgo común, alguna modalidad compartida?

A riesgo de equivocarme, debo sin embargo señalar que tal vez haya un rasgo que le otorga carácter unitario a este conjunto de pintores: este rasgo es el de la libertad. Esta pintura acaso pueda tener una manera común y ser caracterizada como una pintura libre y sin ataduras. Es una pintura que, en el plano interno, hereda de modo directo la actitud de la Generación de la Ruptura, es decir, se trata de una pintura que ha roto con toda tradición posible y que asienta sus reales en un nuevo espacio plástico, abierto y global. Ya no está preocupada por el problema de la identidad nacional ni la atosiga ningún asunto ideológico: quiere ser tan sólo, así, nada más ni nada menos, que una pintura profesionalmente realizada; asume, por lo mismo, que hay un espacio propio, que le pertenece sólo a la pintura. Acaso sea posible destacar también que en varios de estos pintores se da, latente sin duda, una preocupación por lo que se podría tal vez llamar la sinceridad o el testimonio personal. Porque a veces surge un rasgo erótico soterrado o una confesión íntima.

Dicho con otras palabras, en este conjunto de pintores, cuyas edades oscilan entre los 66 y los 30 años (el mayor nació poco antes del inicio de la Segunda Guerra Mundial; el menor apenas en 1972), se denota el mismo rasgo plural que es ya el síntoma de la Edad Moderna (¿o debo decir postmoderna?) en México. Porque todos los pintores presentes en este libro ponen en relieve un rasgo: el de la madurez de las diferencias que son el carácter actual de la sociedad mexicana. Han recibido todos los vientos del mundo, o sea, todas las corrientes de la plástica universal, sin temor ni reparo.

Lo anterior revela además un aspecto que tal vez se acentúe a lo largo de este siglo: esta pintura carece de centro (quiero decir, de centro ideológico, de referente nacional único, de centro, pues, en el sentido político y geográfico del término). Me explico: los pintores de las generaciones precedentes pudieron haber nacido en Guanajuato o en Oaxaca, en Chihuahua o en Jalisco; sin embargo, lo cierto es que fueron formados, en lo esencial, en las escuelas del Centro (digo, el centro político y cultural de nuestro país): en la Academia de San Carlos o La Esmeralda, ya que el único canon era establecido por el centro. Las escuelas de pintura se localizaban en la capital, y se era pintor de verdad sólo cuando el Centro, político a la vez que cultural, otorgaba el reconocimiento.

Esto pone en evidencia otro aspecto esencial: estos pintores se acogen a las leyes del mercado. Pintan para un grupo de amantes del arte, que acaso formó su gusto en las vanguardias europeas (en general, cosmopolitas, ya que muchas vienen de Estados Unidos) y en las galerías privadas de nuestro país. El mecenazgo del Estado ya no existe más; ha sido sustituido por el comprador privado: los cuadros están en las paredes de las casas, no en los muros públicos.

Debo destacar otro aspecto. Antes, los museos importantes del país se localizaban en la capital de la República. No había ni escuelas de pintura que desarrollaran una tendencia fuerte ni había museos de cierto rango en el resto de la República. En la actualidad la situación es otra: por todas partes se levantan escuelas de artes plásticas, y en diversas ciudades de México ya existen museos de primer nivel (rectifico, museos llenos de densidad).

El Museo Tamayo de Oaxaca es una verdadera joya estética; a diferencia de otros museos que exhiben obras prehispánicas (por ejemplo, el magnífico de Xalapa), el Museo Tamayo fue concebido por el pintor como una expresión de arte sumo, no como un museo arqueológico, sino como un espacio dominado por el denominador común de lo bello. Hasta me atrevería a decir que Oaxaca, tal vez en un principio influida por el modelo de Tamayo y, luego, por el fuerte impulso que ha recibido de Francisco Toledo, se transformó en una especie de capital regional de las artes plásticas. El Museo de Santo Domingo carece de paralelo y, por si lo anterior fuera aún poco, los pintores oaxaqueños son ya legión en el panorama de la plástica nacional. Por esta causa, acaso se puede hablar ahora hasta de una escuela oaxaqueña de pintura. He aquí el síntoma de estos nuevos tiempos.

Insisto, pues, hay ya museos de primera importancia en toda la República. Entre ellos, acaso Zacatecas lleva la primacía: posee los museos de los dos hermanos Coronel, además del Museo Goitia y el Museo Felguérez. En Monterrey se eleva el Marco, bello desde su concepción arquitectónica. En Guadalajara, destacan diferentes museos, pero se debe subrayar la presencia, en todos ellos, de un genio inigualable: el de José Clemente Orozco. En Culiacán se ha levantado un museo a la vez pequeño y decisivo. En Morelia, en Puebla, en Xalapa, hay museos llenos de dignidad. Todo lo anterior denota que el hombre mexicano, a lo largo del territorio, educa sus ojos a través de pinturas de belleza extraordinaria.

Lo que necesito decir, por último, es algo que constituye una evidencia insoslayable: la pintura mexicana contemporánea posee una vitalidad, una riqueza y una diversidad tan grandes que puede predecirse un futuro abierto, largo y promisorio. En ese sentido, me complace que la empresa Quálitas Compañía de Seguros y Lupina Lara Elizondo se hayan atrevido a realizar un juicio sobre el presente (que es, en realidad, una apuesta por el futuro), al destacar la presencia de una serie importante de pintores, algunos de los cuales formarán parte, sin duda alguna, del próximo canon de la plástica mexicana (pienso en Luis Granda, que crea sus propios materiales; en Nunik Sauret, de una sensualidad refinada; o en Mario Rangel, los hermanos Castro Leñero, Ismael Guardado y no sé cuántos más que forman legión).

JAIME LABASTIDA
El Colegio de Sinaloa
Academia Mexicana de la Lengua
Siglo XXI Editores

CAPÍTULO UNO

CHAPTER ONE

Gobernar en un México Plural y Democrático "El Dilema del Siglo XXI"

Governing in a Plural and Democratic Mexico "The Dilemma of the 21st Century"

Carlos Elizondo Mayer-Serra

CAPÍTULO UNO

CHAPTER ONE

Gobernar en un México Plural y Democrático "El Dilema del Siglo XXI"

Carlos Elizondo Mayer-Serra

EL NUEVO SIGLO COINCIDE CON UN CAMBIO DE FONDO EN EL MODO COMO NOS GOBERNAMOS. De tener un gobierno formalmente democrático, pero en la práctica autoritario, ya que un partido concentraba casi todo el poder, ahora tenemos uno indiscutiblemente democrático y en donde el poder está mucho más disperso. Falta, sin embargo, que esta nueva forma de gobernarnos demuestre que es capaz de responder adecuadamente a una sociedad tan compleja y desigual como la nuestra.

Cambiar de siglo no deja de ser un mero hecho simbólico. Los riesgos están sólo en el imaginario colectivo. Cambiar de régimen político, sin embargo, suele involucrar cierto riesgo de violencia e incertidumbre. En México todos los cambios políticos importantes han implicado una enorme destrucción de vida y de riqueza. El cambio de régimen que se hace evidente el 2 de julio ha sido la excepción. Se logra después de décadas de reformas, sin un solo tiro, casi de forma rutinaria. El 2 de julio del 2000, después de un largo proceso de apertura política y de innumerables reformas electorales, finalmente se demostró que al poder se puede llegar a través del voto de la ciudadanía y que nadie tiene suficiente poder como para evitarlo.[1] La noche del 2 de julio el presidente Zedillo y el candidato del PRI a la presidencia, Francisco Labastida, reconocieron la derrota del partido político con más años ininterrumpidos en el poder en todo el mundo.

Ni incertidumbre ni violencia, la salida del PRI del poder fue, paradójicamente, el cambio sexenal de administración más tranquilo de los últimos veinticuatro años. El gobierno de Fox no enfrentó la clásica crisis económica de fin de sexenio, donde devaluación, inflación y recesión han dañado el bienestar de los mexicanos y erosionado severamente el margen de maniobra del gobierno

Carlos Elizondo Mayer-Serra es Maestro y Doctor en Ciencia Política por la Universidad de Oxford. Es profesor–investigador del Centro de Investigación y Docencia Económicas (CIDE) desde 1991, y Director General del mismo centro desde 1995.

[1] Las distintas reformas electorales y su lógica política se encuentran analizadas en Ricardo Becerra, Pedro Salazar y José Woldenberg, *La mecánica del cambio político en México: elecciones, partidos y reformas*, México: Cal y Arena, 2000.

The new century coincides with an in-depth change in the way we govern ourselves. Following a government that was formally democratic, but authoritarian in practice—given that power was concentrated in a single party—we now have an unquestionably democratic government with much more disperse power. This new form of governing, however, has not yet demonstrated that it is able to respond adequately to a society as complex and unequal as ours.

Changing centuries is still a symbolic act. The risks are only in the collective imagination. Changing a political system, however, tends to involve a certain risk of violence and uncertainty. In Mexico, all important political changes have implied enormous destruction of life and wealth. The change of administration on July 2 was the exception. It was attained after decades of reforms, without a single shot and in almost routine form. On July 2, 2000, after a long process of greater political flexibility and numerous electoral reforms, it was finally proven that the access to power can be the popular vote, which no one has the power to override.[1] *The night of July 2, President Zedillo and the PRI presidential candidate, Francisco Labastida, recognized the defeat of the political party attributed as having the most uninterrupted years in power in the entire world.*

Neither uncertain nor violent, the PRI's exit from power paradoxically was the most uneventful change in administration of the past twenty-four years. Fox's administration did not confront the economic crisis that has classically affected the end of each administration, in which devaluation, inflation and recession have damaged the well-being of Mexican citizens and severely eroded the maneuverability of the entering administration. Neither did we experience the lame-duck year of major upsets, such as conflicts with business (1976), foreign exchange control and expropriation (1982), party divisions in the PRI, severe questioning of electoral results (1988) or indigenous revolts and political assassinations (1994).[2] *We experienced only the uncertainty of any democracy, of not knowing the name of our future president—a name that previously had been revealed by the acting president's "unveiling" of the official PRI candidate.*

** The author holds master's and doctorate degrees in political science from Oxford University. He has been a professor and researcher at the Centro de Investigación y Docencia Económicas (CIDE) since 1991, and the Director General of this same center since 1995.*

[1] The different electoral reforms and their political logic have been analyzed by Ricardo Becerra, Pedro Salazar and José Woldenberg in La mecánica del cambio político en México: elecciones, partidos y reformas, Mexico: Cal y Arena, 2000.

[2] For an analysis of the economic crisis of the end of the administration, see Carlos Elizondo Mayer-Serra, "Tres trampas: Sobre los orígenes de la crisis económica mexicana de 1994" in Desarrollo Económico, Vol. 36, No. 144, enero-marzo, 1997, pp. 953-970.

entrante. Tampoco tuvimos en el último año de gobierno sobresaltos mayores, como conflictos con empresarios (1976), control de cambios y expropiación (1982), divisiones en el PRI, severos cuestionamientos en torno al resultado electoral (1988), o revueltas indígenas y asesinatos políticos (1994).[2] Sólo tuvimos la incertidumbre propia de toda democracia, no saber quién iba ser nuestro futuro presidente, algo que antes sabíamos desde el "destape" del candidato del PRI a la presidencia por parte del Presidente en turno.

Dada la suavidad de nuestra transición es incluso complicado hablar de cambio de régimen. Las instituciones que nos gobiernan son las mismas que antes del 2 de julio. La Constitución de 1917 sufría muchos más cambios con la llegada de un nuevo presidente del PRI, que ahora que triunfa uno que proviene de otro partido. Lo que se modificó de raíz es cómo se llega al poder, a través del voto. La gran novedad es que ya nadie se puede robar la voluntad popular. Esto no es poca cosa, implicó una reforma institucional profunda y costosa, cuyo hecho más evidente es el IFE y el Tribunal Electoral del Poder Judicial de la Federación. Sin embargo, se mantiene el resto de las instituciones y con una dispersión importante del poder, que las hace, por ese mero hecho, muy distintas.

El presidente Fox inició su gobierno con una indudable legitimidad democrática. Ninguno de los actores importantes podía cuestionar las bases de su triunfo. Esta legitimidad es un sustento que ningún presidente en México había tenido realmente. El llamado bono democrático puede ser un poderoso activo para enfrentar los muchos desequilibrios y resistencias que vienen del pasado.

Sin embargo, en lo terso del cambio se encuentra una de las mayores resistencias. El PRI, lejos de ser borrado del poder, permanece como el partido con más legisladores y con el mayor número de gobernadores y presidentes municipales a lo largo del país (ver cuadro 1). Es en un sentido estricto el único partido con verdadera competitividad a nivel nacional. Se han debilitado los viejos mecanismos de control corporativo, pero no han desaparecido ni han sido sustituidos por un Estado de derecho efectivo como el que se encuentra en una democracia estable.

---

[2] Para un análisis de las crisis económicas de fin de sexenio, ver Carlos Elizondo Mayer–Serra, "Tres trampas: Sobre los orígenes de la crisis económica mexicana de 1994", en *Desarrollo Económico*, Vol. 36, No. 144, enero-marzo de 1997, pp. 953-970.

Los retos del nuevo gobierno han sido significativos. Un nuevo grupo con poca experiencia de gobierno, sobre todo en el nivel federal, tiene que administrar las enormes expectativas de cambio, sin contar ya con los instrumentos de poder emanados de un pacto corporativista que permitía cierto control sobre el conflicto social. El nuevo gobierno ni siquiera tiene mayoría en ninguna de las dos cámaras que componen el poder legislativo (ver cuadro 2), por lo que toda nueva legislación implica negociar con los partidos de oposición.

El presidente mexicano es, contra lo que se suele suponer y de acuerdo a la letra de la Constitución, un presidente más bien débil frente al Congreso. Nuestra tradición fuertemente presidencialista nos hizo creer que su fuerza venía de la Constitución. Sin embargo, era resultado del poder de su partido, de que éste era muy disciplinado y que su jefe máximo desde mediados de los años treinta era presidente. Cuando se comparan sus facultades legales frente al poder legislativo con las de otros presidentes de la región, son limitadas. No tiene poder de veto en materia presupuestal, ni puede gobernar por decreto. Tampoco tiene monopolio de iniciativa legislativa.

Además, las reglas del juego para definir las atribuciones del Ejecutivo están llenas de lagunas. En las siete décadas de gobierno priísta, el monopolio político del PRI y el control del Presidente sobre este partido permitieron no confrontar estos vacíos legales de una constitución puesta en vigor en 1917, reformada a gusto del presidente en turno, pero que nunca se aplicó realmente para regular las atribuciones del Ejecutivo y sus relaciones con los otros poderes. Finalmente, el Ejecutivo tenía un poder muy amplio, que le permitía, en los casos que más le interesaba, imponer su voluntad sobre los otros poderes (legislativo y judicial) y sobre los otros niveles de gobierno. Sólo estaba limitado por la nunca violentada regla de la "no reelección".

Given the smoothness of the transition, it is difficult to speak of a changed system. The institutions that govern us are the same as before July 2. Although the opposition candidate was victorious, the Constitution of 1917 suffered many more changes in the past with incoming presidents from the PRI party. What was modified from the root was the way to reach power: through the vote. The major novelty is that appropriating the popular vote is no longer possible—not a small accomplishment, given that it implied profound and costly institutional reform in the IFE and the Tribunal Electoral del Poder Judicial de la Federación. In addition, the remaining institutions have undergone an important dispersion of power that has converted them into very different entities.

President Fox began his term with unquestionable democratic legitimacy. No important actor in society could doubt the basis of his triumph. Such legitimacy represents backing that no former Mexican president had enjoyed. The so-called democratic bonus can be a powerful asset in facing widespread unbalance and resistance from the past.

However, the major resistance to the change was found in its very smoothness. The PRI party, far from being erased from power, has the most legislators, governors and mayors throughout the nation (Chart 1). In a strict sense, it is the only party that is truly competitive at the national level. The old mechanisms of corporate control have been weakened, but they have neither disappeared nor have they been replaced by an effective state of law as in stable democracies.

The challenges of the new government have been significant. A new group with little experience in government, especially at the federal level, must manage the enormous expectations for change, without being able to depend on the instruments of power from a corporate pact that would have allowed a degree of control over social conflicts. And since the new government does not have the majority in either of the legislative chambers (Chart 2), any new legislation implies negotiating with members of other parties.

The president of Mexico, contrary to usual assumptions and according to the constitution, is a rather weak president before Congress. Our president-centered tradition had made us believe that the president's strength originates in the constitution. Such is not the case: in the past, the president reflected the power of his party, which was disciplined and had been led, ever since the 1930's, by the president himself. The legal authority of Mexico's president with regard to the legislature is limited, in comparison with other presidents of the region. In Mexico, the president has no power to veto budget items, nor can he govern by decree. He does not monopolize legislative initiatives.

In addition, the rules of the game that define the attributes of the executive branch are riddled with holes. In the seven decades of PRI administrations, the PRI's political monopoly and the president's control of the party made it possible to ignore the legal vacuums of a constitution that had been put into effect in 1917, and reformed at will by the president in power, but never really utilized to regulate the powers of the executive branch and its relationships with the other branches of government. The executive's broad power allowed the president to impose his will on the other branches (legislative and judicial) as well as on other levels of government, in the cases of most interest. His authority was limited only by the never breached rule of "no reelection".

A necessarily erratic period of initial adjustment was to be expected, although the new government retained a sizable number officials who had served in high positions of the previous PRI administrations; in this manner, continuity was achieved in critical areas, most notably in the Ministry of Finance. However, the learning curve has been more pronounced than expected. The administration has been far from the corporate management promise that had generated assumptions of quick, coordinated and effective decision-making.

Many of the actions undertaken so far have been interrupted, are unconsolidated, or have failed to produce the expected impact, in part because of the low quality of the unionized bureaucracy inherited by the Fox administration. However, the initially selected organizational structure has not served to untangle existing inefficiencies. The administration is still quite distant from the expectations that correspond to an efficient democracy.

President Fox won the presidential election thanks to the population's enormous expectations for change, especially those of the higher-educated urban middle class and society's younger sectors. These expectations were inflated by campaign rhetoric, and thus very complicated to meet. Even worse, change was understood differently by the voters. The administration does not have a clear mandate for reform. It promised that a change in political parties would result in increased well-being, but never clearly defined the instruments to be used; in addition, many of the necessary reforms are unpopular or face strong resistance from organized groups.

Era de esperarse un proceso de ajuste inicial necesariamente errático, aunque el gobierno mantuvo un número importante de funcionarios que habían trabajado en altos puestos en gobiernos priístas, con lo cual se logró continuidad en áreas críticas, la más notable, la Secretaría de Hacienda y Crédito Público. Sin embargo, la curva de aprendizaje ha sido más pronunciada de lo que se esperaba. La administración ha estado lejos de la promesa gerencial–empresarial que hacía suponer un gobierno con rapidez, coordinación y efectividad en la toma de decisiones.

Muchos de los esfuerzos emprendidos han quedado truncos, no se han consolidado o no han tenido el impacto esperado, en parte dada la baja calidad de la burocracia sindicalizada que hereda el gobierno de Fox. Sin embargo, la estructura organizacional inicialmente escogida no sirvió para destrabar las ineficiencias existentes. La administración dista aún mucho de la que se espera en una democracia eficiente.

El presidente Fox ganó las elecciones presidenciales gracias a las enormes expectativas de cambio de la ciudadanía, sobre todo de la clase media urbana más educada y de los sectores más jóvenes. Estas expectativas estaban infladas dada la retórica propia de una campaña electoral, lo cual hacía muy complicado el satisfacerlas. Más difícil aún, el cambio fue entendido de distinta manera por los votantes. El gobierno no tiene un mandato claro de reforma. Prometió que la alternancia llevaría a mayor bienestar, pero nunca expuso con claridad los instrumentos para alcanzarlo, y muchas de las reformas necesarias para esos fines son impopulares o enfrentan resistencias importantes de grupos organizados.

Vicente Fox comenzó su presidencia con una popularidad sin precedentes: el 79 por ciento de los mexicanos lo aprobaba cuando tomó posesión en diciembre de 2000. Si bien ésta se mantiene en niveles todavía elevados (56 por ciento), está por verse si esta popularidad se sostiene y en su caso si le permite a su partido, el PAN, un mejor desempeño en las elecciones legislativas del 2003 (ver gráfica 1), de suerte tal que gane mayor espacio legislativo del que hoy tiene.

Más allá de la volatilidad propia de la opinión pública que pesa sobre todo gobierno, el gran capital democrático inicial no ha sido suficiente para lograr convencer a la sociedad mexicana de las virtudes de la agenda de reformas estructurales que el país requiere para ser más competitivo y capaz de crecer de forma sostenida. Entre las reformas pendientes, quizás las más importantes son la energética, la laboral y la reforma del Estado.

No debemos, sin embargo, olvidar la fiscal, ya que la aprobada a fines del 2001 no ha resuelto de fondo los problemas. Por un lado, ha dejado insatisfechos a amplios sectores de la población; por el otro, no ha resuelto la fragilidad de las finanzas públicas que no pueden desde esta restricción atender las innumerables demandas sociales que se incrementan en un régimen democrático.

La alternancia logró dotar de un alto grado de legitimidad al sistema político, tanto al interior como más allá de nuestras fronteras. Sin embargo, la pobreza, la corrupción, el crimen organizado, la evasión fiscal, el subempleo, las muertes evitables, el caos urbano, la ineficacia del aparato público, los abusos de los grandes sindicatos, todo esto y muchos otros problemas siguen ahí. Tampoco se ha resuelto una baja credibilidad en lo público. La alternancia no fue capaz de transformar de fondo nuestra relación con la política y lo gubernamental.

Ciertamente, si el gobierno hubiera definido con mayor claridad sus prioridades iniciales y actuado de manera más eficaz y novedosa, su arranque pudiera haber sido mucho mejor. La utilización de su alto capital político podría haber ayudado a impulsar algunas de las reformas pendientes. Sin embargo, por más eficiente que fuera el gobierno, ello no solucionaría, al menos en el corto plazo, los problemas centrales del país. Estos son estructurales, es decir, no son un problema de falta de voluntad, como antes se le achacaba al PRI, o de incapacidad del ejecutivo, como ahora se le imputa al gobierno de Fox. Si bien a veces estos problemas pasan por cambiar la legislación, no se resuelven simplemente con reformas. Son, fundamentalmente, resultado de un conjunto de prácticas sociales poco conducentes al desarrollo y que se han ido consolidando tras décadas de enfrentar incentivos contrarios al bienestar colectivo.

La alternancia también transformó la naturaleza de las relaciones entre el Presidente y el Congreso y reveló, entre otras cosas, que la fuerza del presidencialismo no estaba en el ordenamiento constitucional sino, más bien, en el estrecho vínculo que existía entre el Presidente de la República y el partido dominante. Dada esta dinámica y la distribución de curules en ambas Cámaras, el Presidente no ha podido emplear la ruta legislativa para acelerar las reformas estructurales.

Vicente Fox began his term with unprecedented popularity: the approval of 79 percent of Mexicans when he took office in December of 2000. Although his approval rating has remained at still high levels (56 percent), it is yet to be seen if this popularity will be sustained, and if the PAN party will be able to win more seats in the legislative elections of 2003 (Graph 1).

Beyond the volatility of the public opinion that weighs on any government, the considerable initial democratic wealth has been insufficient to convince Mexican society that the administration's agenda of structural reforms is required in order for the nation to become more competitive and capable of enjoying sustained growth. Perhaps the most important of the pending reforms are energy, labor and the reform of the state. We must not forget fiscal reform, however, since the fiscal plan approved in late 2001 has failed to get to the bottom of problems. On one hand, it has left broad sectors of the population dissatisfied; and on the other, it has not solved the fragility of public finances, which have been restricted in addressing the numerous social demands that tend to grow in a democracy.

The alternation in political power granted a high degree of legitimacy to the political system, both within and beyond our borders. However, many problems remain, including poverty, corruption, organized crime, tax evasion, underemployment, avoidable deaths, urban chaos, the efficiency of the government apparatus, and the abuses of large unions, in addition to low government credibility. The succession was not able to transform at the deep level our relationship with politics and government.

Most certainly, if the government had defined with greater clarity its initial priorities and had acted in a more efficient and novel manner, its take-off would have been much better. Utilizing its abundant political assets could have helped promote some of the pending reforms. However, no degree of government efficiency would have been able to solve the nation's central problems, at least not over the short term. Such problems are structural; i.e., they are not due to a lack of interest, as previously attributed to the PRI, or to executive incapacity, as now attributed to the Fox administration. Although these problems at times lead to changes in legislation, they are not solved simply through reform. They are fundamentally a result of a set of social practices not conducive to development that have been consolidated through decades of contact with incentives contrary to the collective well-being.

The succession also transformed the nature of the relationship between the president and Congress and revealed, among other factors, that the strength of the presidential office was not to be found in the constitution, but in the close link that had existed between the president and the dominating party. Given these dynamics and the distribution of seats in both chambers, the president has been unable to employ the legislative route to accelerate structural reforms.

Marginal to party positions and their strategic calculations, the engineering of the Mexican political system does not facilitate negotiations between the executive and legislative branches. In the absence of immediate reelection, the electorate is less of a concern for legislators than their relationship with their parties, which have powerful instruments to guarantee legislator obedience (control of public resources and centralized selection of candidates for proportional representation). In this manner, the central leadership of all parties rewards member loyalty through its decisions, and therefore rigidifies negotiation and severely weakens the representation of citizen interests.

Strong parties with queried leaders lead to a paradox. Up to the present, no serious indiscipline has occurred during plenary voting. However, the new heads of the PRD and the PRI—the two major opposition parties—are insufficiently strong to negotiate complex matters contrary to their ideological base of revolutionary nationalism.

The PRD continues to be inadequately institutionalized, with very belligerent factions. Cuauhtémoc Cárdenas is still quite influential inside the party, but carries the heavy burden of three consecutive defeats in presidential races. The electoral weight of the PRD is lighter than it may seem, given that it is a very vocal party that is concentrated in the nation's capital.

On the other hand, the PRI party has yet to learn how to live as the opposition. It has no clear practices or rules to reach agreements without the tutelage of a national president who has risen from its ranks. Nonetheless, far from fragmenting and vanishing in electoral terms, it has maintained a certain unity and was able to elect new leadership. It has avoided supporting polemical matters (such as the administration's proposed fiscal reform) and has been capable of important electoral victories at the local level; in fact, it has gained ground over the 2000 federal elections in the proportion of votes obtained.

It can be argued that the current division of power permits the indispensable weights and counterweights of any democracy, and thus prevents arbitrary policies that contribute nothing to better government. This point of view is probably true for the judicial branch. In spite of the courts' major problems in handling their

Al margen de las posiciones de los partidos y de los cálculos estratégicos de cada uno de ellos, la propia ingeniería del sistema político mexicano no facilita la negociación entre Ejecutivo y Legislativo. Al no haber reelección inmediata, los legisladores no están tan preocupados por su electorado como por la relación con sus partidos, que cuentan con importantes instrumentos para garantizar la obediencia de los legisladores (control de los recursos públicos y selección centralizada de candidaturas de representación proporcional). De tal suerte, las dirigencias centrales de todos los partidos premian la fidelidad de los representantes para con sus decisiones, lo cual torna sumamente rígido el esquema de negociación y muy débil la representación de los intereses ciudadanos.

Partidos fuertes, pero con liderazgos cuestionados, llevan a una paradoja. No se han dado, hasta el momento, faltas de disciplina importantes a la hora de votar en el pleno. Sin embargo, los nuevos líderes del PRD y del PRI –los dos principales partidos en la oposición– no cuentan con fuerza suficiente para negociar asuntos complejos y contrarios al nacionalismo revolucionario que es su base ideológica.

El PRD sigue sin institucionalizarse adecuadamente y con facciones muy beligerantes. Cuauhtémoc Cárdenas, si bien sigue siendo influyente en el interior del partido, tiene a cuestas tres derrotas consecutivas en su búsqueda por la presidencia de la República. El peso electoral del PRD es menor al que pareciera, dado que es un partido muy vocal y concentrado en la capital del país.

Por otra parte, el PRI no termina aún de aprender a vivir en la oposición. No tiene reglas ni prácticas claras para alcanzar acuerdos sin la tutela de un presidente emanado de sus filas. Con todo, lejos de fragmentarse y desvanecerse electoralmente, ha mantenido cierta unidad y logró elegir un nuevo liderazgo. Ha evitado apoyar asuntos polémicos (como la reforma fiscal propuesta por el gobierno), y ha sido capaz de alcanzar algunos triunfos electorales locales importantes, repuntando de hecho respecto a las elecciones federales del 2000 en la proporción de votos obtenidos.

Se puede argumentar que la actual división de poderes permite los indispensables pesos y contrapesos de toda democracia. Estos evitan políticas abruptas poco negociadas con la población, que en nada contribuyen a un mejor gobierno. Respecto al poder judicial esto es probablemente cierto. A pesar de los serios problemas que los tribunales aún tienen para resolver las innumerables responsabilidades a su cargo, los asuntos controversiales que han planteado gobiernos locales y el propio poder legislativo a la

Suprema Corte se han resuelto adecuadamente y han sido acatados por las partes. Con todo, si el gobierno no es capaz de litigar adecuadamente, puede terminar en una posición de debilidad endémica frente a individuos con recursos para sufragar su defensa.

Con el poder legislativo la situación es aún más compleja. En cuestiones donde la política del Presidente se encuentra en el centro del espectro político, se han podido lograr acuerdos con alguno de los dos extremos o con ambos, los cuales permiten un apoyo social más amplio y reflejan mejor las preferencias de los electores.[3] El dilema es, sin embargo, que la mayoría de las reformas pendientes está a la derecha de los dos grandes partidos de oposición, por lo que es muy difícil encontrar la coalición mayoritaria en ambas cámaras. Como lo han planteado algunos académicos, el presidencialismo con gobierno dividido, y pocos partidos pero disciplinados, es un diseño institucional muy complejo para alcanzar los acuerdos necesarios.[4]

El gobierno de Vicente Fox tiene, además de la relación con los otros poderes y con su propio partido, el reto de rediseñar los mecanismos de interacción con los actores corporativos que fueron la base de poder del PRI. Si bien la relación con las organizaciones sociales más dependientes del gasto público no ha tenido sobresaltos mayores, esto se ha logrado cediendo una parte del control a los gobernadores y no oponiéndose al poderoso sindicalismo de la burocracia, el cual dificulta enormemente tener un gobierno más ágil. Con el movimiento obrero tampoco se han dado sobresaltos fuertes, aunque a costa de incrementos en los salarios superiores a la inflación, lo que en el actual contexto recesivo implica un mayor desempleo y un menor margen fiscal para el gobierno, todavía el principal empleador del país. Dada la tradición del país y la estrecha capa de la sociedad que se puede considerar clase media y relativamente distante de estas prácticas corporativas, la falta de mecanismos de interlocución del gobierno con los sectores más populares dificulta al gobierno la construcción de una base electoral y política más ancha y estable.

numerous responsibilities, the controversial matters taken to the Supreme Court by local governments and the legislative branch have been resolved to the satisfaction of the involved parties. If the government is incapable, however, of adequate litigation, it may reach a position of endemic weakness with regard to individuals having the resources to buy their defense. With the legislative branch, the situation is even more complex. In situations where presidential policy is at the center of the political spectrum, it has been possible to reach agreements with one or both extremes, thus enabling broader social support and a better reflection of voter preferences.[3] The dilemma, however, is that since most pending reforms are to the right of the two major opposition parties, obtaining a majority coalition in both chambers is very difficult. As some academics have suggested, a focus on the president in a situation characterized by a divided government and political parties that are few in number but disciplined, is a very complicated institutional design for reaching necessary agreements.[4]

In addition to the challenge of its relationship with the other branches of government and with its own party, Vicente Fox's administration must redesign the mechanisms of interaction with the corporate actors of the PRI's base of power. Although the relationship with the social organizations most dependent on public spending has not suffered major upsets, the situation has implied ceding partial control to state governors and not opposing the powerful unionism of the bureaucracy, at the cost of speed in administration. The price of avoiding major problems with the labor movement has been salary increases greater than the rate of inflation; and in the current recessive context, such a policy implies higher unemployment and a lower tax margin for the government, still the nation's main employer. Taking into account the nation's history and the thin layer of society that can be considered middle class (and which is relatively distant from these corporate practices), the lack of mechanisms for dialogue between the government and the low class hinders the formation of a broader and more stable electoral base.

---

[3] Ver Benito Nacif, *"Dealing with the Difficult Combination: Policy Making Under Divided Government in Mexico"*, CIDE, mimeo, 2001.

[4] Ver, por ejemplo, Adam Przeworski, Michael E. Alvarez, José Antonio Cheibub y Fernando Limongi (eds.), *Democracy and Development: Political Institutions and Well-Being in the World, 1950–1990*, Cambridge: Cambridge University Press, 2000. Ver, sin embargo, una visión más optimista sobre el presidencialismo en Josep M. Colomer, *Instituciones Políticas*, Barcelona: Ariel, 2001.

[3] See Benito Nacif, "Dealing with the Difficult Combination: Policy Making Under Divided Government in Mexico", CIDE, mimeo, 2001.

[4] See, for example, Adam Przeworski, Michael E. Álvarez, José Antonio Cheibub and Fernando Limongi (eds.), Democracy and Development: Political Institutions and Well-being in the World, 1950-1990. Cambridge: Cambridge University Press, 2000. A more optimistic view of the presidential office is in Josep M. Colomer, Instituciones Políticas. Barcelona: Ariel, 2001.

One of the benefits of the democratic bonus is more active foreign policy that is more capable of influencing international policy to the nation's benefit. The new administration has strengthened ties with the United States, to the degree that President Bush stated: "The United States has no other relationship in the world that is more important than the relationship with Mexico."[5]

During Fox's state visit to the United States in early September, 2001, the government was able to include the immigration topic on the joint agenda. Although promising opportunities exist not only in immigration, but also in drug traffic, human rights and the environment, the terrorist acts of September 11, only days after the visit, disfigured this strategy. The economic difficulties facing the United States are a further obstacle to expanding the agenda to integration, which includes the employment factor and compensatory funds similar to those of the European Union.

During the first year of this non-PRI presidential term, Mexico experienced one of the smoothest political and economic transitions since 1964. Inflation is the lowest of the past thirty years, and the peso has remained steady. The new administration's legitimacy is unquestionable, and the president retains high levels of popularity, although lower than at the beginning of the term.

Expectations for change, however, are far from having been met. The economy's growth is much lower than expected, the most important structural reforms are still pending, and the government's tax margin for addressing widespread social needs is very limited. The radical change expected by many has faced the stubborn reality of a nation where the distribution of power and residual imbalances will cause any change to be slow and tortuous.

Dentro de los beneficios derivados del bono democrático se encuentra una política exterior más activa, más capaz de buscar influir en la política internacional para beneficio del país. El nuevo gobierno había logrado estrechar la relación con los Estados Unidos, al grado que el presidente Bush llegó a afirmar: "Estados Unidos no tiene ninguna relación más importante en el mundo que la relación con México".[5]

En la visita de Estado de Fox a los Estados Unidos a principios de septiembre del 2001, el gobierno logró poner el tema migratorio en la agenda común. Aunque existen aún promisorias oportunidades en materia no sólo de migración sino también de narcotráfico, derechos humanos y medio ambiente, los atentados terroristas del 11 de septiembre, días después de la visita, desfiguraron esta estrategia. Las dificultades económicas que enfrentan los Estados Unidos hacen aún más difícil el pensar en una ampliación en la agenda de integración que incluya al factor trabajo y fondos compensatorios similares a los de la Unión Europea.

A un año de que llegara al poder un partido distinto al PRI, México ha vivido uno de los cambios de administración con menos sobresaltos políticos y económicos desde 1964. La inflación es la más baja de los últimos treinta años y el peso se ha mantenido estable. La legitimidad del nuevo gobierno es incuestionable y el Presidente se mantiene con altos niveles de popularidad, a pesar de haber caído con respecto al inicio de su sexenio.

No obstante, las expectativas de cambio distan mucho de haberse cumplido. El crecimiento de la economía es mucho menor al esperado, las reformas estructurales más importantes siguen pendientes y el margen fiscal del gobierno para atender las muchas necesidades sociales no atendidas es muy limitado. El cambio radical por muchos esperado, sencillamente se ha enfrentado a la terca realidad de un país donde el poder se ha distribuido de tal forma que todo cambio será ahora lento y difícil, y donde se arrastran profundos desequilibrios.

---

[5] *Stenographic version of the words of US President George W. Bush at the state dinner of September 5, 2001.*

[5] Versión estenográfica de las palabras del señor George W. Bush, Presidente de los Estados Unidos de América, durante la Cena de Estado el 5 de septiembre de 2001.

La democracia parte de un supuesto: que todos somos iguales. Gana el poder quien obtiene más votos. Ningún voto vale más que otro. Sin embargo, la profunda desigualdad del país hace de este punto de partida de la democracia una ficción. Quizás todos valemos igual a la hora de votar, pero hasta ahí. En casi todos los otros ámbitos impera una desigualdad lacerante.

En otras latitudes la democracia ha servido para cerrar esta brecha. A través de una política tributaria más activa, el Estado ha podido construir un piso más igual entre los ciudadanos. Cuando esto se logra, la democracia se consolida, no sólo como forma de elegir gobierno, sino como el gobierno que responde mejor a las necesidades ciudadanas.

En México, la desigualdad es de las más altas del mundo y el gobierno tiene una capacidad de recaudación fiscal de las más bajas para nuestro nivel de desarrollo. Nuestro gobierno no se distingue tampoco por gastar los recursos públicos de una forma particularmente eficiente. Esto genera una tensión fuerte entre las bases igualitarias de la democracia y la realidad en todos los otros ámbitos. Dado que, además, somos un país relativamente pobre, una franja importante de la población vive por debajo de un nivel mínimo aceptable.

Esto no sólo es éticamente indefendible, sino que hace del ciudadano fácilmente presa de ofertas clientelares y dificulta un debate político con base en el mérito de las propuestas de los diversos actores. El voto se intercambia por despensas u otros satisfactores básicos, con lo cual construir un estado de derechos para todos se torna aún más difícil.

Un estado democrático está basado en el principio de que ciertos satisfactores, como una educación básica, se tienen por el hecho de ser ciudadano. No son concesiones del poderoso. El cheque de la seguridad social no es un regalo de un cacique político al que se debe compensar con un voto. Pero existe una contraparte a esto. El derecho social tiene como contraparte un conjunto de obligaciones. Estas pasan por pagar impuestos y respetar las leyes, aunque nos incomoden o impongan un costo a nuestros intereses.

Democracy is based on the assumption that we are all created equal. The winner of the most votes assumes power. No single vote is worth more than another. However, the nation's profound inequality makes this assumption a fiction. Perhaps we are all equal at the polls, but only there. In almost all other settings, lacerating inequality prevails.

At other latitudes, democracy has served to close this gap. Through more active tributary policy, the state has been able to construct a more even foundation among citizens. In this manner, democracy becomes not only a form of electing a government, but also a government that best responds to its citizens' needs.

Inequality in Mexico is among the most exaggerated in the world, and the government has some of the lowest tax receipts for our level of development. Neither is our government known for spending public resources in a particularly efficient manner. This fact generates strong tension among the egalitarian bases of democracy and the reality in all other settings. Given that we are a relatively poor nation, an important cross section of the population lives below a minimum acceptable level.

Besides being ethically indefensible, this situation makes citizens easy prey for patronizing offers and encumbers political debate based on the merit of proposals. Votes are exchanged for groceries or other basic goods, and the edification of a state of law for all citizens is made even more difficult.

A democratic state is based on the principle that certain needs, such as a basic education, are the right of any citizen. They are not concessions of power. A social security check is not the gift of a political boss that must be repaid with a vote. But the rights of society have a counterpart: a set of obligations that includes paying taxes and obeying laws, regardless of any discomfort or financial cost they may represent.

There is no democracy without a constituent and without a state of law. Given our long history of undemocratic and patronizing systems, it is not surprising that our social practices are far removed from those of older democracies. The law remains a reference, with the dominating idea that a law perceived as unfair need not be respected.

Many years of effort by the political class will be required to adopt the minimal practices that make a democracy possible; in this manner, the system of mutual rights and obligations referred to as a democracy will be constructed. Short-term incentives at times seem to conspire against the basic agreements necessary in any democracy (such as respect for the law), but given the political progress of recent years, we can expect the political ability of our society's principal actors to permit the consolidation of our democracy.

Mexico has finally joined the club of democratic nations. It has an open economy with extensive possibilities for growth, and the North American integration process keeps at a distance the growing uncertainty of practically all of Latin America. However, it is yet to be seen how the ability to govern democratically will be developed in a plural, heterogeneous, unequal nation with fragile institutions that are unused to this new democratic world.

Without the ability to govern, democratic change will have served for little. Given the representative nature of government, its improved legitimacy is important, but democratic legitimacy is useless if not translated into concrete actions, effective policies and solutions to the nation's multiple problems. In other words, representativeness is only one side of the democratic equation. The other side, still pending, is effectiveness: having a government capable of satisfying society's demands, of channeling conflicts through institutions, of guaranteeing the rule of law and the enforcement of citizens' rights. The topic that will dominate the debate of future years will surely emphasize less the democratic character of government (given that the risks of a reversal to authoritarianism are fortunately remote) and more the government's ability to govern: in other words, the consolidation of democracy.

We are a democracy. What lies ahead is making our democracy governable. We must ensure that the natural dispersion of power behind a representative system in a nation as plural as Mexico, does not affect the ability to make decisions. The possibility to convert the distribution of power into far-reaching agreements and to take advantage of plurality for purposes of inclusion depends on the viability of our democracy as well as of our nation.

No hay democracia sin causante y sin estado de derecho. Después de toda una historia de sistemas políticos poco democráticos y clientelares no es extraño que las prácticas sociales estén tan alejadas de las que se observan en democracias más viejas. La ley no deja de ser un referente y domina la idea de que no debe de ser acatada si se percibe como injusta.

Se van a requerir muchos años y un esfuerzo de la clase política por cuidar las prácticas mínimas que hacen a una democracia posible, para ir construyendo ese régimen de derechos y obligaciones mutuos que es una democracia. Los incentivos de corto plazo por momentos parecen conspirar en contra de acuerdos básicos necesarios en toda democracia, como el respeto a la ley, pero dado el avance político de los últimos años uno debiera esperar capacidad política de los principales actores para avanzar en la consolidación de nuestra democracia.

México ha ingresado finalmente en el club de los países democráticos. Cuenta también con una economía abierta y con amplias posibilidades de crecimiento, dado el proceso de integración con América del Norte, que alejan de forma importante de la incertidumbre creciente en casi toda América Latina. Sin embargo, está por verse cómo se construye una gobernabilidad democrática en un país plural, heterogéneo, desigual y con instituciones frágiles y poco adaptadas a este nuevo mundo democrático.

Y es que sin gobernabilidad poco habrá servido el cambio democrático. Importa, por supuesto, en la medida en que el gobierno cuente con mayor legitimidad dado su carácter representativo, pero de nada sirve si esa legitimidad democrática no puede traducirse en acciones concretas, en políticas efectivas, en soluciones a los múltiples problemas que padece el país. En otras palabras, la representatividad es apenas un lado de la ecuación democrática. El otro, aún pendiente, es la efectividad: contar con un gobierno capaz de satisfacer las demandas sociales, de canalizar los conflictos por la vía de las instituciones, de garantizar el imperio de la ley y la vigencia de los derechos ciudadanos. El tema que dominará el debate de los próximos años será, seguramente, ése: no tanto el del carácter democrático del gobierno —pues los riesgos de una reversión autoritaria son, afortunadamente, remotos—, como la capacidad del gobierno para gobernar o, dicho en otros términos, la consolidación de la democracia.

Ya somos una democracia. Lo que viene ahora es hacer que nuestra democracia sea gobernable, que la dispersión natural del poder a la que conduce un sistema representativo en un país tan plural como México, no se traduzca en incapacidad para tomar decisiones. De la posibilidad de convertir la distribución del poder en amplios acuerdos, de aprovechar la pluralidad para la inclusión, depende la viabilidad de nuestra democracia y en última instancia de nuestro país.

Cuadro 1. Distribución del poder a nivel nacional, 2002

Partido	Gubernaturas		Diputados en congresos locales (100%)	Congresos con mayoría[2]	Municipios (100%)[3]	Número de municipios gobernados
	Número de entidades[1]	Población gobernada (%)				
PAN	9	24.40	27.51	6	15.39%	374
PRI	17	55.85	47.26	21	47.28%	1,149
PRD	6	19.75	16.27	3	8.48%	206
Otros*	0	0.00	8.87	0	28.85%	701
Total	32	100.00	100.00	30	100.00%	2,430

[1] Los estados gobernados por alianzas o coaliciones se clasifican según la filiación o tendencia partidista del gobernador.
[2] La suma no equivale a 32 estados debido a que en Michoacán y en Yucatán ningún partido tiene mayoría. Información actualizada al 11 de julio de 2002.
[3] Se refiere a la filiación partidista de los presidentes municipales. Información actualizada al 18 de junio de 2002.
*El concepto "otros" incluye a los demás partidos políticos. En el caso de los municipios incluye a los municipios electos por usos y costumbres, consejos municipales y coaliciones o alianzas formadas por distintos partidos.

Fuente: Páginas electrónicas de los H. Congresos de los Estados, de la Asamblea Legislativa del Distrito Federal, de los Institutos Electorales Estatales, de los gobiernos de los estados, del CEDEMUN y del INEGI.

solamente

El arte es en el sentido mismo de la historia,
el autorrevelador del espíritu humano
que constituye la historia en todas sus manifestaciones...
El arte representa la historia de la historia o, aún más,
la historia más allá de todas las historias.

Jörn Rüsen

CAPÍTULO DOS

CHAPTER TWO

Modernidad y Diversidad en la Plástica Mexicana, Siglo XXI

Modernness and Diversity in Mexican Visual Arts, the Twenty-first Century

Elisa García Barragán

CAPÍTULO DOS

CHAPTER TWO

Modernidad y Diversidad en la Plástica Mexicana, Siglo XXI

Elisa García Barragán

Los cambios de siglo, la conclusión de las "ataduras de años", exigen revisiones, recuentos; sin embargo, el hilo de la historia no se trunca, de ahí que la producción artística no se vea frenada por tales límites cronológicos.

El título de este trabajo se refiere a lo sucedido en la plástica más reciente, así como a la pluralidad de rutas por las que continúa deambulando el arte nacional, sus pintores y escultores. Por lo que hace a la diversidad, de ella se ha dado cuenta en los volúmenes que precedieron al presente; los senderos ya subrayados siguen, por supuesto, siendo motivación y punto de partida para los creadores a caballo entre los siglos XX y XXI. Treinta y cinco artistas a los que ahora se pasa revista. De ahí que sea correcto afirmar que "ruptura y continuidad" son tónica que se refleja en los actuales ámbitos de formas y colores en los territorios de la cultura.

En el segundo volumen de esta serie, Laura Pérez Flores llevó a cabo una somera pero elocuente revisión del desarrollo cultural mexicano de la pasada centuria, cabalmente imbricada con el discurrir político y social del país, repaso que permite advertir un hilo rector, el que sobre todo para el universo de la plástica no se ha truncado, por el contrario pareciera continuar, repetirse, ya que en su devenir en ocasiones da la impresión de un congelamiento de hechos en los que únicamente se sustituyeran los nombres de los protagonistas.

Siguiendo esa línea de unión, es necesario subrayar un hecho que tuvo lugar simultáneamente a la exposición *México, Esplendores de treinta siglos,* que se llevara a cabo en 1990 en el Metropolitan Museum of Art de la ciudad de Nueva York, muestra y despliegue del arte mexicano a partir del mundo prehispánico hasta la Escuela Mexicana de Pintura, exhibición que dejara fuera el trabajo de las generaciones más jóvenes, mismo que quedó marginado del importante recinto, inclusive de aquellas exposiciones del "arte de ruptura" magníficamente colocadas en otros inmuebles de la gran ciudad.

New centuries, the breaking of "old ties", demand revisions, recounts; however, the thread of history is not cut, and thus artistic production is not slowed by such chronological limits.

The title of this article refers to recent events in the visual arts, as well as the plurality of paths on which Mexican art, its painters and sculptors continue to wander. The diversity of Mexican art has been proven in the preceding volumes; the marked trail logically continued to be a motivation and starting point for the artists who rode on it between the 20th and 21st centuries. Thirty-five artists are now to pass inspection. It is therefore correct to affirm that "rupture and continuity" are reflected in the forms and colors of today's culture.

In the second volume of this series, Laura Pérez Flores carried out a brief but eloquent review of Mexico's cultural development during the past century. Her analysis, completely entrenched in the nation's political and social reality, discloses a guiding line that has not been interrupted in the universe of the visual arts; quite the contrary, it seems to have continued, repeating itself and at times leaving the impression of a congealment of the facts—with changes only in the names of the protagonists.

On following this cohesive line, it is necessary to emphasize an event that occurred at the same time the exhibition, Mexico, Splendors of Thirty Centuries, was held in 1990 at the Metropolitan Museum of Art of New York City. The Mexico exhibition displayed and explained Mexican art from pre-Hispanic times up to the Escuela Mexicana de Pintura, and ignored the work of the younger generations. Their production remained at the margin not only of the important Metropolitan Museum of Art, but also of the magnificent exhibitions of "art of rupture" at other locations in the city.

Three Mexican galleries decided to remedy the situation by carrying out an adjunct exercise they entitled Parallel Project, Nuevos Momentos del Arte Mexicano. The showing grouped young artists who, in spaces no less relevant of the "Big Apple," demonstrated the fresh ideas and pieces aimed at describing the new courses of artistic sensitivity. For this reason, it is useful to underline the work, both past and present, of many galleries in Mexico City. Those who took charge of the Parallel Project, for example, were the Galería OMR, the Galería de Arte Mexicano and the Galería Arte Actual Mexicano of Monterrey. I mention this project—an important bonding of young art with the art presented in New York's Metropolitan Museum—since some of the artists included in this book, such as Dulce María Núñez and Alejandro Colunga, were participants.

Tres galerías mexicanas decidieron subsanar tal marginación, llevando a cabo un ejercicio adjunto que titularon *Parallel Project, Nuevos momentos del Arte Mexicano,* que aglutinó a los más jóvenes, quienes en espacios no menos relevantes de la "Gran Manzana", demostraron las novedades, las obras encaminadas a difundir los nuevos derroteros alcanzados por las noveles sensibilidades. Por ello, no resulta ocioso insistir en la labor que llevaron y llevan a cabo muchas galerías existentes en la ciudad de México. Volviendo al *Parallel Project,* la tarea la tomaron en sus manos la Galería OMR, la de Arte Mexicano y la Galería Arte Actual Mexicano de Monterrey. Traigo a colación este proyecto, debido a que algunos de los artistas aquí considerados, como Dulce María Núñez y Alejandro Colunga, participaron en tan importante hermanamiento del arte joven con lo presentado en el Museo de Nueva York.

Instituciones oficiales perviven para bien del arte y la cultura, la más relevante, el Consejo Nacional para la Cultura y las Artes (CONACULTA), una de cuyas iniciativas, el Fondo Nacional para la Cultura y las Artes (FONCA), beneficia a creadores en casi todos los ámbitos del territorio nacional, dependencia que apoya principalmente a quienes se encuentran aún en las primeras etapas de su trayectoria y que, sin inhibiciones, se instalan en la búsqueda constante de nuevas formas y contenidos. Al respecto, Santiago Espinosa de los Monteros, curador y museógrafo de la exposición *Creación en movimiento, jóvenes creadores generación 2000–2001,* advierte en la presentación del catálogo: "Con ello el FONCA reitera su compromiso de apostar por la experiencia de las nuevas generaciones, de los lenguajes contemporáneos, de la vitalidad creativa que postula una profunda renovación de nuestra cultura artística. El Consejo promueve igualmente varios eventos, ya de añeja tradición, el "Círculo de Arte Joven", que desde Aguascalientes se desplaza por varios estados de la República, y el superior, "Concurso Rufino Tamayo", que también es itinerante.

Asimismo y de manera institucional, la apertura de museos prosiguió, y al de José Luis Cuevas sigue el dedicado a resguardar la producción de Manuel Felguérez, inaugurado en el 2001 en un espléndido edificio situado en la capital de su estado natal, Zacatecas, el Museo de Arte Contemporáneo Manuel Felguérez, que no sólo exhibe la obra de este pintor. En sus amplias áreas hay extensos salones donde se acomodan y pueden admirarse, permanentemente, cuadros de artistas coetáneos al ilustre zacatecano y representantes de la plástica de ese periodo, o bien, exposiciones temporales. Además, gracias a su empeño y generosidad, parte del inmueble alberga un taller de grabado (producción y venta), que acoge desde artistas experimentados hasta jóvenes promesas. El arquitecto Alvaro Ortiz, siempre atento a la promoción del arte zacatecano y director por muchos años del Museo Goitia de aquella entidad, estuvo al cuidado de la adecuación de los espacios del Museo Felguérez. Sin embargo, su prematura muerte no le permitió ver concluida esta tarea; por sus conocimientos, entrega y siempre amigable actitud, vaya este recuerdo como mínimo homenaje.

Hoy día el Museo de Bellas Artes de Querétaro, que resguarda una excelente colección de arte virreinal, a su vocación por mostrar ese acervo y con la finalidad de difundir lo "actual", lleva asimismo varios años divulgando la producción de artistas contemporáneos, por ejemplo: Rafael Cauduro y Carla Hernández en el 2000, y ahora una parte de las obras más recientes de Manuel Felguérez.

Official institutions subsist for the good of art and culture, most relevantly, the Consejo Nacional para la Cultura y las Artes (CONACULTA) ("National Council for Culture and the Arts"). One of its initiatives, the Fondo Nacional para la Cultura y las Artes (FONCA) ("National Fund for Culture and the Arts"), benefits artists in almost all of Mexico's settings. It mainly supports beginning artists who are dedicated to the uninhibited, constant search for new form and content. In this respect, Santiago Espinosa de los Monteros, the curator and designer of the exhibition, Creación en movimiento, jóvenes creadores generación 2000–2001, *warns in the introduction to the exhibition's catalogue: "FONCA reiterates its commitment to support the experience of the new generations, the contemporary idioms, and the creative vitality that postulates a profound renovation of our artistic culture." The Council also promotes several events, already traditional, such as the "Círculo de Arte Joven" that travels from Aguascalientes through various states in Mexico, and the traveling "Concurso Rufino Tamayo" contest.*

The opening of museums has continued in an institutional manner. The founding of the José Luis Cuevas museum was followed by the institution destined to house the production of Manuel Felguérez. Known as the Museo de Arte Contemporáneo Manuel Felguérez, the museum was opened in 2001 in a splendid building in the capital city of the artist's native state of Zacatecas, but is not restricted to exhibiting only Felguérez' work. It has large areas for the permanent display of paintings by contemporaries of the illustrious native son as well as representatives of the visual arts of the period, and for temporary exhibits. In addition, thanks to the museum's dedication and generosity, part of the building holds an engraving workshop (production and sales) that welcomes both experienced and promising artists. Architect Alvaro Ortiz, always attentive to the promotion of Zacatecas' art and the longtime director of the Museo Goitia of that state, was in charge of adapting the spaces of the Museo Felguérez. However, his premature death prevented him from seeing the project complete; may the memory of his knowledge, dedication and ever friendly attitude serve as minimum homage due.

The Museo de Bellas Artes of Querétaro, the home of an excellent collection of viceregal art, has been displaying the production of contemporary artists for several years, in order to remain "current" while showing its permanent collection. For example, Rafael Cauduro and Carla Hernández were featured in 2000, followed by the current exhibition of a portion of Manuel Felguérez' most recent pieces.

In Mexico's capital city, the Museo de José Luis Cuevas shows the work of ten of the principal artists in the "generación de ruptura": Lilia Carrillo, Fernando García Ponce, Manuel Felguérez, Cuevas, Enrique Echeverría, Roger von Gunten, Vicente Rojo, Alberto Gironella, Pedro Coronel and Vlady.

April of this year marked the opening, in the city of Toluca in Estado de México, of the Museo Universitario Leopoldo Flores; it contains a large part of the production of the native artist of the same name.

In the city of Guadalajara, cultural activity is in a state of complete effervescence. The Museo de Arte de Zapopan was recently inaugurated with a showing of fifteen monumental sculptures by the artist from Jalisco, Juan Soriano. Three of its temporary exhibition areas carry the names of important figures in national art: Manuel Alvarez Bravo, Luis Barragán and Soriano. There is also ongoing activity by the great connoisseur and patron of the visual arts in Guadalajara, Miguel Aldana Mijares; in his Centro de Arte Moderno, he holds annual salons of graphics, women, design and young art. The city's graphic workshops, just as in other parts of Mexico, have reinforced the performance of the fine art schools. The recipients of FONCA scholarships have joined in the so-called current of young art. The Premio Nacional de Cerámica, previously suspended, has taken on new vigor. The prizes it awards are relevant and the pieces it presents are exhibited at the Museo Pantaleón Panduro, in Tlaquepaque. It should be clarified that this project is sponsored by a private institution.

In the state of Oaxaca, the well-known and constant artistic activity has increased notably, to the degree that the capital city alone boasts approximately three hundred active artists, many in graphic workshops. The initial work of the Fundación Cultural Rodolfo Morales has been broadened in order to continue restoring religious monuments and paintings, due to the splendid results and experience obtained from the restoration of the Santuario de Ocotlán. This church is located in the hometown of Rodolfo Morales, the talented and creative painter whose recent death in 2001 is still mourned.

En la capital de la República, el Museo de José Luis Cuevas acomoda la obra de diez de los principales creadores pertenecientes a "la generación de ruptura": Lilia Carrillo, Fernando García Ponce, Manuel Felguérez, el propio Cuevas, Enrique Echeverría, Roger von Gunten, Vicente Rojo, Alberto Gironella, Pedro Coronel y Vlady.

En abril de este año, en la ciudad de Toluca en el Estado de México, tuvo lugar la apertura del Museo Universitario Leopoldo Flores, que contiene buena parte de la creación de este mexiquense.

En la ciudad de Guadalajara la actividad cultural se halla en plena efervescencia. Se acaba de inaugurar el Museo de Arte de Zapopan, con una muestra de quince esculturas monumentales del artista jalisciense Juan Soriano. Tres de sus salas de exposiciones temporales llevan el nombre de grandes figuras del arte nacional: Manuel Alvarez Bravo, Luis Barragán y el propio Soriano. También sigue vigente la actividad de ese gran conocedor y mecenas de la plástica tapatía, Miguel Aldana Mijares quien, en su Centro de Arte Moderno, realiza anualmente salones de gráfica, de la mujer, de diseño y de arte joven. Los talleres de gráfica en esa ciudad, al igual que en otros estados de la República, han venido a reforzar la actuación de las escuelas de Bellas Artes. A la llamada corriente de arte joven, se suman los becarios del FONCA. Gran auge ha tomado el Premio Nacional de Cerámica que se había suspendido. Los reconocimientos que otorga son relevantes y las obras en él presentadas se exhiben en el Museo Pantaleón Panduro, en Tlaquepaque. Cabe aclarar que se trata de la gestión de una institución privada.

En cuanto al estado de Oaxaca, la ya conocida y constante actividad artística se ha incrementado de modo notorio, de ahí que se pueda afirmar que tan sólo en su ciudad capital se registran alrededor de trescientos artistas activos, muchos de ellos inscritos en talleres de obra gráfica. La Fundación Cultural Rodolfo Morales, a sus programas de trabajo iniciales une el interés por seguir restaurando pinturas y monumentos religiosos, dados los espléndidos resultados y la experiencia adquirida en la restauración del Santuario de Ocotlán, situado en la población donde naciera el talentoso y original pintor, cuyo reciente fallecimiento —en el 2001— se sigue lamentando.

Creo conveniente recordar que el muralismo de numen político, pese a su descalificación durante la segunda mitad del siglo XX, no se ha extinguido, continúa con su persuasivo mensaje. A fines de la década de los noventa, Adriana Siqueiros, hija de David Alfaro Siqueiros, anuncia ante los medios de comunicación la apertura, bajo su dirección, de una escuela de muralismo en la ciudad de Cuernavaca, en el estado de Morelos. La noticia advertía que en esas aulas se enseñaría específicamente el muralismo de la Revolución Mexicana. No se trataba de un afán publicitario; la escuela funcionó de inmediato, ha sobrevivido y ha tenido éxito. Testimonio de ello se dio a través de periódicos de gran cobertura nacional, en los que la directora avisaba que alumnos de la escuela partirían hacia el Ecuador para llevar a cabo algunos murales con mensajes de carácter social y por supuesto político.

Como corolario de la síntesis de lo realizado en el ámbito cultural en el lapso de alrededor de cuatro años, es necesario pasar revista a otras manifestaciones artísticas. En arquitectura, Teodoro González de León, distinguido en el 2001 con el Doctorado Honoris Causa por la Universidad Nacional Autónoma de México, une a sus ya muchos logros, en colaboración con el arquitecto Francisco Serrano, la construcción hace pocos años del edificio de la Embajada de México en Berlín, Alemania, una sobria y elegante fachada, cuyos módulos verticales le otorgan un leve movimiento, edificio que se destaca en los paseos turísticos.

En este 2002 la arquitectura mexicana ha vuelto a ser internacionalmente galardonada. El arquitecto Enrique Norten, su despacho TEN Arquitectos, con el auxilio de Bernardo Gómez Pimienta, recibieron el premio *Central and South American Building of the Year,* otorgado por su hotel *Habita*, esto durante la Convención Internacional de Arquitectos en Berlín. En la singular construcción, a un edificio de los años cincuenta se le dio un nuevo uso y una nueva imagen, al cubrir la construcción con una "piel" de cristal translúcido, "perforado" con franjas horizontales de cristal transparente, novedoso juego de calor, brillo y reflejos. Este reconocimiento que otorga la *World Architecture Magazine,* en asociación con el Royal Institute of British Architects, vuelve a poner de manifiesto la excelencia de tal disciplina en México.

I find it useful to remember that muralism of a political inspiration, in spite of its disqualification during the second half of the twentieth century, has not been extinguished; it continues with its persuasive message. In the late 1990's, Adriana Siqueiros, the daughter of David Alfaro Siqueiros, announced to the media the opening of a muralism school under her direction in the city of Cuernavaca, Morelos. The article made clear that the specific muralism of the Mexican Revolution would be taught in the school's classrooms. Not a publicity stunt, the school began functioning immediately, survived and has been successful. Proof was provided by the national press coverage of the director's notification that students from the school would be traveling to Ecuador to paint murals with messages of a social and obviously political nature.

As a corollary of this summary of cultural events during the past four years, it is necessary to review other artistic manifestations. In architecture, Teodoro González de León, distinguished in 2001 with a Doctorado Honoris Causa from the Universidad Nacional Autónoma de México, adds to his lengthy list of accomplishments in collaboration with the architect Francisco Serrano, the recent construction of the Mexican Embassy in Berlin, Germany; the building's elegant façade, with vertical modules that provide it with slight movement, is a famous sight on visitor tours.

This year, 2002, Mexican architecture has once again received international awards. During the International Convention of Architects in Berlin, Enrique Norten and his architectural firm, TEN Arquitectos, with the help of Bernardo Gómez Pimienta, received the prize for the Central and South American Building of the Year, the Habita *hotel. In this unique project, a building from the 1950's was renovated by covering it with a "skin" of translucent glass "perforated" with horizontal stripes of transparent glass; the result is a novel interplay of heat, brightness and reflections. The prize, awarded by* World Architecture Magazine *in association with the Royal Institute of British Architects, again makes evident the excellence of the architectural discipline in Mexico.*

Two young architects, Alejandro Medina Peniche and Gladys Rubí Díaz-Negrón, were distinguished in Mérida, Yucatán, for the building that houses the Tribunal Superior de Justicia, now known as the "Palacio de Cristal". The original materials utilized and the eloquence of the building's architecture in expressing the desire to make justice more transparent, earned an honorable mention at the VI Bienal de Arquitectura Mexicana.

The year 2002 has also marked the celebration of the first century since the birth of Luis Barragán, the 1980 winner of the Pritzker prize in architecture, an award equivalent to the Nobel prize. Commemorations for this innovative architect opened with various showings of his work in Europe and in Valencia, Spain, thanks to the support of the Barragán Foundation. The participants in these events in Mexico have joined forces with the Consejo Nacional para la Cultura y las Artes and the Universidad Nacional Autónoma de México, through its school of architecture.

Paths in the visual arts are multiplying, and the responses to the most recent concerns have especially modified painting and sculpture, both conceptually and technically. The mutations reflect fervent concerns, including the desire to use art in searching for a personal identity. The idea has induced many artists to examine their origins and withdraw into themselves.

It seems that on the road to abstraction, between the artist's internal and external models, a parenthesis in the field of art would repair prejudice and abandon by using the "new" tools: technology, computers or the adherence to eschatology—passing trends that in certain cases would seem to respond to desperation.

A tour of the output of the artists covered in this book facilitates, in that prolific mosaic that reflects Mexican culture, an understanding of how heterogeneity has hindered the globalization of art. In almost all of its manifestations, art possesses a well-defined identity, always present, even in the plurality of the paths it takes.

Por otra parte, en nuestro país se distingue a dos jóvenes: Alejandro Medina Peniche y Gladys Rubí Díaz-Negrón, quienes en Mérida, Yucatán, realizaron el edificio del Tribunal Superior de Justicia, hoy conocido como "el Palacio de Cristal". La originalidad en los materiales empleados y la elocuencia de su arquitectura en el anhelo de hacer más obvia la transparencia en la justicia, les hicieron acreedores a una Mención de Honor en la *VI Bienal de Arquitectura Mexicana.*

También en este 2002, se ha venido celebrando el primer centenario del nacimiento del arquitecto Luis Barragán, ganador del premio Pritzker de arquitectura (1980), reconocimiento equivalente al premio Nobel. Las conmemoraciones en torno al innovador arquitecto, dieron inicio con varias muestras de su obra en Europa, en Valencia, España, gracias al apoyo de la Barragán Foundation. Y, en México, a estos homenajes se han unido las acciones del Consejo Nacional para la Cultura y las Artes y de la Universidad Nacional Autónoma de México, a través de su Facultad de Arquitectura.

Los senderos de la plástica se multiplican, y las respuestas a las inquietudes más recientes van modificando conceptual y técnicamente, sobre todo, a la pintura y a la escultura. Las mutaciones reflejan fervientes inquietudes, entre otras los afanes por llevar el arte hacia la búsqueda de una identidad propia, persistencia que induce a muchos artistas a otear sus orígenes, a recogerse en sí mismos.

Parece que en el camino hacia la abstracción, entre lo propio y los modelos externos, un paréntesis en el campo del arte subsanara prejuicios y abandonos al afiliarse al empleo de "novedosas" herramientas de trabajo: la tecnología, la computación, o el apego a escatologías, pasajeras tendencias que en ciertos casos parecieran dar respuesta a la desesperanza.

El recorrido por la producción de los artistas revisados en este libro deja ver cómo, en ese prolijo mosaico en el que se refleja la cultura mexicana, la heterogeneidad ha frenado la globalización del arte, ya que éste en casi todas sus manifestaciones posee una identidad bien definida, presente siempre, aun en la pluralidad de los senderos a los que accede.

Teresa del Conde, siempre atenta a los vuelcos de la plástica y a sus últimas determinaciones, en el Simposio Internacional "La identidad iberoamericana: modernidad y posmodernidad", realizado en Valencia, España (2000), enfatizó: "De todos los países latinoamericanos, quizás sea México el más reacio a la globalización, cosa que en parte se debe a la extensa tradición que guardan las disciplinas tradicionales, específicamente la pintura". Ahora bien, si instalaciones, *performance*, arte objeto y la interdisciplinariedad continúan siendo las líneas de trabajo de las juventudes, también es dable percibir que la inscripción en lo conceptual resulta un mejor asidero.

Los senderos del arte mexicano en la década de los ochenta fueron revisados por Juan Carlos Emerich, quien en su libro de atinado título: *Figuraciones y Desfiguros de los 80s*, deja ver rutas similares a las aquí planteadas, y refiriéndose al amplio abanico de posibilidades para el arte afirma que, "en la pintura joven atisbada, se ven las viejas figuras heroicas, divinas y profanas, idas y traídas por la historia como manidas extravagancias de país infante... En la obra plástica de cada uno de estos artistas elogiar lo viejo es nuevo por olvidado, nuevo por desmitificado, nuevo por fragmentado, novísimo por dispersado, por recompuesto, por castigado".

Esbozos que aún son válidos para estos tiempos de cancelaciones y de puntos de partida, al igual que para las diversas generaciones que se instalan en un quehacer no interrumpido, algunos de cuyos miembros retornan a sus cauces primigenios, mientras que otros prueban fortuna abrevando en fuentes que se señalan como actuales y tal vez, por qué no, transgresoras.

Retomando el asunto medular de esta publicación, el conjunto de creadores a estudiar por Lupina Lara Elizondo, en esta ocasión representa un despliegue de acciones artísticas que se llevan a cabo dentro de la historia, pero que igualmente se acogen a la leyenda.

Al amparo de una metodología adecuada, la autora, por medio de entrevistas, permite escuchar la voz de quienes ha seleccionado, haciéndose eco de confesiones y, por ende, de autoevaluaciones, información que además toma como hilo conductor la opinión, el juicio, la valoración de quienes en su campo se han distinguido por su sabiduría, conocimientos y sensibilidad, divulgando ambos aspectos de un mismo hacedor para conseguir un desarrollo biográfico que aspira a desvelar los motivos que generan su producción, al lado de las emociones personales, pasos que incuestionablemente reflejan con mayor transparencia "los días y las obras"

At the international symposium entitled, "La identidad iberoamericana: modernidad y posmodernidad", in Valencia, Spain (2000), Teresa del Conde, ever attentive to the turns and tumbles of the visual arts and the most recent determinations, emphasized: "Of all the Latin American nations, perhaps Mexico is the most disinclined to globalization, in part because of the extensive tradition safeguarded in the traditional disciplines, specifically painting." But if installations, performance, art objects and interdisciplinary work continue to be the lines of production of the young, then it is also feasible to perceive that becoming attached to the conceptual provides a stronger handhold.

The pathways of Mexican art in the 1980's were reviewed by Juan Carlos Emerich in his appropriately titled book: Figuraciones y Desfiguros de los 80s. He analyzes routes similar to those presented here, and in reference to the wide range of possibilities in art, affirms that "in watchful young art one sees heroic, divine and profane figures, taken to and fro by history like the stale extravagancies of an infant nation... In the visual art of each of these artists, praising the old is new because of forgetfulness, new because of demystification, new because of fragmented, extremely new because of disperse, because of recomposed, because of castigated."

Some of the members of still valid efforts (for these times of cancellations and starting points, just as for the diverse generations that settle into uninterrupted work) return to their sources, while others try their fortunes by drinking from the waters known as up-to-date and perhaps—why not—transgressive.

On this occasion, the central topic of the project at hand—the set of artists studied by Lupina Lara Elizondo—represents an unfolding of creative actions that occur in history, but that also cling to legend.

With the support of an appropriate methodology, the author's interviews allow the reader to hear the voice of those she has selected. Confessions are echoed, and as a consequence, self-evaluations: information that follows the guiding line of opinion, judgment, and the evaluation of those who have been distinguished in their field by wisdom, knowledge and sensitivity. Both aspects of artists are presented, in biographies that aspire to reveal the motives of artistic production, in addition to personal emotions—a procedure that unquestionably reflects with greater transparency "the life and works" of such a diverse group. Sensations and images exist in a world that, as previously mentioned, oscillates between rupture and continuity, naturalism, figuration and abstraction.

Many affinities with the past can be verified due to their containment in the indestructibility of form and figuration. An artist by definition is a creator, while also a self-designated consumer of images; as a result, the classifications of "new humanism", "hyper realism", etc., are currents that are still visited.

This group, which for years has affirmed its methods, most certainly finds comfort in diversity and variety, which I insist, permit verifying the indestructibility of form. In that field and thanks to the freedom of the art of painting, possibilities also multiply, according to the styles and taste of the artist's moment of production.

It is difficult to mention each and every one of the conceptual and chromatic differences of the universe of today's art; such a task undoubtedly is beyond the scope of this text. Common to many is the desire to return to exercises more in agreement with personal creativity—practices that recall, based on drawing, the fluidity of rhythms, colors and textures in the filling of pictorial surfaces. Such practices respond to a particular inventive predisposition, in addition to an impassioned need for action.

In the decanting of creativity in the visual arts, and in reviewing the interviews with Lupina Lara de Elizondo, it is feasible, in the revealing light of the valuable images that define art, to group this production and structure it into an art that is partially universal, without ignoring the facet that is frequently developed in regionalisms, in the artist's own experience, and in a search for the essence of being Mexican. Doubtlessly, for this group of artists, adherence to the most intrinsic values of visual art is obvious. The wide range of results is characterized by the variety of trends and approximate climates.

On addressing the peculiarities and the elasticity of the figurative structures, a set of codes and differential contributions is emphasized. I shall proceed to describe them briefly and in a subjective, perhaps unfair manner, in order to begin to mark trails in this labyrinth of heterogeneous production.

de tan plural conjunto. Sensaciones e imágenes dentro de un mundo que, como ya se dijo, se mueve oscilando entre la ruptura y la continuidad, entre el naturalismo, la figuración y la abstracción.

Ahora bien, muchas de las afinidades con el pasado es posible constatarlas, se perfilan dentro de la indestructibilidad de la forma, de la figuración. El artista, por definición, es creador de imágenes y al mismo tiempo se autodesigna como consumidor de las mismas; por ello los encasillamientos "nuevo humanismo", "nueva figuración", "hiperrealismo", etcétera, son corrientes aún frecuentadas.

Este grupo, que durante años ha afirmado sus derroteros, incuestionablemente se acomoda en la diversidad, variedad que, insisto, permite constatar la indestructibilidad de la forma. En ese campo y gracias a la libertad del arte de pintar, también las posibilidades se multiplican, conforme a los estilos y gusto del momento en que estos creadores han llevado a cabo su producción.

Difícil mencionar aquí todas y cada una de las diferencias conceptuales y cromáticas del universo del arte actual, tarea que sin duda rebasa el alcance de este texto. Coincidente en muchos de ellos, es el deseo de retornar a ejercicios más acordes con la creatividad personal, prácticas en las que se retome, a partir del dibujo, la fluidez de ritmos, colores y texturas en la ocupación de las superficies pictóricas, obedeciendo, eso sí, además de la apasionada necesidad de acción a una particular predisposición inventiva.

En la decantación de la creatividad dentro de las artes visuales y en la revisión de lo declarado en las entrevistas a Lupina Lara de Elizondo es factible, y a la luz reveladora de las valiosas imágenes que las definen, agrupar tal producción y estructurarla en un arte que participa por una parte de la universalidad, aunque sin soslayar aquel otro, que con frecuencia se desarrolla, ya quedo dicho, en regionalismos, en lo propio, en la búsqueda de lo mexicano. Sin duda, para este conjunto el apego a los valores plásticos más intrínsecos es notorio. El resultado tiene como características, dentro de su amplio abanico, la variedad de tendencias y climas aproximados.

Abordando las peculiaridades, la elasticidad de las estructuras figurativas, se resalta un conjunto de códigos y aportaciones diferenciales, mismas que pretendo describir someramente y de manera subjetiva, tal vez injusta, con la finalidad de despejar rutas en este laberinto de tan heterogénea producción.

Así, y dentro del espíritu de nuestra época, la creatividad a veces se apropia de esencias y presencias paradigmáticas del arte universal, desde el Renacimiento al romanticismo, nostalgias que recogen, inclusive, las resonancias del movimiento prerrafaelista, un todo que se conjuga en ese atinado enlace entre pintura y poesía.

En el universo del "neohumanismo", el análisis de la figura humana y su adecuación a nuevas estéticas mueve la inspiración de varios de los artistas aquí contemplados, los que en relámpagos de lúcida sensualidad o de franco erotismo, sin soslayar espiritualidades, dan su personal versión. Obras en las que el desnudo, los cuerpos humanos están delimitados por el dibujo, y cuyo peso y corporeidad, sus morbideces, son subrayados mediante gruesas y largas pinceladas que, además, dan color a las encarnaciones y aseveran su existencia real, no imaginada. El expresionismo constriñe al pintor a plasmar los desnudos en escorzos difíciles, o bien, a manifestarlos en dolorosas fragmentaciones, amparándose en el color, la pincelada, para acentuar tales formas.

Por otra parte, se da un gran realismo en imágenes, como aquellas que capturan a féminas *"socialites"*, que nos parecen representar a juventudes extranjeras en sus costumbres, y por ello afines a los ámbitos de más allá de nuestra frontera norte, cuadros provistos de dinamismo e innovaciones que se afilian a la pintura de mediados del siglo XX, ejecutada en los Estados Unidos de Norteamérica.

Otras imágenes retratan personajes en introspección, en habitaciones cuyo colorido va en consonancia con los retratados, por lo que se da más en sordina. Evocaciones, espiritualidades, nutren otros interiores con personajes y ángeles que ahuyentan peligros, pájaros ominosos, temática que permite al pintor afirmar nostalgias, ello al lado de una paleta variable, mediante el subterfugio de rayados y esponjas, que se antepone a la definición de la figura al darle preferencia a la técnica.

In the spirit of our era, creativity at times takes control of the paradigmatic presence and essence of universal art, from the Renaissance to romanticism: nostalgia that even collects the resonance of the Pre-Raphaelite movement, an entity fused in that precise link between painting and poetry.

In the universe of "neo-humanism", the analysis of the human figure and its adaptation to new aesthetics inspire several of the artists included in this volume—artists who offer their personal version in flashes of lucid sensuality or frank eroticism. The nudes and human bodies are outlined by drawing, and their weight, volume, and morbidity are emphasized by long, thick brushstrokes that color their incarnations and affirm their real, not imaginary existence. Expressionism obligates the painter to depict nudes with difficult foreshortening, or to show them in painful fragmentation, while taking refuge in color and brushstrokes to accent forms.

On the other hand, there is great realism in images. As an example, the paintings of female socialites who seem foreign in their customs and thus related to the settings beyond our northern border, have dynamism and innovations similar to that of US painting of the mid-twentieth century.

Other images portray individuals in introspection, in rooms colored in harmony with the individuals portrayed, and muted results. Evocations and spirituality nourish other interiors, with people and angels who drive away dangers and ominous birds. This topic allows the painter to affirm nostalgia with a variable palette and the subterfuge of stripes and sponges—which give preference to technique rather than to the figure's definition.

It is impossible to negate that Mexico has the character, behavior and setting of a carnival: figures, portraits, urban settings, the eloquence of country and city folklore that adheres to the new symbology, to the new idols, and to codes that form a vast number of unique paradigms. Painters do not hesitate to include popular heroes in their work alongside the Virgin of Guadalupe, who shares spaces with Pedro Infante, María Victoria and the Silver Masquerader. Such elements serve to nourish the creativity of these artists in search of a Mexican essence.

Myths, traditions, magic and fantasy make up the idiosyncrasy of those sheltered by regional legends and habits. Imaginary worlds unfold, in spite of existing paradox. Unquestionably this process occurs in its ripest form in Oaxaca and in the region of the Isthmus of Tehuantepec. The creativity of the so-called Oaxaca school or current has taken root there, based on the example and forerunning talent of Francisco Toledo, whose imagination is fed by the myths and legends of his homeland. As Luis Cardoza y Aragón would state, "He gives us Spring, his childhood of shamans and rites... syncretism, fertility chants saturated with the zoological, the metaphysical... He does not illustrate or decorate customs... He lives them mythically." That life of ambulating between fantasy and myth, between the erotic and the magical, has contaminated other chimeras at the same latitudes. Rituals, dreams of sensuality, of beasts and of magical fauna emphasize the figures with a rich palette that provides volume and presence. Opulent colors are an echo of tropical abundance; the horror of emptiness is also a constant. Other diversions, such as entertaining childish drawings of more temperate colors, also take place in Oaxaca. The changing nature of that territory favors vast panoramas in certain regions, which have been frozen and seen from a distance: long horizons shown by rich chromatics under loosely worked skies that magnify the extension of the land.

In the North, in Monterrey, the vibrant color, the persistent memory of Chucho Reyes Ferreira and other appropriations, along with agreeable textures, define the production of those who, thanks to a well-defined pictorial culture, include outside influences that could be Marc Chagall, or the "Fauves". Northern creativity is thus provided with a refined Mexican tone.

No es posible negar que México tiene carácter, comportamiento y escenografía de feria: la figura, el retrato, los ámbitos urbanos, la elocuencia del folclore campirano y citadino, aquel que se apega a nueva simbología, a los nuevos ídolos y a códigos que conforman un vasto número de singulares paradigmas. Los pintores no vacilan en incorporar a sus obras a los héroes populares al lado de la Virgen de Guadalupe, imagen que por ello comparte espacios con Pedro Infante, María Victoria y el Enmascarado de Plata, que son nutriente para la creatividad de estos artistas en busca de lo mexicano.

Mitos, tradiciones, magia, fantasía, conforman la idiosincrasia de quienes al amparo de hábitos y leyendas regionales, despliegan esos mundos imaginarios, y valga la paradoja, existentes. Incuestionablemente ello se da en plenitud en Oaxaca y en la región del Istmo de Tehuantepec. En ese espejo ha afincado su creatividad la llamada escuela o corriente de Oaxaca, que tiene como ejemplo y antecedente el talento de Francisco Toledo, cuyo imaginario se alimenta de los mitos de su tierra y de sus leyendas. Como dijera Luis Cardoza y Aragón, "nos entrega primaveras, su infancia de chamanes y ritos... sincretismos, cantos a la fertilidad saturados de lo zoológico, de lo metafísico... no ilustra ni decora costumbres... las vive míticamente". Ese vivir deambulando entre la fantasía y el mito, entre lo erótico y lo mágico, ha contaminado otras quimeras de aquellas lindes. Rituales, sueños de sensualidades, de bestiarios, de fauna mágica, resaltan las figuras por medio de una rica paleta que les da volumen y presencia. Opulencias colorísticas que son eco de tropicales abundancias. El horror vacui es también una constante. Otros divertimentos, una grafía infantil lúdica, de colores más atemperados, igualmente se dan en Oaxaca. En aquel territorio la naturaleza cambiante propicia en ciertas regiones vastos panoramas, los que han sido congelados, vistos a distancia; largos horizontes manifestados por medio de un rico cromatismo, bajo cielos de escasa elaboración que contribuyen a magnificar aquellas extensiones.

En el norte, en Monterrey, el colorido vibrante, el recuerdo persistente de Chucho Reyes Ferreira y otras apropiaciones, al lado de gustosas texturas, definen la producción de quien, gracias a una bien definida cultura pictórica, suma presencias externas, entre otras pudieran ser las de Marc Chagall, o bien de *"les Fauves"*, otorgando a su creatividad un tono acendradamente mexicanista.

La ciudad capital, sus habitantes, el tráfico vehicular son concepto y fundamento para atractivos y vibrantes paisajes urbanos, vistas que, en el entrecruce de abstracciones y con una figuración que se niega a ocultarse, que no se presta al escamoteo de la estridente paleta, atraen las calidades innatas a aquellos plásticos cuyo talento les conduce a constantes búsquedas.

Los cambios de la figuración a la abstracción permiten la presencia recurrente con grandes acentos de muchos artistas. La fuerza del color otorga licencia para trabajar la pintura, ya sea desde las apetencias de lo abstracto para de ahí transcurrir por caminos de pura y poética armonía, aquellos en los que la luz se dinamiza, o bien esos terrenos en los que el interés radica en desprender el objeto del mundo exterior para eternizarlo, aproximándose a las esencias sin deshumanizar al arte.

Aquí vale la pena traer a colación lo dicho por Robert Motherwell: "Yo considero la abstracción como un arma muy pujante... el arte abstracto por excelencia puede transmitir la esencia (en el sentido platónico) de una emoción, de una manera en la que el naturalismo está impedido a realizar... en ese sentido, el arte abstracto implica acción y decisión, y no pasividad, indiferencia... el objeto no resulta distante, por definición, más que cuando se aleja enormemente de las selecciones originales en las que el trabajo entre la complejidad de la realidad se concreta".

Entre el arte objeto, la escultura, la pintura y las instalaciones se desenvuelven algunos de los creadores aquí consignados. Así, en el arte objeto, ritos y conjuros conviven con la presencia de la mujer. Sus fotografías, por medio de la mezcla de materiales: papeles hechos a mano que absorben tintas y colores, al lado de plumas, hilos, manejo del dibujo, dan corporeidad a mundos oníricos, a veces a verdaderas incursiones de pesadilla, en una especie de macrocajas.

En la escultura, las sendas marcadas por ellos igualmente se anudan a tradiciones, a la figuración naturalista e inclusive a la hiperrealista, o bien, se encaminan dentro de la abstracción. Técnicas y apropiaciones, leyes bien conocidas, se ponen en práctica; el geometrismo está casi ausente.

En algunos de los escultores incorporados a este libro se observa que, a partir de la cálida relación con los materiales, el talento, el oficio, el reconocimiento y compenetración que con ellos tienen, es decir, con el vehículo a tratar: madera, mármol, piedra, vidrio, etcétera, se establecen directrices que oscilan entre abstracción y naturalismo. Importante y obvia

Mexico City, the nation's capital, with its population and vehicular traffic, is the basic concept for attractive, vibrant urban landscapes. City views link abstraction with a figuration that refuses to be hidden or manipulated by the strident palette; they attract the innate qualities of artists whose talent involves constant questioning.

Changes from figuration to abstraction permit the highly accented, recurring presence of many artists. The force of color authorizes working with paint, either from the appeal of the abstract (and then to the pure and poetic harmony of dynamic light), or from the desire to detach objects from the outside world in order to make them eternal, and approach the essence without dehumanizing art.

It is worthwhile at this point to quote Robert Motherwell: "I consider abstraction a mighty weapon... abstract art par excellence can transmit the essence (in the Platonistic sense) of an emotion, in a way naturalism is prevented from doing... In that sense, abstract art implies action and decision, and not passivity, indifference... The object is not distant, by definition, except when it moves far from the original choices in which work in complex reality becomes concrete."

Art objects, sculpture and installations provide the evolutionary setting for some of the artists included in this volume. In the art object, rites and incantations interact with the presence of women. Photographs and the mixture of materials: handmade papers that absorb inks and colors, pens, threads and drawings give volume to dream worlds, and sometimes to true nightmares in a type of large box.

In sculpture, the paths shown are linked to traditions, naturalistic and even hyper realistic figuration, or are aimed at abstraction. Techniques, appropriations and well-known laws are put into practice; geometry is almost absent.

Based on their warm relationship with materials, and the involvement of their talent, skill, recognition and interpenetration with the vehicle on hand (i.e., the wood, marble, stone, glass, etc.), some of the sculptors included in this volume provide evidence of the establishment of guidelines oscillating between abstraction and naturalism. Such interpenetration, which coincides with the carving and polishing of the sculptor's noble materials, is important and obvious. When working with wood, for example, certain artists are able to manipulate the material, and appropriate the vein, the line, and the plumage to the benefit of the piece's organic warmth. The result is approximations that show transparent affinities, for example, with some stages of the work of Nahum Gabo, or because of the cleanness of the material, with Brancusi.

It is exciting, when looking at the figures in this volume, to notice the fidelity in portraits and even in everyday objects, the hyper realism in exact reproductions. In an exercise that mixes classic recollections with the present, the handling of techniques known in the nineteenth century permeates and brings to mind the discourse of theorists in sculpture such as Eduardo Lantieri, who directed the instruction of Augusto Rodin. This fact is obvious in the fluidity of the fabrics and the respect for the tension that the human body imposes on garments, manifest in the finished sculpture.

Glass has come to occupy a place of importance in this discipline, and without abandoning the blown glass technique, pieces make use of assemblages or mixed media, i.e., the glass is bonded with other materials such as metal or polished stone. In sculpture, the utilization of thick plates is definitive, and their volume gives the glass creative functions.

Carving the multiplicity of stones—calcareous and non-calcareous, limestone, marble—inspires a return to the past: ancient rituals, images that identify with the pre-Columbian world, tzompantlis, the ancestral techniques that create solid volumes with the support of bronze, steel and wax, and the use of tools from those distant times.

es esa compenetración que sigue a partir del tallado y pulido de los nobles materiales. En cuanto a la madera, ciertos creadores la manipulan, se apropian de las vetas, el hilo, el plumaje de la misma, para que sean coadyuvantes y le otorguen calidez orgánica a las piezas. En el resultado se muestran aproximaciones que transparentan afinidades, por ejemplo, con algunas etapas de la creación de Nahum Gabo, o bien, por la limpieza del material, con Brancusi.

Emociona, en relación con las figuras aquí inscritas, la fidelidad en el retrato y hasta en los objetos cotidianos, el hiperrealismo en la exacta reproducción, pues en un ejercicio que involucra rememoraciones clásicas con lo actual, es correcto pensar que el manejo de técnicas conocidas en el siglo XIX se permean y traen al recuerdo el discurso de teóricos de la escultura como Eduardo Lantieri, quien encaminara el aprendizaje de Augusto Rodin; ello se advierte en la fluidez de las telas, el respeto a las tensiones que imprime el cuerpo humano en los ropajes y que queda de manifiesto en el resultado final de la escultura.

El vidrio ha venido a ocupar un puesto de importancia en esta disciplina, y sin abandonar la técnica del soplado, se apega a ensamblajes, hace uso de los *"mix media"*, es decir, se hermana con otros materiales: metal, piedra pulida, etcétera. En la escultura resulta definitivo el empleo de gruesas placas, cuyos volúmenes otorgan al vidrio funciones creativas.

La talla que se lleva a cabo en la multiplicidad de las piedras: calizas y no calizas, cantera, mármoles, etcétera, inspira retornos al pasado. Así, se despliegan antiguos rituales, imágenes que devuelven, que se identifican con el mundo precolombino, "tzompantlis", los más, y a los que, a la manera de aquellas técnicas ancestrales se les da presencia con el apoyo del bronce, el acero, la cera, creando volúmenes sólidos, eso sí, con el uso de herramientas de tan pretéritos tiempos.

El tan reiterado respeto por el material, reconociendo el valor propio que éste posee, lleva a otros escultores a dejarle el papel de protagonista, y a intervenirlo mínimamente para hacer resaltar sus prístinas cualidades. De ahí que sólo sean las casi imperceptibles horadaciones las que se aprovechen para restarle pesantez a la materia, en este caso el mármol rojo, mismo que en ilusión óptica se aligera, pese a su gran formato. De igual modo, esos leves toques del escultor dan el contraste mate–brillantez, que gracias al trabajo de pulido, al lado de las grietas y fallas de la propia piedra, acentúan lo cálido y la belleza.

Anticipé una sucinta revisión de logros, de trayectos, de fidelidades y desapegos en el arte actual y, para concluirla, creo que viene a bien comentar que hubo artistas difíciles de encasillar, debido a la movilidad que se detecta en sus indagaciones, a través de los resquicios que las artes visuales les permiten, y ellos son, entre otros, por citar únicamente dos, Ismael Guardado y Alejandro Colunga. Ambos han explorado y aún exploran por medio del dibujo y el color, es decir de un esmerado oficio, las coyunturas a las que la voz de la originalidad los estimula.

Dra. Elisa García Barragán M.
Instituto de Investigaciones Estéticas
UNAM

The reiterated respect for material, with recognition of its own value, makes other sculptors abandon their leading role and intervene minimally to underline the material's pristine qualities: for example, the almost imperceptible perforations that reduce the matter's heaviness (in this case, red marble) and create an optical illusion of lightness in spite of the piece's large format. The sculptor's gentle touch gives the matte/shiny contrast that, thanks to the polishing and the cracks and imperfections of the stone itself, accents the sculpture's warmth and beauty.

I had anticipated a succinct review of the achievements, trajectories, loyalties and detachments of today's art, and in concluding this project, I believe it useful to mention that some artists were difficult to classify, due to the mobility of their work and the opportunities offered by the visual arts. This group includes, to name only two, Ismael Guardado and Alejandro Colunga. Both have explored and continue to explore through drawing and color; in other words, a meticulous craft stimulated by the voice of originality.

Dra. Elisa García Barragán M.
Instituto de Investigaciones Estéticas
UNAM

CAPÍTULO TRES

CHAPTER THREE

Encuentros Plásticos, Umbrales del Siglo XXI

Lupina Lara Elizondo

EN EL ARTE ES DIFÍCIL ENCONTRAR UNA LÍNEA DIVISORIA QUE NOS INDIQUE EL CAMBIO de un siglo a otro. La línea de la creatividad no tiene tiempo, así que al presentar este encuentro de artistas mexicanos en los umbrales del siglo XXI, forzosamente caeremos en traslapes con los movimientos plásticos que imperaron a fines del siglo pasado. Sin embargo, uno de nuestros objetivos es el de ir haciendo ciertos cortes en el tiempo, con el fin de invitarnos al análisis y a la apreciación del arte.

En los años recientes el arte ha transitado por un período de profundos cuestionamientos sobre sus valores esenciales. El malentendido en sus conceptos básicos ha provocado cierta confusión, con lo que se ha dado cabida, en aras de la modernidad, a algunas propuestas y conceptos que no corresponden a lo que precisamente es el arte. En momentos en que la visión ha sido clara, no ha existido duda en incluir o excluir lo que pertenece o no pertenece al arte. En estos tiempos la gran apuesta será la de salir airosos de este dilema, logrando que el arte continúe deleitando, comunicando, cuestionando y motivando al hombre en su diario vivir.

Ante esta reflexión, nos entusiasma encontrarnos con estas propuestas de treinta y cinco creadores mexicanos, todos ellos de gran talla, que con empeño y dedicación perseveran en su oficio, enriqueciendo la plástica nacional. Estamos conscientes de que al haber realizado esta selección hemos, involuntariamente, dejado fuera a un sinnúmero de artistas que debieran estar presentes. La riqueza plástica que México ofrece al mundo al inicio de este nuevo siglo, se caracteriza por contener un amplio mosaico de expresiones que reflejan diversidad y calidad de expresión.

Pablo Almeida
Entrada, 1989
Acrílico sobre tela, 140 x 110 cm.

Pablo Almeida

1968

Cuando se nace pintor hay poco que aprender; simplemente la tenacidad debe volcarse a rescatar, a recobrar, a volver a tener las habilidades y los dones que le son innatos, para no perderse en el camino con lo que no le es propio.

Lupina Lara Elizondo

Pablo Almeida nace en la ciudad de México en el año 1968 en una atmósfera de gran sensibilidad. Su padre, Héctor Almeida, además de ser arquitecto, es amante de la música y practica con gran talento el piano, y su madre, Esther Garza Galindo, es escultora, y cuando sus hijos eran pequeños, con frecuencia los llevaba a visitar museos, donde iba haciendo sencillas explicaciones y observaciones para que ellos comprendieran. La sensibilidad no encontraba límite en su familia ya que, por parte de su abuela materna, dos tías fueron magníficas pintoras, y un tío, el arquitecto Gustavo Saavedra, además de haber sido coleccionista de arte, también fue pintor y trabajó con Juan O'Gorman en los murales de Ciudad Universitaria; por parte de su padre, un tío era violinista profesional, y por último, en su familia inmediata, cada uno de sus hermanos practica un instrumento musical. En las paredes de su casa colgaban pinturas que aunque quizá sin haber sido de las más cotizadas, sí habían sido elegidas con gran criterio, y ellas tenían el poder de robar su atención. Comenta Pablo que él siempre creyó que todas las familias vivían de esa manera, en contacto cercano con todos estos elementos sensibles, lo que para él era tan natural.

Su interés por el dibujo se manifestó desde muy temprana edad; dibujar era para él una necesidad. Sentía un fuerte deseo de hacerlo, y no pasaba un día sin que el lápiz lo absorbiera para encauzar las ideas de su imaginación, e iba creando con gran naturalidad. Sus cuadernos de primaria, los de secundaria y sus apuntes de preparatoria son testigos de ello. Recuerda Pablo que en una ocasión citaron a su mamá en la escuela, pues sus maestros consideraron que existía un problema en él porque pintaba mujeres desnudas. Su madre comentó que en su casa había cuadros y esculturas de desnudos femeninos, y que éstos eran sus modelos.

Pablo siempre supo que quería ser pintor. Desde muy pequeño lo afirmaba, aunque cuando llegó el momento de elegir su camino, se dio cuenta de que su decisión sería definitiva y lo invadió cierto temor. No obstante, supo guiarse por su propia intuición y se sostuvo con firmeza en lo que siempre había anhelado. Investigó los planes de estudio y las propuestas de diferentes instituciones y visitó la Escuela Nacional de Artes Plásticas de San Carlos, en Xochimilco, y la Escuela de Pintura, Escultura y Grabado La Esmeralda. Finalmente, decidió tomar los exámenes de admisión de esta última, en donde ingresó en el año 1986. Los estudios le parecieron bastantes sencillos; él lo atribuye a sus ocho años de práctica diaria del dibujo. Después de dos años de carrera y con la

Pablo Almeida
Hombre sin máscara, 1989
Acrílico sobre yute, 130 x 100 cm.
Colección Particular

Pablo Almeida was born in Mexico City in 1968, in a highly artistic home environment. His father, Héctor Almeida, in addition to being an architect, is a music lover and highly talented pianist, and his mother, Esther Garza Galindo, is a sculptor. When the children in the family were small, family outings were often taken to museums, where the parents would give simple explanations and make easily understandable remarks. Artistic sensitivity was unlimited in the family: on the side of Pablo's maternal grandmother, two aunts were magnificent painters, and an uncle, Gustavo Saavedra, was an art collector and painter who worked alongside Juan O'Gorman on the murals of Ciudad Universitaria; on his father's side, one uncle was a professional violinist, and all of Pablo's siblings play a musical instrument. Hanging on the walls of the family home were carefully selected paintings that had the power to capture Pablo's attention. Pablo comments that as a child he believed that all families lived in this manner, in close contact with artistic elements, with the type of lifestyle he found so natural.

Pablo's interest in drawing was evident from a very early age; drawing was always a necessity for him. Not a single day did his pencils fail to absorb him in channeling his imagination, and he created with great naturalness. Proof is provided by his notebooks from elementary and secondary school, and his high school notes. Pablo recalls that on one occasion his mother was called to school because his teachers believed his painting of female nudes represented a problem. His mother commented that there were paintings and sculptures in her home of female nudes, and that they were her son's models.

Pablo always knew he wanted to be a painter. From a very young age, he made statements to that effect. Yet when the time came to select his profession, Pablo realized that his decision would be final, and he was somewhat hesitant; he was able, however, to follow his intuition and stood firm by what he had always desired. He investigated the plans of study of various institutions and visited the Escuela Nacional de Artes Plásticas de San Carlos, in Xochimilco, and the Escuela de Pintura, Escultura y Grabado La Esmeralda. He decided to take the admissions examination at La Esmeralda, where he enrolled in 1986. He found his classes quite easy, and attributed this fact to his eight years of daily practice in drawing. After completing two years of professional studies and having obtained the satisfaction of selling a lot of twenty-five paintings,

satisfacción y el apoyo económico al haber vendido un lote de veinticinco cuadros, Pablo decide hacer un viaje a Europa con el fin de poner a prueba los conocimientos adquiridos e intentar vivir de la pintura, y para darse además la oportunidad de tener un contacto directo con las grandes obras del arte universal y con los movimientos de la vanguardia europea. El viaje se prolonga durante un año, en el que vivió en París y Alemania. Durante ese tiempo confirmó, entre otras cosas, que su camino era la pintura y con esa seguridad regresa a México para continuar sus estudios.

Al cabo de algún tiempo, desea experimentar nuevos retos. Al respecto, comenta: *"La pintura contiene sus reglas, pero por lo general se trabaja en un terreno de gran libertad, mientras que la arquitectura obliga a considerar factores adicionales, como son: la funcionalidad, el entorno, el factor económico, y algunos otros que se presentan al realizarse una obra por encargo".* Con estas consideraciones en mente y buscando ceñirse a este nuevo esquema de trabajo, en 1990 se inscribe en la carrera de arquitectura en la Universidad del Valle de México. Paralelamente a ello estudia ruso; para él el idioma rige en cierta forma la manera de pensar. Estos son sus comentarios: *"La estructura gramatical de cada lengua estructura el pensamiento de diferente manera. Adicionalmente, las palabras en cada idioma tienen su propia magia y el lenguaje tiene la cualidad de transportarnos en el tiempo, en la historia y en la emotividad de un pueblo".*

Al concluir sus estudios de arquitectura, en 1995 logra titularse de ambas carreras —pues la titulación en La Esmeralda implicaba demasiados trámites— y decide hacer un viaje a Rusia. Para él viajar y permanecer un tiempo en un nuevo lugar se vuelve una experiencia que exige un reto análogo al de iniciar un cuadro, en donde hay que comenzar de cero y construir con disciplina, estableciendo un diálogo constante. Esos lugares, tan lejanos del entorno cotidiano, ofrecieron al creador referencias, vivencias, reflexiones y nuevos puntos de vista para enriquecer su pintura, quedando integrados en el acervo invisible e inagotable que forma parte de su inspiración. Además de la experiencia visual y emotiva, tuvo la oportunidad de involucrarse en diferentes talleres de arte que en aquellos días todavía se mantenían cercanos a lo académico.

Un año después de haber regresado, Pablo buscó un nuevo contacto académico. Desde tiempo atrás albergaba el anhelo de acudir a aquel lugar en donde habían estudiado los grandes maestros de la pintura mexicana, como Velasco, Rivera, Herrán, Orozco, Zárraga, Zalce. Así, en 1997 decide inscribirse a la Maestría en Artes Visuales con orientación a la pintura, en San Carlos (ENAP–UNAM), ubicada en el antiguo edificio de La Academia, en el centro de la ciudad de México. Pablo Almeida siempre ha disfrutado la oportunidad de mantener contacto con maestros de gran talla, como fue el caso de su profesor de litografía Leo Costa, y dice: *"En ellos*

Pablo decided to travel to Europe to test his new knowledge and attempt to make a living by painting. He also wanted to have the opportunity to make direct contact with great works of universal art and the European avant-garde. His trip lasted one year, with periods of stay in Paris and Germany. During that time, Pablo confirmed that his destiny was painting and he confidently returned to Mexico to continue his studies.

On his return, Pablo yearned to experiment with new challenges. He remarks: "Painting has its rules, but is generally practiced in a setting of great freedom, while architecture forces the consideration of additional factors such as functionality, the surroundings, the economic factor and other factors that arise when a project is commissioned." With such considerations in mind and in an attempt to enter this new field of work, in 1990, Pablo enrolled in the school of architecture at the Universidad del Valle de México. In parallel form, he studied Russian; he believes that languages influence thinking patterns. These are his comments: "The grammatical structure of each language structures thinking in a different manner. In addition, words in each language have their own magic, and language has the quality of transporting us in time, in history and in the emotions of a people."

On concluding his architectural studies en 1995, Pablo was able to obtain double degrees—after complicated paperwork at La Esmeralda—and decided to take a trip to Russia. He found the experience of traveling and living in an unknown location similar to

Pablo Almeida
Soldados musicales, 1998
Acrílico sobre tela, 100 x 240 cm.
Colección Particular

the challenge of beginning a painting: starting from zero and building with discipline, while establishing constant dialogue. Those distant places, so different from his familiar surroundings, offered the painter references, experiences, reflections and new points of view for enriching his work and were integrated into the invisible and inexhaustible storehouse that forms part of his inspiration. In addition to the visual and emotional experience of his travels, he had the opportunity to become involved in various art workshops, which at that time still remained close to academics.

One year after returning to Mexico, Pablo sought out new academic contact. He had long harbored a desire to attend the place of study of so many of the great masters of Mexican painting, including Velasco, Rivera, Herrán, Orozco, Zárraga and Zalce. In 1997, he decided to study for a Master's degree in visual arts oriented towards painting, at San Carlos (ENAP–UNAM), in the old La Academia building in downtown Mexico City. Pablo Almeida has always enjoyed staying in contact with well-known teachers, such as his lithography professor, Leo Costa. Almeida comments: "There is something marvelous in them, which is that vocation of sharing, and their great talent in transmitting their knowledge. I like to work in a group and participate in the conversations and discussions that develop between the teacher and students."

Pablo Almeida's painting evolves from the creative impulse that invites him to offer part of his being, part of his world. At that moment, he begins the individual ritual of the artist, in which he is able to distance himself from distractions and encounter his own being. From that point so full of infinity, he opens his interior dialogue, and begins to feel the need to pour his ideas, images and feelings onto the canvas, transforming them into lines, forms and colors. It is not an instantaneous act; on the contrary, in Pablo's case, it is a process in which times does not exist, given that he feels that creating a piece of art does not always depend on himself. He refuses to abandon a piece before he is satisfied. Only the artist knows the moment the process culminates; he knows when he has reached his highest point: the final moment in which there is nothing left to say on that marvelous space that is the canvas. Through his painting, Almeida takes us to fantastic places where the viewer is confronted by imaginary narratives that enlace with his own experiences, with his own manner of reflecting.

hay algo maravilloso, que es esa vocación de compartir y su gran talento para transmitir sus conocimientos. Me gusta trabajar en grupo y participar en las pláticas y discusiones que se suscitan entre maestro y alumnos".

La pintura de Pablo Almeida evoluciona a partir de ese impulso creador que lo invita a entregar parte de su ser, parte de su mundo. En ese momento inicia el ritual individual del artista, en el cual logra apartarse de distracciones y encontrarse consigo mismo. Se sabe allí, y desde ese punto tan lleno de infinito, da inicio su diálogo interior. De este acto surge la necesidad de volcar ideas, imágenes y sentimientos en la tela, transformándolos en líneas, en formas y en colores. No es un acto instantáneo; por el contrario, en su caso, es un proceso para el cual no existe el tiempo, pues el artista siente que no siempre depende de él el lograr conformarse con una obra, y no la termina hasta que él ha quedado satisfecho. Sólo Pablo sabe el momento en que esto culmina; sabe cuando ha llegado a su punto más alto, a su momento final, en el que no hay nada más que decir en ese maravilloso espacio que es el lienzo. Con su pintura, Almeida nos transporta a espacios fantásticos en donde el espectador se encuentra frente a narraciones imaginarias que se enlazan con sus propias vivencias, con su propia manera de reflexionar.

PABLO ALMEIDA
CICLO DE VIDA, 1998
Acrílico sobre tela, 270 x 120 cm.
Colección Particular

La propuesta de Pablo Almeida no pretende pertenecer a ninguna corriente. No obstante, José Luis Cuevas lo relaciona con la pintura europea de la posguerra, diciendo: "...Entre los más jóvenes se encuentra Pablo Almeida, excelente colorista que a veces nos recuerda al Braque posterior al cubismo, o a algunos pintores italianos que surgieron con fuerza al término de la Segunda Guerra Mundial..." Su pintura es moderna porque se trata de un artista joven que siendo congruente con su momento tiene un punto de vista actual. Sin embargo, en él no existe la obligación de ser moderno: existe el compromiso de ser él.

Como lo menciona Julio Chávez Guerrero, director del

Posgrado en San Carlos, Pablo Almeida forma parte de ese grupo de artistas que: "...a manera de satélites observadores, se desempeñan de manera periférica en búsqueda de alternativas básicamente sensibles, ubicadas más allá del espejismo y los brillos de los falsos encumbramientos, confirmando que no todo lo que brilla es oro..." De su obra se desprende, en primer lugar, el goce del creador. Es ella una pintura fresca y bien lograda, con la sapiencia de un maestro, de quien no tiene tropiezos ni dudas en la ejecución. No obstante su corta edad, el pintor cuenta con una vasta cultura, con un criterio maduro y bien fundamentado que le permite plantear en su obra interesantes propuestas de corte estético, filosófico, humanístico, histórico y espiritual. Su estilo es ligero y sublime; tiende hacia lo poético y lo lúdico y recurre a la reflexión. Definitivamente nos encontramos ante una propuesta bien cimentada, construida con conocimiento, sensibilidad y oficio, pues Almeida no vacila con ninguno de estos tres elementos.

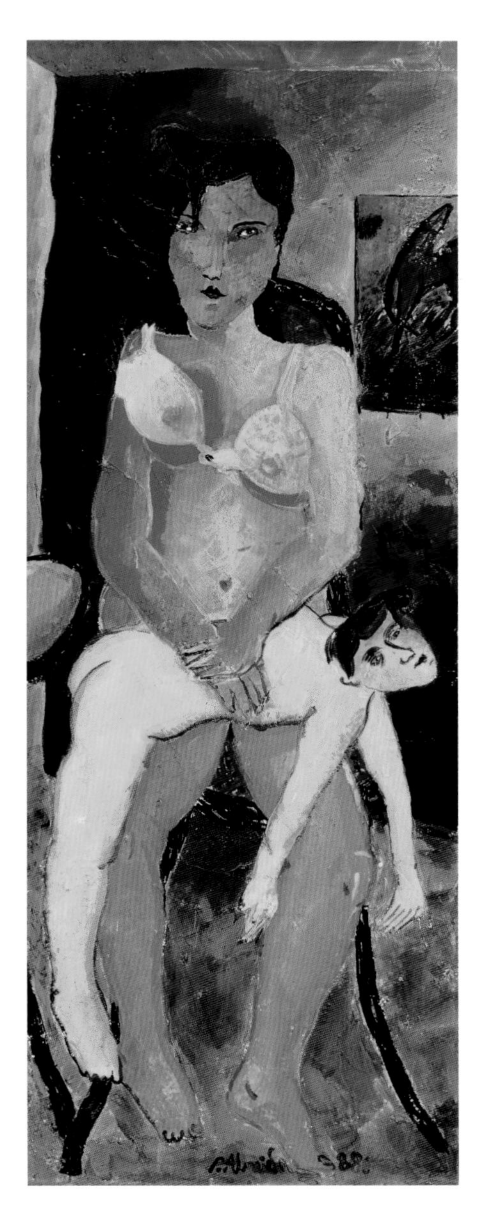

PABLO ALMEIDA
TRES CABALLITOS, 1988
Acrílico sobre tela, 160 x 58.5 cm.
Colección Particular

La obra de Pablo Almeida ha participado en diferentes foros: en el Museo de Arte Contemporáneo Alfredo Zalce de Morelia, Michoacán, en donde realizó una exposición individual en la que presentó más de cincuenta obras. También ha expuesto en el Claustro de Sor Juana y en el Centro Nacional de las Artes, así como en quince exposiciones, todas ellas en la ciudad de México. Actualmente su obra se exhibe en San Francisco, Houston y Washington, en los Estados Unidos, en donde tiene interesantes propuestas.

Cuando se nace pintor hay poco que aprender; simplemente la tenacidad debe volcarse a rescatar, a recobrar, a volver a tener las habilidades y los dones que le son innatos, para no perderse en el camino con lo que no le es propio. Ese camino es el que ha tomado Pablo Almeida, de pintar sin lineamientos oficiales o comerciales, ni meramente buscando el elogio o la adulación. Pablo Almeida pinta porque sabe que su pintura será interceptada por el sentimiento de otro ser, y en ese momento el lienzo dejará de ser materia para volverse emoción.

Pablo Almeida's proposal does not attempt to adhere to any movement. However, José Luis Cuevas associates him with post-war European painting, and states: "One of the youngest is Pablo Almeida, an excellent colorist who sometimes reminds us of Braque after cubism, or some Italian painters who gained strength at the end of the Second World War." Almeida's painting is modern because it involves a young artist who, in agreement with his times, has a current point of view. However, there is no obligation to be modern in Almeida, only the commitment to be himself.

As mentioned by Julio Chávez Guerrero, the director of postgraduate studies at San Carlos, Pablo Almeida forms part of that group of artists who, "like observant satellites, perform in a peripheral manner in search of basically sensitive alternatives, located beyond illusion and the brightness of false heights, confirming that all that glitters is not gold." Almeida's work releases, in first place, the enjoyment of its creator. It is painting that is fresh and well-done, with the wisdom of a master who does not hesitate or question during execution. In spite of his young age, Almeida is highly knowledgeable, with mature and properly supported criteria that allow him to present interesting proposals of an aesthetic, philosophical, humanistic, historical and spiritual cut. His style is light and sublime: it tends towards the poetic and entertaining and turns to reflection. We definitely find ourselves before a well-based proposal built with knowledge, sensitivity and craft—the three elements Almeida handles unflinchingly.

Pablo Almeida's work has participated in different forums. At the Museo de Arte Contemporáneo Alfredo Zalce of Morelia, Michoacán, he held an individual exhibition of more than fifty works. He has also exhibited at the Claustro de Sor Juana and at the Centro Nacional de las Artes, as well as in fifteen showings in Mexico City. His work has found its way to cities such as San Francisco, Houston and Washington, DC, where interesting opportunities for his career have arisen.

A born painter has little to learn; tenacity must simply be utilized to rescue, recover, and reclaim innate skills and talents, in order to avoid getting waylaid on a path other than one's own. The path taken by Pablo Almeida has been the true path of painting without official or commercial guidelines, oblivious to praise or adulation. Pablo Almeida paints because he knows his painting will be intercepted by the feeling of another being, and at that moment the physical matter of his canvas will yield to emotion.

Pedro Diego Alvarado
Nopalera rumbo a Tulancingo, 2001
Oleo sobre lino, 102 x 154 cm.

Pedro Diego Alvarado

1956

La obra de Pedro Diego Alvarado nos permite apreciar la huella de un oficio que se ha ido depurando y enriqueciendo paso a paso para surgir en sus obras con todo el vigor y el deleite de quien lo ejerce.

Lupina Lara Elizondo

Pedro Diego Alvarado nació en la ciudad de México en el mes de febrero de 1956. Su padre es el arquitecto Pedro Alvarado Castañón y su madre fue Ruth Rivera Marín. Cuando él tenía apenas un año nueve meses, muere su abuelo, Diego Rivera, y aunque era muy pequeño para recordar el momento, comenta: *"Yo guardé la imagen del día en que murió: él estaba en su cama. Pero pensé que lo había soñado, hasta que vi una fotografía de ese día, y entonces me di cuenta de que no había sido un sueño"*. Ruth adoraba a su padre; trabajó con él en el proyecto del Museo Anahuacalli, posó para varios retratos, por lo que realmente sintió su muerte. Al poco tiempo el matrimonio Alvarado Marín se separa, y Ruth Rivera se va a vivir con sus dos hijos, Pedro y Ruth, al estudio de Diego Rivera en San Angel. Pedro Diego recuerda que su madre, siendo arquitecta, empezó a trabajar en el Instituto Nacional de Antropología e Historia, en el rescate de monumentos históricos, y también que al poco tiempo llegó a vivir con ellos el pintor Rafael Coronel, que se había casado con su madre. Unos meses después nació su medio hermano, Juan Coronel Rivera. En 1969 Ruth Rivera muere, a los cuarenta y dos años de edad, víctima de cáncer, y Pedro Diego y su hermana se van a vivir con su padre, buscando reintegrarse a su nueva familia.

Al terminar la preparatoria, en 1974 Pedro Diego ingresó a la Escuela de Pintura y Escultura La Esmeralda, en donde permaneció cerca de un año. Por ciertas diferencias con uno de sus maestros, tuvo que salir de la escuela, y se inscribió en la carrera de Física en la UNAM. En esos días muchos de sus compañeros de La Esmeralda se habían ido a estudiar al taller del maestro Gilberto Aceves Navarro, en la Academia de San Carlos; esto lo motiva a unirse al grupo y asistir al taller. Las clases renuevan su interés por la pintura. En la universidad conoció a la fotógrafa Katy Horna, de origen húngaro, que en 1939 había llegado como refugiada a nuestro país y daba clases de fotografía. A través de sus maravillosos trabajos, despertó en Pedro Diego el interés por la fotografía. De esta manera, poco a poco se fue relacionando con otros fotógrafos, como Graciela Iturbide, Rafael Donis y Manuel Alvarez Bravo. Recuerda que por esos días su abuela, Lupe Marín, que era amiga del prestigiado fotógrafo francés Henri Cartier-Bresson, regresaba de un viaje a París y traía consigo un cuaderno de dibujos del fotógrafo. Pedro Diego los miró y pensó que se trataba de los trabajos de algún familiar de Cartier-Bresson, y cuál sería su sorpresa cuando su

PEDRO DIEGO ALVARADO WAS BORN IN MEXICO CITY IN February, 1956. His father is Pedro Alvarado Castañón, an architect, and his mother was Ruth Rivera Marín. When Pedro Diego was only one year, nine months old, his grandfather, Diego Rivera, died, and although he was very young at the time, he recalls: "I have in my mind the image of the day he died: he was in his bed. I thought I had dreamed it, until I saw a photograph of that day, and I realized it had not been a dream." Ruth had adored her father: she had worked with him on the Museo Anahuacalli, and had posed for various portraits, and was truly distressed by his death. Shortly after Rivera's death, Ruth and her husband separated, and she and the two children, Pedro and Ruth, went to live in Diego Rivera's studio in San Angel. Pedro Diego remembers that his mother, an architect by profession, began to work at the Instituto Nacional de Antropología e Historia on the restoration of historical monuments, and that she soon married the painter, Rafael Coronel. A few months later, Pedro Diego's half-brother, Juan Coronel Rivera, was born. In 1969, Ruth Rivera died at age forty-two, the victim of cancer, and Pedro Diego and his sister went to live with their father in an attempt to become part of his new family.
After finishing preparatory school in 1974, Pedro Diego enrolled in the Escuela de Pintura y Escultura La Esmeralda, where he remained for almost one year. Because of differences with one of his teachers, he was forced to leave the school, and started studying physics at the UNAM. Since many of his classmates from La Esmeralda had gone to study in the workshop of Maestro Gilberto Aceves Navarro at the Academia de San Carlos, Pedro was motivated to join the group. The classes at the workshop renewed his interest in painting. While at the university, he met Katy Horna, a photography teacher of Hungarian origin who had arrived in Mexico in 1939 as a refugee. Her marvelous work as a photographer stimulated Pedro Diego's interest in photography. He gradually became associated with other photographers, including Graciela Iturbide, Rafael Donis and Manuel Alvarez Bravo. Pedro Diego remembers that his grandmother, Lupe Marín, a friend of the prestigious French photographer, Henri Cartier-Bresson, returned at that time from a trip to Paris and brought some of Henri's sketch books with her. On looking at them, Pedro Diego assumed they belonged to a relative of Cartier-Bresson; he was quite surprised when his grandmother informed him that the sketches had been made by the photographer himself, who was devoting time to drawing. Pedro Diego became so interested in the sketches, that two months later he decided to travel to France. He had planned to stay two months, but remained two and one-half years. First he lived in the country, with one of Henri's brothers and his family, and painted landscapes. He later moved to Paris, where he supported himself by giving Spanish classes and playing the guitar at cafés. With his earnings, he was able to enroll in the École Nationale Supérieur des Beaux Arts. During his stay, Pedro Diego visited Henri often to show him his drawings and have them corrected. After a few months, Cartier-Bresson suggested that Pedro Diego leave the school. He introduced him to a group of painters who worked with him at the Jardin des Plantes. They were mature artists, and Pedro Diego was the youngest. He found it fascinating to draw in greenhouses and at the zoo, and became serious about drawing. During that time, he also worked at the well-known lithography workshop of Cloth Bramnsen et Georges.
Pedro Diego was very content in Paris. The absences and sadness of his childhood were left behind and he was doing what he enjoyed most; he had a girlfriend and found his visits and

abuela le dijo que eran del fotógrafo, que se estaba dedicando a dibujar. Fue tal el interés que éstos le provocaron, que dos meses después se fue a Francia. Tenía planeado estar dos meses y se quedó dos años y medio. Primero vivió en el campo, con la familia de un hermano de Henri; allí pintó paisaje. Posteriormente se trasladó a París, en donde para mantenerse daba clases de español y tocaba la guitarra en los cafés. Con lo que ganaba pudo inscribirse en la École Nationale Supérieur des Beaux Arts. Durante ese tiempo, Pedro Diego visitaba con frecuencia a Henri. Le llevaba sus dibujos y él se los corregía. Pero al cabo de unos meses, el mismo Cartier-Bresson le sugiere salirse de la escuela. Lo presentó con un grupo de pintores que trabajaban con él en el Jardin des Plantes. Ellos eran artistas formados; Pedro Diego era el más joven. Era fascinante ir a dibujar en medio de invernaderos y del zoológico. Esa fue la manera como se inició en el dibujo. En ese tiempo también trabajó en el reconocido taller de litografía de Cloth Bramnsen et Georges.

Pedro Diego se encontraba muy contento en París. Las ausencias y tristezas de la infancia habían quedado atrás, y en ese momento se encontraba haciendo lo que más quería; tenía una novia y disfrutaba mucho de las visitas y pláticas con Henri. En 1980 regresa a México con el fin de tomar unas vacaciones. Jamás imaginó que no volvería a París. Su abuela Lupe, que ya tenía ochenta y cuatro años, pensaba que si se regresaba ya no lo volvería a ver; que París lo desarraigaría de México y de sus raíces y que no volvería más a su país. Por ello, y con ese carácter fuerte que la caracterizó, lo disuade para que se quede. Para Pedro Diego el romper con todo lo que había encontrado en Francia fue muy difícil, y tratando de asimilar el cambio, se va a pintar paisaje a Guanajuato, con el maestro Jesús Gallardo. Después de unos meses, había realizado varias obras; de ellas seleccionó dos para llevarlas de regalo a su abuela y reconciliarse con ella. Su abuela estaba en cama, se empezaba a poner enferma, y al recibirlas, por primera vez lo reconoció como pintor. Al poco tiempo ella murió, dejando a su nieto el arraigo a su patria y con un compromiso con la pintura.

Motivado por ese propósito, Pedro Diego comenzó a laborar en el año 1982 en el estudio del pintor Ricardo Martínez, un artista de gran oficio que lo había conocido desde niño. Y comenta: *"Después de haber trabajado muy tenazmente en el dibujo, en el taller de Ricardo empiezo a pintar. El fue muy generoso conmigo; sus pláticas y consejos fueron determinantes en los trabajos que hice en su taller. Y, no obstante la cercanía con un gran exponente de la figura humana, mis trabajos eran naturalezas muertas".* Durante ese tiempo constató que la técnica no la conforma el simple conocimiento de fórmulas que uno aprende, que el oficio se logra a base del conocimiento de los materiales y de una aplicación constante, la cual se va asimilando poco a poco, y de esa manera se va amalgamando con las ideas y la expresión propia. Los trabajos que realizó durante este tiempo formaron parte de la exposición que llevó a cabo en la Galería de Arte Mexicano en 1984, y aunque ya había exhibido en 1978 en la Galería Gabriela Orozco, en la Asociación Gara y la Casa de la Cultura en Francia en 1979, en la Galería Lourdes Chumacero en 1980 y en la Galería del Convento de Tepotzotlán en 1982, esta exposición, por la calidad de la obra, marcó una nueva etapa en su carrera artística. En esa época Pedro Diego monta su propio taller, aunque sigue manteniendo una cercana relación con Ricardo Martínez.

Años más tarde, en 1988, Alvarado ingresa a trabajar en el taller del maestro Vlady, quien, como él afirma, cuenta con gran experiencia en la pintura al óleo: *"Entre otras cosas, ha realizado una gran cantidad de investigación acerca de los diferentes métodos de pintar, desde el Renacimiento hasta nuestros días. Observé cómo trabaja sus cuadros, a base de capas de diferentes materiales. Primero pone una capa de temple y después óleo. El preparaba sus propios colores mezclando pigmentos. Hasta que uno comprende esas técnicas, realmente puede uno apreciar los trabajos de los grandes pintores y saber cómo fueron realizadas sus obras, y ver las diferentes aplicaciones entre un pintor y otro".* En este tiempo Alvarado recibe la propuesta de pintar un mural para el Museo Amparo de Puebla con el tema "La Fundación de Puebla". El encargo representaba un gran reto para su carrera, sobre todo como nieto del gran muralista. Pedro Diego trabajó cerca de dos años en el proyecto, empleando a fondo los consejos del maestro Vlady. El día de la inauguración, en 1991, se presentaron diversas obras de

conversations with Henri highly enjoyable. In 1980, Pedro Diego went to Mexico on vacation, never imagining that he would stay. His grandmother Lupe, eighty-four years of age, believed that Pedro Diego's return to Paris would mean that she would not see him again, and that Paris would uproot him from Mexico. As a result, she used her characteristically strong personality to dissuade him from leaving. For Pedro Diego, severing his ties to France was very difficult; in an effort to assimilate the change, he went to Guanajuato to paint landscapes with Maestro Jesús Gallardo. After a few months, he had completed several paintings, and selected two as a peace offering for his grandmother, sick in bed. On receiving the gift, for the first time she recognized Pedro Diego as a painter. She died shortly afterwards, but left her grandson with roots in his homeland and a commitment to painting. Motivated by purposefulness, in 1982, Pedro Diego began working in the studio of Ricardo Martínez, a highly dedicated painter he had known since a child. Pedro Diego comments: "After having worked tenaciously in drawing, in Ricardo's workshop I began to paint. He was very generous with me; his conversation and advice were determining in the work I did in his workshop. And in spite of my closeness to an artist talented in depicting the human figure, my projects were still-lifes." During this period, Pedro Diego confirmed that technique is not a simple knowledge of formulas, but that the craft of painting is based on the knowledge of materials and their constant use; the art is gradually assimilated, and becomes amalgamated with the artist's own ideas and expression. The work that Pedro Diego produced during this time formed part of the exhibition held at the Galería de Arte Mexicano in 1984, and although it had already been shown in 1978 at the Galería Gabriela Orozco, at the Asociación Gara and the Casa de la Cultura in Francia in 1979, in the Galería Lourdes Chumacero in 1980 and in the Galería del Convento de Tepotzotlán in 1982, the exhibition, due to the quality of the work, marked a new stage in Pedro Diego's career. During this era, he installed his own workshop, yet maintained a close relationship with Ricardo Martínez. In 1988, Alvarado began working in the workshop of Maestro Vlady, who, as Alavarado affirms, is highly experienced in oil painting: "Among other activities, he has carried out extensive research on the various methods of painting, from the Renaissance up to our time. I saw how he works on his paintings, based on layers of different materials. First he puts a layer of tempera and then oil. He would prepare his own colors by mixing pigments. It is not until you understand the techniques that you can appreciate the work of the master painters and know how their work is done, and see the different applications from one painter to another." At that time, Alvarado received a proposal to paint a mural for the Museo Amparo of Puebla with the theme "La Fundación de Puebla." The commission represented a great challenge for his career, especially since he is the grandson of an important muralist. Pedro Diego worked almost two years on the project, and followed Maestro Vlady's advice to the utmost. The day of the mural's unveiling, in 1991, various pieces by Diego Rivera from the col-

Pedro Diego Alvarado
Mandarinas, 2000
Oleo sobre lino, 53.8 x 53.8 cm.

lection of the Museo Dolores Olmedo Patiño, were shown. On seeing his work alongside that of his grandfather, profound reflections were generated in Pedro Diego's intellect; he comments on the fact that he had previously worked without taking Rivera's work into account: "That day I assimilated once and for all my grandfather's work. I could feel his magnitude, his strength and his talent from another perspective. It was an impressive experience."
The effect caused by this event, at a time in life when Pedro Diego was more experienced, was totally different from what could have occurred at the beginning of his career. He had already found a path to follow, based on his own viewpoint, and had no need to turn to the influence or the footsteps of his grandfather; he was able simply to admire Rivera for what he had been and for what he meant for Mexican art. Pedro Diego Alvarado's work will never negate the fact that he is Mexican and that he loves color, his culture and his people—all inherited from the heart of Diego Rivera.
In 1994, Pedro Diego worked as a painter's assistant for the Nicaraguan artist, Armando Morales, in the maestro's London and Paris workshops. Pedro Diego assimilated Morales' technique of scraping the different layers of paint, and was enriched by all he saw in the workshop. His love for the landscape has been present during his entire career, and he has frequently traveled through Spain, France and Italy to paint landscapes. He has also toured Mexico, where he finds extraordinary light, the light that captivated the teacher of José María Velasco, the Italian, Eugenio Landesio.

Diego Rivera, de la colección del Museo Dolores Olmedo Patiño. Al ver su obra junto a la de su abuelo se generaron en él profundas reflexiones, pues siempre había trabajado manteniendo este hecho a un lado, y dice: *"Ese día asimilé de una vez por todas la obra de mi abuelo. Pude sentir su magnitud, su fuerza y su talento desde otra perspectiva. Fue una experiencia impresionante".*

El efecto que ese evento provocó en él, en un momento en que contaba con más experiencia, fue totalmente diferente al que podría haber provocado de haber sucedido al principio de su carrera. En este momento él ya había encontrado su camino, contaba con una visión propia, y no necesitaba recurrir a la influencia o la sombra de su abuelo, y simplemente pudo admirarlo en todo lo que fue y significó en el arte mexicano. En su obra, Pedro Diego Alvarado jamás va a negar ser mexicano, ni negará su amor por el color, por su cultura y por su gente, porque eso sí lo heredó del corazón de Diego Rivera.

En 1994 Pedro Diego trabajó como ayudante del pintor Armando Morales, en sus talleres de Londres y París. La manera de pintar del nicaragüense involucra una técnica particular, en la que se emplea el raspado de las distintas capas de pintura. Esta nueva técnica se viene a sumar a todos los conocimientos previos. Adicionalmente a eso, se enriqueció de todo aquello que se respiraba en el taller de este gran maestro. Su amor por el paisaje ha estado presente durante toda su carrera, y con frecuencia ha viajado por España, Francia e Italia para pintarlo. Igualmente ha recorrido diferentes lugares de México, ya que aquí encuentra una luz extraordinaria, esa luz que cautivó al maestro de José María Velasco, el italiano Eugenio Landesio.

PEDRO DIEGO ALVARADO
MAGUEYES CON CIELO NUBLADO II, 1998
Oleo sobre lino, 150 x 248 cm.

PEDRO DIEGO ALVARADO
PLÁTANOS VERDES, SANDÍA Y MAMEYES, 2002
Oleo sobre lino, 60 x 92 cm.

La obra de Pedro Diego Alvarado nos permite apreciar la huella de un oficio que se ha ido depurando y enriqueciendo paso a paso para surgir en sus obras con todo el vigor y el deleite de quien lo ejerce. Su sensibilidad le ha permitido hacer suyas las enseñanzas de sus maestros y encontrar un lenguaje propio, un lenguaje que confirma su concepto del arte. Alvarado afirma: *"El arte representa el lado no material del ser humano. Es una manifestación del espíritu"*. Y, aunque observa que en estos días muchos han olvidado esta verdad, considera que estamos cerca de un renacimiento en el arte, en los valores y en la cordura de la humanidad. Cuando estudió física en la UNAM, abrió su conciencia al entendimiento de la vida. Estudió ciertas teorías que le permitieron comprender la espiritualidad transformada en vida, que existe en cada uno de nosotros y en la creación misma. Por eso él ve las plantas, los frutos y el paisaje de diferente manera, ya que observa la vida que hay en ellas. Con este sentimiento pinta sus paisajes y sus naturalezas, llenos de luz y transparencia, tratando de representar eso que él alcanza a ver y a sentir. Por eso son extraordinarios sus cuadros, porque hay en ellos una belleza que irrumpe en el sentimiento de quienes los miran. En esta época en que parece que la expresión debiera involucrar un contenido existencial, de controversia o conceptual, su obra podría aparecer como fuera de tiempo, pero la belleza, la calidad y el talento jamás podrán estar fuera de contexto.

Pedro Diego Alvarado's work allows us to appreciate a craft that has become purified and enriched, and which is apparent in his work along with the vigor and delight of the craftsman. His sensitivity has permitted him to adopt the teachings of his instructors and find his own language, a language that confirms his concept of art. Alvarado affirms: "Art represents the nonmaterial side of the human being. It is a manifestation of the spirit." And although he observes that at present, many have forgotten this truth, he believes that we are near a re-birth in art, in values and in the wisdom of humanity. While Pedro Diego was in the school of physics at the UNAM, his mind was opened to the understanding of life. He studied theories that allowed him to understand spirituality transformed into life—life that exists in each one of us and in creation. For this reason, Alvarado sees plants, fruit and the landscape in a different manner: he observes the life they contain. With this feeling, he paints landscapes and scenes from nature, full of light and transparency, in an attempt to represent what he is able to feel and see. Consequently, his paintings are extraordinary; they contain a sense of beauty that invades the feelings of the viewer. In this era, when expression seems to need to involve an existential, controversial or conceptual content, Pedro Diego Alvarado's work might appear out of date. But beauty quality and talent will never be out of context.

JORGE ALZAGA
LOS HORRORES Y EL FESTEJO
Oleo sobre tela, 175 x 130 cm.
Colección Particular

JORGE ALZAGA

1938

Sus personajes, en ocasiones, se refieren a seres que existen en la vida real, a personas con las que ha intercambiado momentos cortos o largos, pero todos ellos llenos de intimidad y cercanía.

LUPINA LARA ELIZONDO

JORGE ALZAGA ES ORIGINARIO DE CIUDAD GUZMÁN, JALISCO, DONDE NACIÓ EN EL AÑO 1938. FUE el mayor de los once hijos de don Odilón Alzaga, quien era de ascendencia española, posiblemente de la región vasca. Cuando Jorge tenía tres años, la familia se mudó a Guadalajara y al poco tiempo a la ciudad de México, pues su padre había obtenido la concesión de una cantera que se encontraba en un cerro al sur de la ciudad, cerca de Coyoacán. Sus recuerdos de Ciudad Guzmán se reafirmaron con las largas temporadas que pasaban visitando a su abuela durante las vacaciones. Era agradable para él volver a andar por esas calles angostas, haciendo mandados y enterándose de todo lo que acontecía entre los vecinos. Todas esas experiencias, con sus aromas, sus emociones y sus colores guardan un lugar especial en su memoria, alimentando la inspiración del pintor. Jorge recuerda la imagen que tenía la ciudad de México en los años cuarenta, cuando tan sólo había dos millones de habitantes y para llegar a Coyoacán era necesario cruzar los campos sembrados de maizales, pues la ciudad terminaba en el Río Mixcoac.

Cursó los años de primaria con agilidad, y desde entonces se manifestaron sus habilidades artísticas, pues a él se le encargaban los trabajos para conmemorar los días festivos. Su padre jamás se opuso a que se dedicara a la pintura; por el contrario, lo alentaba, y en ocasiones se llevaba sus trabajos para presumirlos entre sus amigos. Jorge comenta de aquellos días: *"Cuando tenía unos ocho años, mi padre había comprado unos autobuses foráneos que corrían de Guadalajara a México, y en varias ocasiones lo acompañé, pues me gustaba salir con él en esos recorridos. Cuando se hacían las paradas en los pueblos, me bajaba y me ponía a observar cómo era la gente del lugar y cuáles eran sus costumbres, y también miraba los paisajes. Me gustaba pintar las vistas de Mil Cumbres".* Jorge realizaba dibujos que eran verdaderas narraciones a color, en las que plasmaba todo lo que observaba en sus viajes. Llegó a acumular una gran cantidad de estos dibujos que hacía en la carretera.

En aquel tiempo Diego Rivera había mandado organizar unos concursos de dibujo para los niños de las escuelas primarias, y los que sobresalían eran premiados con una beca para estudiar durante dos años en la Escuela de Iniciación Artística. Jorge fue uno de los ganadores, y de esa manera en el año 1951 inició sus estudios de pintura. El director de la escuela en ese entonces era un reconocido maestro y extraordinario grabador, Carlos Alvarado Lang.

Cuando Jorge terminó la primaria, el maestro de Iniciación Artística habló con su padre para informarle sobre las extraordinarias cualidades artísticas de su hijo y recomendarle que continuara sus

Jorge Alzaga is a native of Ciudad Guzmán, Jalisco, where he was born in 1938. He is the oldest of the eleven children of Odilón Alzaga, of Spanish and possibly Basque heritage. When Jorge turned three, the family moved to Guadalajara, and soon afterwards to Mexico City, where his father had obtained the concession for a stone quarry in the southern hills, near Coyoacán. Jorge's memories of Ciudad Guzmán were reaffirmed during long visits with his grandmother during his school vacations. He found it pleasant to walk again on the narrow streets, run errands, and learn about neighborhood events. All those experiences, with their aromas, their emotions and their colors, have a special place in Alzaga's memory, and nourish his inspiration as a painter. Jorge also remembers Mexico City in the 1940's, when it had only two million inhabitants and the city stopped at Río Mixcoac: to reach Coyoacán, it was necessary to cross the cornfields.

Jorge completed primary school easily. Even then his artistic abilities were evident, and he was placed in charge of projects to celebrate national holidays. His father never opposed his dedication to painting; on the contrary, he encouraged him, and at times showed off Jorge's work among his friends. Jorge comments on those days: "When I was eight years old, my father had some buses that ran between Guadalajara and Mexico City, and on various occasions I accompanied him. I liked to go with him on those trips. When stops were made in the small towns, I would get off the bus and observe the native people and their customs, and I would also look at the scenery; I liked to paint the views of Mil Cumbres." Jorge made drawings that were true color narratives of everything he saw on his trips. He came to accumulate a large number of drawings made on the road.

During that era, Diego Rivera organized drawing contests for students in primary school; the winners received scholarships to study for two years at the Escuela de Iniciación Artística. Jorge was one of the winners, and in 1951 began his studies in painting. At that time, the director of the school was a well-known teacher and extraordinary engraver, Carlos Alvarado Lang.

When Jorge finished primary school, the teacher from Iniciación Artística spoke with his father to comment on the boy's extraordinary artistic qualities and recommend he continue his studies at the painting and sculpture school known as La Esmeralda. Jorge's father accepted, and in 1954, before Jorge turned sixteen, he was already studying the Plastic Arts major. He had made the commitment to finish his secondary studies at night school, the only time he was free. At La Esmeralda, Alzaga met Rodolfo Nieto, Francisco Corzas, Pedro Coronel, Mario Rangel, Tomás Parra and Gilberto Aceves Navarro. One of his most influential teachers was Juan Soriano, who taught the students to develop a sensitive imagination, and to paint not the body, but the essence; he also talked to them about color. Jorge also remembers Santos

estudios en la Escuela de Pintura y Escultura La Esmeralda. El padre aceptó, y en 1954, antes de que Jorge cumpliera los dieciséis años, ya estaba estudiando la carrera de Artes Plásticas, con el compromiso de estudiar la secundaria por las noches, pues era el único horario que le quedaba libre. En La Esmeralda conoció a Rodolfo Nieto, a Francisco Corzas, Pedro Coronel, Mario Rangel, Tomás Parra, Gilberto Aceves Navarro. Uno de los maestros más importantes para él fue Juan Soriano, quien les enseñó a desarrollar la sensibilidad con la imaginación y a tratar de no pintar un cuerpo sino su esencia, y les habló del color. Recuerda también a Santos Balmori como excelente maestro de composición y color, y las conferencias de Diego Rivera, con las que provocaba hondas reflexiones con relación a los conceptos plásticos y al Arte Universal.

En 1958 Alzaga concluyó sus estudios seguro de sus conocimientos. En ese momento ya había logrado exponer en la Galería Chapultepec, que dirigía Lupe Solórzano, y en la Galería de Arte Moderno, de Federico Caracaya. Esos logros le habían dado confianza y estímulo al inicio de su carrera. Ese mismo año Jorge obtuvo el Primer Premio del Concurso de Nuevos Valores del Salón de la Plástica Mexicana del INBA.

En el año 1962, Jorge expuso en la ciudad de México y también presentó su obra con mucho éxito en la Galería Albert White de Toronto, Canadá. En 1964, con motivo de la celebración del Año de las Artes Plásticas de Jalisco, recibe el pergamino que lo acredita como "hijo predilecto de la ciudad de Guadalajara". Su pasión por pintar se vio interrumpida por la muerte de su padre en 1963. Jorge era el primogénito, por lo que en él recayó la obligación de atender el negocio de la familia para ayudar a sostenerla. Con gran pena suya, en unos cuantos días se encontró inmerso en una pila de papeles y atendiendo los compromisos con acreedores, proveedores, contabilidades y otros asuntos inherentes a la operación del negocio. Esta situación se prolongó durante ocho años, hasta que por fin en 1971 pudo volver a tomar los pinceles.

Jorge sintió una inmensa alegría al poderse deslindar de esta carga, y al observar los avances y logros que sus colegas habían obtenido durante esos años, buscó recuperar el tiempo perdido. Entre las cosas que se había visto obligado a hacer de lado para dedicarse de lleno al trabajo, se encontraba una beca que había obtenido para ir a estudiar a París. Para compensar esa oportunidad, decidió realizar un viaje a Nueva York, a donde ha regresado en repetidas ocasiones. El primer viaje lo realizó en 1975. Jorge pasaba horas metido en los museos; deseaba descifrar el contenido de los cuadros, y sobre todo, su evolución técnica. El mismo comenta: *"Ahí descubrí a pintores como Bonnard y Matisse. Si un cuadro me gustaba, me podía quedar cinco horas estudiándolo. Observaba cuáles eran los colores iniciales, cuáles eran los sonoros y cuáles los silenciosos, y cuáles*

JORGE ALZAGA
LOS PÁJAROS, 1978
Oleo sobre tela, 175 x 130 cm.
Colección Particular

servían de coro para los demás. Cada cuadro es como una sinfonía y tiene de todo, tiene los agudos y los bajos, existen los metales y los instrumentos de viento. Si observas, encuentras a la soprano y a los tenores. Cuando entra el tenor en una ópera, todos los instrumentos tienen que bajarse y más bien acompañarlo para que él logre destacar. También es muy importante el equilibrio del peso de las formas y del espacio. Tú lo notas mucho en la obra del mismo Tamayo, en donde en ocasiones hay mucho peso de un lado del cuadro, pero una nota que pone acá arriba, de un color, hace que se equilibre todo. Igualmente le sucede a Miró, con esos colores tan resonantes que logra sostener por otro lado con un claroscuro pequeño". Estas palabras nos acercan a los factores que dan armonía a su manera de pintar, pues pinta haciendo música y acompaña sus sentimientos con un ritmo suave y cadencioso que es a la vez sonoro y vibrante.

Los primeros trabajos que realizó Alzaga al salir de La Esmeralda corresponden a una época llena de melancolía, de un sentimiento íntimo

Balmori as an excellent teacher of composition and color, and the conferences of Diego Rivera, which stimulated deep reflections on plastic concepts and universal art.
In 1958, Alzaga concluded his studies. He was sure of his knowledge, and by that time had already been able to exhibit in some galleries: in the Galería Chapultepec, directed by Lupe Solórzano, and in the Galería de Arte Moderno of Federico Caracaya. These achievements had given him confidence and stimulated the beginnings of his career. That same year, Jorge won first prize in the Nuevos Valores contest of the Salón de la Plástica Mexicana of the Instituto Nacional de Bellas Artes.
In 1962, Jorge exhibited in Mexico City and also showed his work with great success at the Albert White Gallery of Toronto, Canada. In 1964, during the celebration of the Year of Plastic Arts of Jalisco, he received a parchment naming him an Outstanding Citizen of the city of Guadalajara. His passion for painting was interrupted by the death of his father in 1963. Jorge was the oldest son and received the obligation of running the family business in order to support the family. With great sadness, in a matter of days he was immersed in a stack of paperwork, commitments to creditors, payments to suppliers, accounting, and other business matters. He headed the business for eight years, until he was at last able to take up his brushes again in 1971.
Jorge felt immensely happy to be relieved of his duties, and on seeing the progress and achievements his colleagues had obtained during those years, attempted to make up for lost time. Taking into account that his sacrifices had included refusing a scholarship to study in Paris, Jorge decided to compensate by taking several trips to New York. He made his first trip in 1975. He spent hours in the museums, trying to decipher the content of the paintings and especially, their technical evolution. He comments: "There I discovered painters like Bonnard and Matisse. If I liked a painting, I could spend five hours studying it. I would observe its initial colors, its sonorous and silent colors, and the colors that served as a chorus for the others. Each painting is like a symphony and has some of everything; it has high and low notes, brass and wind instruments. If you observe it, you find the soprano and the tenors. When the tenor comes on stage in an opera, all the instruments must lower their volume and simply accompany him so that he is the most important. The equilibrium of the weight of the forms and space is also very important. You see this a lot in Tamayo, where there is a lot of weight on one side of

painting, but he puts a note up here with a color that makes everything balance. The same thing happens in Miró, with the very resonant colors that he sustains on the other side with a small chiaroscuro." These words introduce us to the factors that give harmony to Alzaga's way of painting, since he paints by making music; he accompanies his feelings with a mellow and lilting, yet sonorous and vibrant rhythm. Jorge Alzaga's early work after leaving La Esmeralda is filled with melancholy and intimate sentiment between the painter and his canvas. The influence of Modigliani is evident, possibly due to Jorge's profound identification with the Italian artist. Jorge has kept a small painting of the face of Christ that points to this identification. He recognizes that during this period, he associated painting with the expression of melancholic feelings.
When Jorge returned to painting, he became involved in abstractionism. He quickly recovered the concepts of space and color, and light appeared in his work. In 1975, figures reappeared in Alzaga's painting, and he comments: "Figures were very necessary for me. Through them, I feel that I can say everything that I feel; they are life itself. My experiences are reflected in figures; through them I can talk about everything

JORGE ALZAGA
MÁSCARA EN LA MESA
Oleo sobre tela, 100 x 80 cm.
Colección Particular

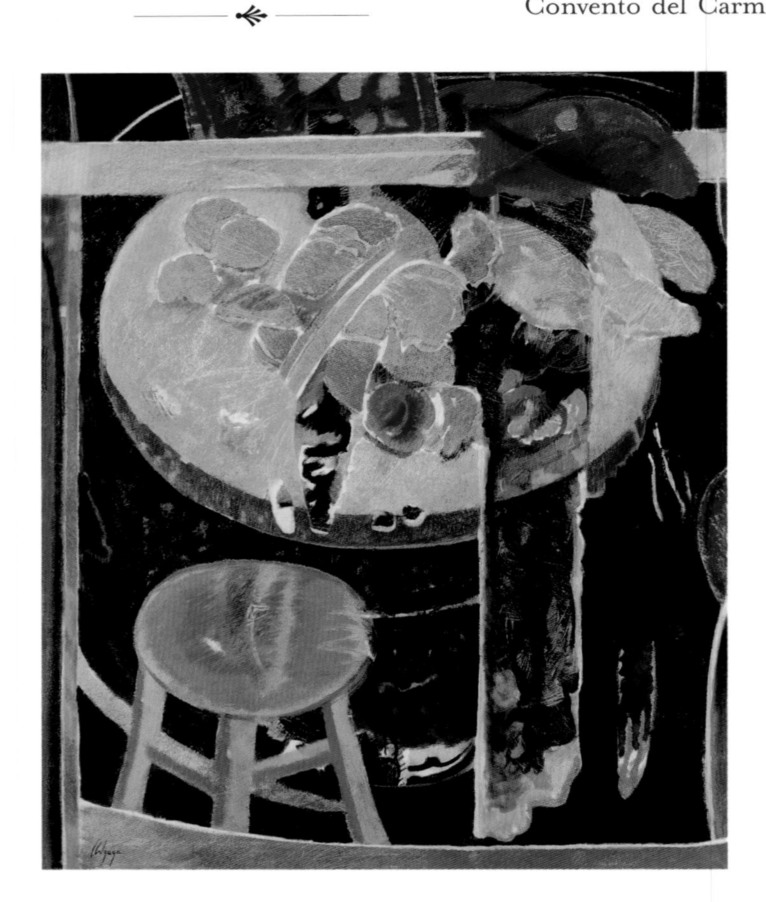

entre el pintor y su tela. La influencia de Modigliani es notoria y abierta, posiblemente derivada de una profunda identificación con el artista italiano, la cual lo invitaba a evocarlo en sus cuadros. Jorge conserva una pintura del rostro de Jesucristo. Es un cuadro de pequeño formato en el que se advierte cierta tristeza. El autor reconoce que durante ese período asoció a la pintura con la expresión de sentimientos melancólicos.

Cuando Jorge regresa a pintar, liberado de obligaciones, incursiona en el abstraccionismo. Recupera rápidamente los conceptos de espacio y color, y en ese momento aparece para él la luz. En el año 1975 volvió a aparecer la figura en sus cuadros, y sobre ello declara: *"Para mí era muy necesaria la figura. A través de ella siento que puedo decir todo lo que siento; es la vida misma. En la figura se reflejan mis vivencias; con ella puedo hablar de todo lo que me rodea".* El color, que a partir de ese momento se vuelve todavía más intenso, refleja la alegría que siente de estar nuevamente involucrado en su pasión más grande, que es la pintura. La pintura es la interlocutora de sus vivencias; de experiencias que han enriquecido su pasado y que al paso del tiempo reviven tomando nuevas perspectivas, sugiriendo así distintas formas de interpretarlas. Sus personajes, en ocasiones, se refieren a seres que existen en la vida real, a personas con las que ha intercambiado momentos cortos o largos, pero todos ellos llenos de intimidad y cercanía.

Ese paréntesis que se formó en su carrera poco a poco fue acortándose, y cuando menos lo esperaba, su obra ya estaba de nuevo presentándose en el Convento del Carmen, en la ciudad de Guadalajara, y al poco tiempo, en la Galería de Gabriela Orozco de la ciudad de México. En los años 1980, 1982 y 1983 presentó sus cuadros en la galería de Lourdes Chumacero. Sus exposiciones alternaron entre la ciudad de México y la de Guadalajara. En esta última expuso en la Galería Marchand, en la Galería Clavé, en el Museo Hospicio Cabañas y en el Museo Regional. También se presentó en dos ocasiones en la Galería Pacífico de Puerto Vallarta, todo esto adicionalmente a las más de cincuenta exposiciones colectivas en las que ha participado.

La obra de Alzaga ha sido elegida en múltiples ocasiones para viajar al extranjero, entre otras, a la galería de Robert Berman en Santa Mónica, California, y a la galería The Embassy en Coral Gables, Florida. En 1986 Jorge fue seleccionado para participar en la *Bienal de Arte de Miami,* en Florida, y al año siguiente recibió el Premio Internacional de Arte Contemporáneo en la *X Exposición de Pintura de Montecarlo,* en Mónaco.

Jorge Alzaga
Bodegón con mujer
Oleo sobre tela, 100 x 80 cm.
Colección Particular

En los últimos años, la Galería Oscar Román ha presentado sus trabajos en repetidas ocasiones, y en todas ellas con mucho éxito. En su casa y en su taller se escuchan las sinfonías de Brahms, Beethoven, Schubert, Tchaikovsky; las óperas de Mozart, los conciertos de Rachmaninov y la guitarra de Joaquín Rodrigo, entre tantos otros temas y compositores de música clásica. La pintura de Alzaga se renueva en ideas, renueva sus metáforas y sus historias. No obstante, mantiene firmes diferentes aspectos que llenan de carácter sus trabajos: los ricos empastes cuando aplica su pintura, los colores de su paleta, la armonía rítmica y musical en el balance del color, y por último, un oficio limpio y depurado. Se entusiasma platicando de la pintura y compartiendo el gran ánimo que le da su oficio.

Alzaga nos sorprende constantemente. No nos permite caer en la monotonía al observar su obra, ya que su creatividad recurre a una temática sin límites, y así aparecen damas, ciclistas, ángeles, amantes, payasos o la Priscapocha, que es la mujer de la vida alegre. Jorge Alzaga es un artista de grandes cimientos técnicos y de una extraordinaria volatilidad creativa.

around me." From that time on, his colors became even more intense, reflecting his happiness in being newly involved in his greatest passion: painting. As Alzaga explains, painting is the narrator of his life, of experiences that have enriched his past and which, over time, revive by taking on new perspectives and suggesting different forms of interpretation. His personages occasionally refer to people who really exist, to persons with whom Jorge has exchanged short or perhaps long moments, but always filled with intimacy and closeness.

The divide in Alzaga's career gradually closed, and when he least expected it, his work was once again being shown in the Convento del Carmen, in the city of Guadalajara, and shortly thereafter in Gabriela Orozco's gallery in Mexico City. In 1980, 1982 and 1983, he showed his work in the gallery of Lourdes Chumacero. His exhibitions have alternated between Mexico City and Guadalajara, where he has shown his work in the Galería Marchand, the Galería Clavé, the Museo Hospicio Cabañas and the Museo Regional. He also has exhibited on two occasions in the Galería Pacífico of Puerto Vallarta, in addition to participating in more than fifty collective exhibitions. Alzaga's work has been selected repeatedly to travel abroad, to the Robert Berman Gallery in Santa Monica, California and the Embassy Gallery in Coral Gables, Florida. In 1986, Jorge was chosen to participate in the Biennial of Art in Miami, *Florida, and the following year he received the International Prize of Contemporary Art at the* Tenth Painting Exhibition of Monte Carlo, *Monaco.*

During recent years, the Oscar Román Gallery has shown Alzaga's work on various occasions, always with great success. In his home and workshop, Jorge plays the symphonies of Brahms, Beethoven, Schubert and Tchaikovsky, the operas of Mozart, the Rachmaninov concertos and the guitar of Joaquín Rodrigo, and other classical music. Alzaga's painting is renewed in ideas, metaphors and stories, yet he maintains unchanged the different aspects that fill his work with character: the rich impasto when he applies the paint, the colors of his palette, the rhythmic and musical harmony in the balance of color, and lastly, a clean, pure craft. He enthusiastically speaks of painting and shares the grand spirit painting offers him.

Alzaga surprises us constantly. He does not allow us to fall into monotony since he portrays unlimited topics: ladies, cyclists, angels, lovers, clowns or Priscapocha, the dame of the night. Jorge Alzaga is an artist with solid technical foundations and extraordinary creative volatility.

FERNANDO ANDRIACCI
EL AGUADOR
Oleo sobre tela, 120 x 100 cm.
Colección Particular

FERNANDO ANDRIACCI

1972

Sus composiciones obedecen a un orden estético,
a la conquista del espacio mediante elementos bien compartidos
que no pretenden otra cosa que agradar a su creador.

LUPINA LARA ELIZONDO

FERNANDO ANDRIACCI NACIÓ EN EL AÑO DE 1972 EN EL PUEBLO DE CUICATLÁN, UBICADO EN LA región de la cañada, en Oaxaca. Su padre, además de ser agricultor, ha trabajado en puestos administrativos en las oficinas del gobierno del Estado, mientras que su madre se ha dedicado a la familia. Ella es descendiente de italianos, de una comunidad que se estableció en Tierra Blanca, cerca de la ciudad de Córdoba, en Veracruz. Fernando fue el quinto de seis hijos. Recuerda de los días de su infancia: *"Desde muy pequeño, empecé a dibujar. A mi papá le mandaban citatorios de la escuela porque me encontraban pintando en los cuadernos. Más que todo, me gustaba pintar a las vacas. Mi pueblo es muy padre. Es un lugar tropical en donde se dan la sandía, el mango, el melón, la papaya y las ciruelas. Es un lugar caliente en todo lo que es la cañada. Es algo grande y está rodeado por la Sierra de Juárez. Mi padre cultivaba maíz y frijol, y todavía nos tocó de niños ir al campo a ayudarle a sembrar y a regar. También tenía unos manglares. Me gustaba mucho ir al campo y al río a nadar. El paisaje de Oaxaca se te impregna; las cosas que viste jamás se te olvidan".*

Sus hermanos mayores se fueron yendo, uno por uno, a estudiar a la ciudad de Oaxaca, porque en el pueblo nada más podían estudiar hasta la secundaria. La familia se empezó a desintegrar, y llegó el momento en que nada más quedaban los tres hermanos menores en casa. Su padre se dio cuenta de que de esa manera iba a acabar perdiendo a todos sus hijos y decidió, a pesar de tener que abandonar sus tierras, trasladarse a la ciudad. Fernando tenía en aquel entonces cerca de once años, y lo único que deseaba era poder dibujar. Sus padres pensaban que se trataba de un pretexto para no seguir estudiando, pero su hermano mayor lo pudo comprender y lo inscribió en la Casa de la Cultura de la ciudad de Oaxaca, aceptando el compromiso de pagar las cuotas bimestrales a fin de que pudiera tomar sus clases de pintura. Estas clases se impartían por las tardes, así que después de la escuela, se apuraba a hacer sus tareas para llegar puntual: *"Yo estaba muy interesado. Nunca faltaba y cumplía con todos mis trabajos. Me tocaron muy buenos profesores. Unos eran ya mayores y se basaban en métodos muy académicos; eran muy exigentes en el dibujo y en el claroscuro. Entre ellos recuerdo al maestro Manuel Ruiz Avendaño. Como veían que era muy disciplinado, me dieron una beca; ya no tenía que pagar la cuota bimestral y, además, me apoyaban con los materiales. Allí estuve cerca de cinco años".* En los talleres de la Casa de la Cultura, Fernando acreditó las materias de dibujo, pintura, grabado y escultura, así como las cátedras de Filosofía e Historia del Arte.

FERNANDO ANDRIACCI
CABALLO Y ARMADILLO
Oleo sobre tela, 40 x 100 cm.
Colección Particular

FERNANDO ANDRIACCI WAS BORN IN 1972 IN THE TOWN of Cuicatlán, located in the gully region of Oaxaca. His father, a farmer, has also worked for the state government. His mother, a descendent of Italians who settled in the Italian community of Tierra Blanca, near Cordoba, Veracruz, has devoted herself to the family. Fernando is the fifth of six children. He remembers his childhood days: "When I was very small I began to draw. My father was called to school because they found me drawing in my notebooks. More than anything, I liked to paint cows. My town is very nice. It is a tropical place where watermelons, mangos, cantaloupes, papayas and plums grow. It is a hot place along the gullies. It is somewhat large, and is surrounded by the Sierra de Juárez mountains. My father grew corn and beans, and as children, we would have to go to the fields to help him plant and irrigate. He also had some mangroves. I liked going to the fields very much and to the river to swim. The countryside in Oaxaca grows on you; you never forget the things you see."

Fernando's older brothers and sisters moved away, one by one, to study in the city of Oaxaca, since they could advance no further than secondary school in their hometown. The family began to disintegrate, and soon only the three youngest children remained at home. Their father realized that he would soon lose all of his children, and decided to move to the city, although it implied having to leave the farm. At that time, Fernando was close to eleven, and all he wanted was to be able to draw. His parents thought it was an excuse not to study, but his older brother understood, and enrolled him in the Casa de la Cultura in the city of Oaxaca; he promised to pay Fernando's fees so that he could take painting classes. Since the classes were given in the afternoon, Fernando

Cuando llegó el momento de entrar al bachillerato, Fernando ya no quería continuar los estudios. Y al comentarle a su padre que lo que quería era seguir la carrera de pintura, él pensó que nuevamente se trataba de un pretexto para no estudiar. Su padre se había hecho el compromiso de proporcionar una carrera a cada uno de sus hijos, y esto ocasionó un fuerte conflicto. Como el padre no cedió, Fernando optó por escaparse de su casa y se fue con su hermano mayor, que entonces estaba estudiando su carrera en el Tecnológico de Puebla. Ahí permaneció un año, manteniéndose de sus pinturas. Pintaba paisajes, retratos y bodegones, y los vendía a los conocidos de su hermano, pero era difícil estar solo y mantenerse del trabajo, así que cuando sus padres lo mandaron llamar, se regresó a Oaxaca. El hecho de haberlo mandado llamar no implicaba que su padre hubiera cambiado su opinión respecto a las aspiraciones de Fernando, pues para él su hijo era un vago y la pintura no era una profesión, pero prefería tenerlo cerca.

A su regreso, el joven, que apenas contaba con diecisiete años, se las ingenió para no defraudar sus objetivos. Se inscribió en el Taller de Artes Plásticas Rufino Tamayo, que dirigía el maestro Atanasio García y que en ese entonces se encontraba en la calle de Murguía. Ahí permaneció hasta fines de 1993, ampliando sus conocimientos en distintas disciplinas y técnicas: litografía, xilografía, grabado, pintura, escultura, técnicas mixtas y preparación e investigación de materiales. Les importaba que los alumnos desarrollaran su creatividad, tanto en los conceptos como en las composiciones. Como su padre no lo apoyaba ni con los materiales, se veía obligado a buscar clientes para vender algunos de sus cuadros para poder sobrevivir.

Como pintor independiente, Fernando no tenía libertad para ensayar sus propias propuestas, pues corría el riesgo de quedarse sin sustento. Observando que su situación era común a la de otros dos compañeros, decidieron unirse y formar el Taller Municipal de Artes Plásticas y Pintura Monumental Rodolfo Nieto. Entre ellos tres desarrollaron algunas ideas y presentaron una propuesta al gobierno del Estado para pintar murales en las plazas y las escuelas, o en bardas autorizadas, por lo que recibirían una especie de pensión quincenal y los materiales para trabajar. Cuenta Fernando: *"Los murales aún subsisten. Uno se encuentra en la Biblioteca Municipal de San Felipe, en San Felipe del Agua, en Oaxaca; otro, titulado* La magia de Tochtépetl, *está en el Ayuntamiento de Tuxtepec; otro está en el Centro Cultural Oaxaca y mide setenta y dos metros cuadrados; uno más,* Las bellas artes, *se encuentra en el Jardín del Arte y del Amor, también en Oaxaca, y mide cuatro veces más que el anterior, siendo este último el de mayor tamaño. Empleábamos laca automotiva, pues era una técnica que un alumno de Siqueiros nos había enseñado".* Al paso del tiempo el grupo se desintegró; uno de sus compañeros se fue a montar un taller de grabado en Guanajuato y el otro se metió a la política.

Fernando continuaba en el Taller Rufino Tamayo cuando se desconoció al director y éste recurrió a la policía para desalojar a los alumnos, que se reubicaron en la Avenida Juárez, en donde se reorganizó el taller: *"En esta nueva etapa, los alumnos nos sentíamos con la libertad de ir encontrando nuestro estilo de pintar, y es justamente en este momento cuando me doy cuenta de que he logrado y concluido con mi formación".* Durante la época de estudiante, su obra se exhibió en más de quince exposiciones colectivas y en tres exposiciones individuales: la primera, en el Museo Regional de Santo Domingo, en 1991; después, en 1992, en la Galería Miguel Cabrera de la Casa de la Cultura de Oaxaca, y posteriormente, en la exposición titulada *Mitos de la realidad, Oleos y encáusticas,* en la Galería Rufino Tamayo de Oaxaca, en 1993. Fernando corrió con mucha suerte, pues en el momento de dar por concluidos sus estudios, logra ingresar a una de las más prestigiadas galerías de Oaxaca que en ese momento estaba integrando a nuevos artistas. Los directores de la galería habían seguido su trayectoria como

would hurry to finish his homework after school, to be able to get to painting on time: "I was very interested. I was never absent and I did all the homework. I had very good teachers. Some were older and used very academic methods; they were very demanding in drawing and chiaroscuro. One of them I remember is Maestro Manuel Ruiz Avendaño. Since they saw I was very disciplined, they gave me a scholarship; I no longer had to pay the bimonthly fee, and besides, they helped me buy materials. I was there close to five years." In the workshops of the Casa de la Cultura, Fernando studied drawing, painting, engraving and sculpture, as well as philosophy and history of art.

When the time came to enter high school, Fernando did not want to continue with his schooling. His father, on learning that Fernando wanted to paint, once again believed that painting was an excuse not to study. And since he had promised to provide each of his children with a degree, a serious conflict developed. Fernando realized his father would not yield, and decided to run away from home and live with his oldest brother, who was then studying at the Tecnológico de Puebla. He stayed there for a year, living off his painting. He produced landscapes, portraits and still-lifes, and sold them to his brother's acquaintances, yet making a living alone was difficult. So when his parents sent for him, he returned to Oaxaca. Fernando's return, however, did not imply that his father had changed his opinions about his son's aspirations; he continued to believe Fernando was a loafer and that painting was not a profession, but he preferred to have him near.

Once again at home, young Fernando, only seventeen years old, stayed true to his objectives. He enrolled in the Taller de Artes Plásticas Rufino Tamayo, directed by Maestro Atanasio García and then located on Murguía Street. He remained there until late 1993, broadening his knowledge in distinct disciplines and techniques: lithography, xylography, engraving, painting, sculpture, mixed techniques and the preparation and investigation of materials. The teachers at the school were interested in their students' development of creativity, in terms of concepts as well as compositions. Since Fernando received no support from his father, not even for purchasing materials, he was forced to find buyers for his paintings in order to survive.

As an independent painter with a precarious livelihood, Fernando was not free to test his own proposals. He noticed that his situation was similar to that of two of his classmates, and decided to join them in forming the Taller Municipal de Artes Plásticas y Pintura Monumental Rodolfo Nieto. The three developed

FERNANDO ANDRIACCI
MESA CON FRUTAS
Oleo sobre tela, 40 x 50 cm.
Colección Particular

FERNANDO ANDRIACCI
ANIMAL FEROZ
Oleo sobre tela, 30 x 40 cm.
Colección Particular

ideas and presented a proposal to the state government to paint murals in plazas and schools, or on authorized walls, in exchange for a fortnightly payment and working materials. Fernando explains: "The murals still exist. One is in the Municipal Library of San Felipe, in San Felipe del Agua, Oaxaca; another, entitled La magia de Tochtépetl, *is in the Tuxtepec municipal building; another is in the Centro Cultural Oaxaca and measures seventy-two square meters; yet another,* Las bellas artes, *is in the Jardín del Arte y del Amor, also in Oaxaca, and measures four times more than the previous one; it is the largest. We would use automotive lacquer since it was a technique Siqueiros had taught us." Over time the group disintegrated; one of the trio established an engraving workshop in Guanajuato and the other became a politician.*
Fernando was working at the Taller Rufino Tamayo when the students attempted to eject the director, who turned to the police to have the students removed. They relocated at an address on the Avenida Juárez and reorganized their workshop: "In this new stage, we students felt free to find our style of painting, and it was just at that time when I realized that I had completed my education." During his student days, Fernando's work was exhibited in more than fifteen collective exhibitions and in three individual exhibitions: the first, in the Museo Regional de Santo Domingo, in 1991; then, in 1992, in the Galería Miguel Cabrera de la Casa de la Cultura de Oaxaca, and later, in the exhibition entitled Mitos de la realidad, Oleos y encáusticas, *in the Galería Rufino Tamayo of Oaxaca, in 1993. Fernando was very fortunate: at the time he decided his studies had ended, he was able to enter one of the most prestigious galleries in Oaxaca, which was gathering new artists at that time. Since the gallery's directors had followed Fernando's student career and were familiar with his recent murals, they invited him to join their project. The motivation and requirements the gallery provided Fernando were very positive, given that they created in him a commitment to discipline, in terms of quality as well as quantity of work.*
In 1994, Fernando continued in the vein of richly elaborate work. His style is involved with the naïve, inclining towards entertainment and containing a narrative similar to a short story. His composition is based on different figures; some are larger and depict animals such as elephants, giraffes, and sheep, which are filled in with shapes and figures of a smaller size. On the other hand, the backgrounds and smooth surfaces are covered with repeating small animals, as if marked with a stamp before the application of color. Sometimes

estudiante y conocían sus recientes trabajos murales, por lo que lo invitaron a trabajar. La motivación y la exigencia que la galería ejerció en él, fueron muy positivas para Fernando, ya que formaron en él un compromiso de disciplina, tanto en la calidad como en la cantidad de su obra.

En 1994 Fernando avanzó en dirección de un trabajo ricamente elaborado. Su estilo se involucra con lo *naïf*, inclinándose hacia lo lúdico y conteniendo una narrativa como de un cuento o historieta. Su composición es trabajada a base de diferentes figuras, unas de mayor tamaño que involucran a animales como elefantes, jirafas, caballos, borregos; éstas son trabajadas en su interior con formas y figuras de menor tamaño. Por otro lado, los fondos y las superficies lisas a su vez están trabajados con figuras de pequeños animales que se repiten, como si se tratara de un sello que se estampa en diferentes direcciones para después aplicar el color. Algunas veces son pollos, otras pájaros, pero también podemos hablar de alacranes, cangrejos, caracoles, cochinillas, y no podía faltar el chapulín, insecto muy apreciado por los oaxaqueños, al grado de emplearlo en su alimentación. Este fino trabajo da un efecto de mosaico, ejecutado como una filigrana viva, pues en algunas pinturas se llega a apreciar que los animalillos van caminando, unos en un sentido y otros en otro, proporcionando cierto movimiento rítmico a todo el escenario. Fernando declara: *"Muchos de mis personajes cuentan leyendas que hablan de las tradiciones de las distintas regiones oaxaqueñas. Oaxaca es un lugar mágico, y definitivamente el ambiente cultural, las festividades, las tradiciones y costumbres de esta tierra tienen un efecto en el espíritu y en nuestro trabajo".*

Fernando ha recibido invitaciones para participar en distintas exposiciones colectivas, entre ellas cuatro muy importantes: *La plástica contemporánea de Oaxaca a finales del siglo XX,* en el Instituto Nacional del Seguro Social, en

1996; *Vicios y virtudes de nuestro siglo,* del Festival del Centro Histórico de la Ciudad de México, en 1997; *Art from Oaxaca,* de NAFINSA Securities Inc., en la ciudad de Nueva York, y *Erbe und Gegenwart Maler aus Oaxaca,* de los mexicanos y la Galería Quetzalli, en Hamburgo, Alemania.

En 1996 preparó la exposición *Los bosques de signos,* para la Galería Casa Lamm de la ciudad de México; en 1998, la exposición *Evocación de sueños,* para el Polyforum Cultural Siqueiros, también en la ciudad de México, y ese mismo año realizó otra más en la Casa Lamm, titulada *Fauna imaginaria.* En 1999 preparó una magnífica exposición para la Universidad Autónoma de Querétaro, y *Sueños compartidos,* para el Archivo General de la Nación, de la Secretaría de Gobernación, y en el 2000, *El mundo de Andriacci,* para la Fundación Miró de Monterrey, Nuevo León.

Andriacci aprendió acerca de la integridad desde muy pequeño, cuando tuvo que defender sus convicciones, e incluso decidir entre ellas y su familia. Y esa integridad lo llevó a pintar. Su pintura más bien se acerca a la poesía o a la música, en donde los conceptos se transmiten de manera subjetiva, entretejidos con las pinceladas o las formas, provocando que el espectador se adentre, experimente y vibre con ellos. Sus composiciones obedecen a un orden estético, a la conquista del espacio mediante elementos bien compartidos que no pretenden otra cosa que agradar a su creador, quien goza de un sentido innato de la armonía y el balance. Artistas como Andriacci crean propuestas que abren un nuevo horizonte a la plástica nacional. Su mayor reto será continuar enriqueciendo su expresión, alejándose de falsas motivaciones y recurriendo a su innato sentido artístico.

the figures are chickens, sometimes birds, but we can also find scorpions, crabs, snails, cochineal insects, and the ever-present grasshopper—an insect highly appreciated by the natives of Oaxaca, who include it in their diet. Fernando's refined work gives the effect of a mosaic that has been created like a live filigree: some paintings show the little animals walking in different directions, providing a certain rhythmic movement to the entire scene. Fernando declares: "Many of my characters tell legends about the traditions of various regions in Oaxaca. Oaxaca is a magic place, and the cultural atmosphere, the festivities, the traditions and customs of this land definitely have an effect on the spirit and on our work."

Fernando has received invitations to participate in various collective exhibitions, of which four have been very important: La plástica contemporánea de Oaxaca a finales del siglo XX, in the Instituto Nacional del Seguro Social, in 1996; Vicios y virtudes de nuestro siglo, of the Festival del Centro Histórico of Mexico City, in 1997; Art from Oaxaca, at NAFINSA Securities Inc., in New York City, and Erbe und Gegenwart Maler aus Oaxaca, by the Mexicans and the Galería Quetzalli, in Hamburg, Germany.

In 1996, Andriacci prepared the exhibition, Los bosques de signos, for the Galería Casa Lamm in Mexico City; in 1998, the exhibition, Evocación de sueños, for the Polyforum Cultural Siqueiros, also in Mexico City, and that same year, he held another showing in the Casa Lamm, entitled Fauna imaginaria. In 1999, he prepared a magnificent exhibition for the Universidad Autónoma de Querétaro, in addition to "Sueños compartidos" in the Archivo General de la Nación, of Mexico's Ministry of the Interior, and "El mundo de Andriacci" 2000, at the Fundación Miró, in Monterrey, Nuevo Leon.

Andriacci learned about integrity as a small child, when he had to defend his convictions, and even had to choose between them and his family. This is the integrity that led him to paint. His painting is nearer to poetry or music, in which concepts are transmitted in a subjective manner, intertwined with brushstrokes or shapes, motivating the viewer to enter, experiment and vibrate with them. Andriacci's compositions obey an aesthetic order, in the conquering of space through well-shared elements that have the sole objective of pleasing their creator—a creator who enjoys an innate sense of harmony and balance. Artists like Andriacci create proposals that open a new horizon in Mexico's plastic art. Their greatest challenge will be to continue to enrich personal expression and gain distance from false motivations by turning to innate artistic meaning.

FERNANDO ANDRIACCI
CABALLITO ROJO
Oleo sobre tela, 40 x 50 cm.
Colección Particular

Enrique Canales

Ideas destruyendo la fe, 1994

Oleo sobre tela acrilizada, 360 x 260 cm.

Colección Museo de Arte Contemporáneo de Monterrey

Enrique Canales
1936

Canales ha tomado la pintura como una aventura total, por lo que en su caso el oficio no sigue las huellas de la academia. Es pintor autodidacta, y además inventor, es decir, con un fuerte sentido de incursionar, investigar, de probar y descubrir.

Lupina Lara Elizondo

Enrique Canales Santos nace en la ciudad de Monterrey en 1936. Su padre era originario del pueblo de Agualeguas, vecino a Monterrey, un lugar de clima desértico donde la gente disfruta de la soledad: *"Como los apaches, que andaban solos con su caballo y su perro"*, según comenta el artista. Su madre era originaria de Bustamante, Nuevo León, en donde por el contrario, hay agua suficiente, abundan los nogales y se cultiva el aguacate. Acerca de sus padres recuerda la rica herencia que le dejaron: en consejos, en su ejemplo y, sobre todo, en su buen ánimo y sentido del humor, los cuales –sin duda– heredó. Enrique hace memoria de las palabras de su padre –el Gran Jefe Cejas, como él le llamaba–, cuando en una ocasión le preguntó de dónde venían los Canales, y el padre le respondió diciendo: "Los Canales no venimos de ningún lado. Brotamos del desierto, y no importa de dónde venimos, sino qué va a hacer usted aquí". El comentario dejó en él el firme propósito de encontrar lo que quería hacer.

De niño no fue deportista, ni tampoco un joven de grandes parrandas. Disfrutaba los estudios y era amante de recorrer y acampar en la montaña. Casi todos los fines de semana salía de casa con varios amigos, y dormían en la sierra, como dice él: *"Como los perros, echados en la tierra; sin tienda de campaña"*. Disfrutaba estando cerca de la tierra, de la hierba, los árboles, de los ríos y las piedras: *"Siempre viví pegado al suelo. Recogiendo nueces en Bustamante; anacuhuitas, en Agualeguas; guayule, al otro lado del río Santa Catarina; cuadritos de cuarzo, en El Obispado. Vivía 'enzoquetado' (lleno de lodo) en Santa Julia. Buscaba colorines caídos en Las Mitras (cerro), cincos en las banquetas, catarinas en los geranios, lagartijas en La Huasteca y caramuels en el traspatio"*. Y con su tono bromista, afirma: *"En aquel entonces vivíamos con muchas limitaciones. Todavía no teníamos primo gobernador"*.

A los trece años tomó sus primeras clases de dibujo. Allí realizó un dibujo de un caballo, copiándolo de una ilustración europea. Un trabajo a lápiz, muy bien logrado, como un fino ejercicio de academia. Y, no obstante los halagos que en ese entonces recibió de sus familiares, no quedó del todo satisfecho; intuyó que algo faltaba. Sabía que había demostrado una habilidad, pero no había puesto nada suyo. No había en el dibujo ninguna expresión personal. Pero el entendimiento de lo que es la expresión no llegó a él en ese momento; eso sucedió muchos años más tarde. Sin embargo, su interés y sobre todo su curiosidad, lo llevan a seguir pintando y dibujando intuitivamente, a seguir leyendo libros y estudiando cuadros.

Enrique Canales Santos was born in the city of Monterrey in 1936. His father was a native of Agualeguas, a neighboring town with a dry climate where the people enjoy their solitude, according to Canales, "like the Apaches, who went around by themselves, with just a horse and a dog." His mother was from Bustamante, Nuevo León, different from Agualeguas because water is sufficient, and pecan and avocado groves are abundant. Canales remembers the rich heritage of his parents: their advice, their example and especially, their good mood and sense of humor, which he most surely inherited. Enrique recalls the words of his father—"Gran Jefe Cejas" ("Big Chief Eyebrows"), as he called him—when he once asked about the origins of the Canales family. His father answered: "We Canales did not come from anywhere. We sprang from the desert, and it does not matter where we came from, but what you are going to do while you are here". The comment instilled in Enrique the firm purpose of discovering what he wanted to do in life. As a youth, Enrique liked neither sports nor big parties. He enjoyed school and most especially, hiking and camping in the mountains. Almost every week-end he would leave the house with several friends and

Recuerda que cuando era niño su padre llegaba a casa después del trabajo y de jugar dominó con los amigos, y se sentaba en un sillón a leer, pues deseaba transmitir a sus hijos el valor de la lectura. Así tomó Enrique aprecio por los libros y, con el tiempo, se volvió un coleccionista de párrafos literarios. Seleccionaba todos aquellos que le gustaban, y posteriormente estudiaba en ellos las frases y las palabras. Todo ello fue gestando su interés por la escritura. Entre 1973 y 1975, fue autor de la columna "Avatares industriales" en el periódico *El Porvenir,* de Monterrey, y a partir de 1989 escribe las columnas "Mexicar" y "Administración de tecnología" en los periódicos *El Norte, Mural* y *Reforma,* de Monterrey, Guadalajara y México, respectivamente. Es autor de los libros *Ritmos de máquinas, Ritmos de Corazón,* publicado en 1973, y *"El cultivo de tu Fregonería" Filosofía de Acción,* que se publicó en 1997. *"Este libro",* como él declara, *"en realidad, trata de ayudar a sus lectores a llegar a ese punto del trabajo gozoso".*

Al llegar el momento de elegir una profesión, Enrique ingresa a la carrera de Ingeniería Mecánica en el Instituto Tecnológico de Monterrey. Y sobre ello comenta: *"Desde niño tuve la visión de aprender cosas con el fin de sacar un provecho. Aprender por aprender no tenía ningún sentido. Estudiar tuvo siempre en mí un fin pragmático. Me interesaba mejorar las cosas para atender una necesidad. La ingeniería mecánica la gocé por constructiva, ingeniosa, exacta y útil. Verdaderas esculturas con tripas en movimiento. Me gustaba el diseño; no me gustaba tanto estar al lado de una máquina que funcionara, pero sí modificarla".* Sus palabras revelan un espíritu creador, con el verdadero deseo de tomar la materia y transformarla con un fin benéfico para el hombre. Posteriormente estudió la maestría y el doctorado en la Universidad de Houston, Texas, con especialización en Organización de Centros de Investigación y Procesos de Innovación Tecnológica. Al concluir sus estudios, en 1973 se trasladó a Brasil para ocupar la Dirección General de Basividrio, en Río de Janeiro. En 1976 regresa a Monterrey y ocupa la dirección de Vitro Tec, Centro de Investigación del Grupo Vitro. A él, y a su grupo de trabajo, se debe el desarrollo de importantes patentes en ese ramo, las cuales han alcanzado reconocimiento a nivel mundial.

Enrique Canales
Niña con conejo, 1984
Oleo sobre tela, 120 x 100 cm.
Colección Particular

Durante todo este tiempo de desarrollo profesional, Enrique Canales siguió pintando. Su gran reto era agregar atributos a una tela en blanco. Sus trabajos iban superando los obstáculos de estructura y técnica, pero como él afirma, le salían muy mecánicos. Como buen ingeniero, se adentró

Enrique Canales
Camión regresando del cielo mexicano, 1982
Oleo sobre tela, 180 x 120 cm.
Colección Particular

en el conocimiento de los materiales de la pintura y sus posibilidades de aplicación. El viaje a Brasil marcó un cambio determinante en su modo de ver la pintura: *"Mis dos almas y yo despertamos de un largo sueño mexicano en Brasil. Los viajes a Europa y a los Estados Unidos te hacen más mexicano por lo fuerte del contraste, te obligan a replegarte en ti mismo, pero Brasil te afirma en tus virtudes humanas, y te quita lo dogmático, encerrado y 'matachín' (danzante) que tenemos".* A su regreso de estas tierras cariocas, el tema de la expresión tomó nuevos caminos, planteándole diferentes significados. Se cuestiona si el arte debe buscar únicamente la expresión de la belleza o si también debe involucrar la expresión personal. Dentro de este último concepto, su reflexión incluyó el sentido de la libertad y la autenticidad en la propia expresión, sus posibilidades y

spend the night at the higher elevations; in his words, "like dogs, lying on the ground, without a tent." He liked being near the earth, the grass, trees, rivers and stones: "I always lived next to the ground. Picking pecans in Bustamante; anacuhuitas, in Agualeguas; guayule, on the other side of the Santa Catarina river; little pieces of quartz, in El Obispado. I was always grubby in Santa Julia. I would look for red linnets that had fallen out of the trees at the Las Mitras hill, five-centavo coins on the sidewalks, ladybugs in the geraniums, lizards in La Huasteca and insects in the back yard." And with a lighthearted tone, he affirms: "At that time we lived with many limitations. We had not yet had a governor in the family."

At age thirteen, Enrique took his first drawing lessons. He copied a European illustration of a horse to produce his first drawing—in pencil, very meticulous, like an assigned exercise in an academy. However, in spite of his relatives' compliments of that first project, Enrique was not entirely satisfied; he intuited that something was missing. He knew he had shown talent, but he had added nothing of his own. His drawing had no personal expression—a concept he would come to understand many years later. Nonetheless, his interest and curiosity stimulated him to continue painting and drawing intuitively, and to continue reading books and studying paintings.

Enrique remembers that when he was a boy, his father would arrive home after working or playing dominoes with his friends, and sit in an easy chair to read; he wanted to transmit to his children the value of reading. Enrique learned to appreciate books, and over time, became a collector of literary paragraphs. He would select those he liked, and study their phrasing and vocabulary; this activity stimulated his interest in writing. From 1973 to 1975, Canales was the author of the newspaper column, "Avatares industriales" in El Porvenir of Monterrey, and starting in 1989, he wrote the "Mexicar" and "Administración de tecnología" columns in the El Norte, Mural and Reforma newspapers of Monterrey, Guadalajara and Mexico City, respectively. He is the author of the book, Ritmos de máquinas, Ritmos de Corazón, published in 1973, and El Cultivo de tu Fregonería, Filosofía de Acción, published in 1997. "This book", he states, "really tries to help its readers reach the point of enjoyable work."

Enrique's first professional studies were in Mechanical Engineering at the Instituto Tecnológico de Monterrey. He comments: "Ever since childhood, I had the idea of learning things in order to use them. Learning for learning's sake made no sense. Studying always had to have a pragmatic reason for me. I was interested in improving things in response to a need. Mechanical engineering was enjoyable because it is constructive,

ingenious, exact and useful. True sculptures with inner movement. I liked design; I did not like a machine that worked as much as a machine that could be modified." His words reveal a creative spirit with a true desire to transform matter to the benefit of man. Subsequently, Enrique obtained a Master's and a doctorate degree at the University of Houston, Texas, with a specialization in the Organization of Research Centers and Processes of Technological Innovation. On concluding his studies in 1973, he moved to Brazil to serve as the General Director of Basividrio in Rio de Janeiro. In 1976, he returned to Monterrey as the director of Vitro Tec, the research center of Grupo Vitro. The development of internationally known patents of importance to the field of glass production are due to him and his working team.
Throughout his career, Enrique Canales continued painting. His challenge was to add attributes to a blank canvas. Although his art overcame the obstacles of structure and technique, he affirms that it was very mechanical. Like any good engineer, he studied the materials of painting and the possibilities of their application. His stay in Brazil marked a determining change in his way of looking at painting: "My twin souls and I woke up after a long Mexican dream in Brazil. Trips to Europe and the United States make you more Mexican because of the strength of the contrast; they force you to look inside yourself, but Brazil affirms your human virtues and removes our dogmatic, close-minded and swashbuckling attitudes." On Enrique's return from South America, he found that the topic of expression took new paths and suggested different meanings. He questioned if art should aim only at the expression of beauty, or if it should also involve personal expression—including the feeling of freedom and authenticity in expression, along with its possibilities and limitations. As a result of his analysis, Canales selected his own style to integrate all these elements.
But the great challenge of expression was "what to say". Canales developed his plastic discourse based on certain concepts: happiness, beauty, substance, matter, play, challenge, freedom, adventure, naturalness, simplicity and fregonería (a term from Northern Mexico, deeply rooted in the artist's vocabulary, which refers to excellence). Artistic magic, the wonderful poetry of painting, consists of giving form and an image to ideas and feelings. In this task, Canales has discovered his affinity with the work of other artists, including Pablo Picasso, Chucho Reyes, Marc Chagall, Rufino Tamayo and Francisco Toledo, among others; this affinity is due not only to form and color, but also to the origin of his work—the exercise of authentic creative freedom. As a result, Canales has devoted himself to painting chickens, sheep, cathedrals, birds and self-portraits using impasto; trucks that move at top speed; the Indian girl who carries the rabbit she has just trapped, and friendly angels who laugh, jump and sing.
Canales has taken up painting as a total adventure, and his craft does not follow in the footprints of academia. Canales is a self-taught painter, as well as an inventor with a strong sense of exploration, research, testing and discovering. Following a lengthy process of purifying his painting, he is no longer an apprentice: he has become the

limitaciones. Como resultado de este análisis, Canales concluye con la elección de un estilo propio que integra todos estos elementos.

Pero el gran reto de la expresión era "qué decir". Canales encuentra su discurso plástico basado en ciertos conceptos: la alegría, la belleza, la sustancia, la materia, el juego, el reto, la libertad, la aventura, la naturalidad, la simplicidad y la "fregonería" (palabra norteña –arraigada en el vocabulario del artista– que significa algo de gran valor). La magia artística, la gran poesía de la pintura, consiste en dar forma e imagen a las ideas y a los sentimientos. En esa tarea, Canales ha encontrado afinidad con las obras de otros artistas, como Pablo Picasso, Chucho Reyes, Marc Chagall, Rufino Tamayo y Francisco Toledo, entre otros, y su afinidad con ellos parte no únicamente de la forma y el color, sino en la manera como sus obras han surgido, bajo el ejercicio de una auténtica libertad creadora. De esta manera, Canales se ha dedicado a pintar pollos, borregos, catedrales, pájaros y autorretratos, realizados basándose en empastes; camiones que transitan a toda velocidad; la indita que carga el conejo que acaba de atrapar, y algunos ángeles amigos que ríen, brincan y cantan.

Canales ha tomado la pintura como una aventura total, por lo que en su caso el oficio no sigue las huellas de la academia. Es pintor autodidacta, y además inventor, es decir, con un fuerte sentido de incursionar, investigar, de probar y descubrir. Y así, después de depurar su pintura durante muchos años, ha dejado de ser aprendiz para volverse maestro de su propio estilo. Esta tarea implicó que *"haya asesinado muchos cuadros, con cuchillo en mano"*, como él mismo lo afirma. No comulga con compartir en su obra amarguras ni tragedias, pues para él, éstas van y vienen, pero lo bello de la vida perdura. Y para explicar esto, comenta: *"De la obra azteca yo prefiero un grillo, un chapulín o un caracol, como los que hay en el Templo Mayor, porque es un arte dulce y éste es muy escaso. El otro arte azteca, el que se impone, el de la Coatlicue y todos ésos, es un arte que se hizo para cobrar impuestos y meterle miedo al vecindario, a la misma población; es un arte de dominio, y allí sí estoy en contra. No es un arte como el de los tarascos, que es para gozar".*

En 1980 Canales recibe en su casa a un grupo de amigos, entre ellos a un galerista de Monterrey, quien con ojo de experto pregunta de quién es uno de los cuadros que están colgados. Alicia, su esposa, comenta que es de él, y el galerista, sorprendido, pregunta si hay más cuadros. De pronto la sala se encuentra rodeada por más de quince obras. En ese momento surge la propuesta para llevar a cabo su primera exposición individual, en la Galería Miró de Monterrey. Esa fecha marcó el inicio de su carrera artística; después de ella, surgieron exposiciones individuales y colectivas cada año en museos y galerías, en México y en el extranjero: en la Galería Pluma de Bogotá, Colombia; el Museo Histórico de Medellín, Colombia; el Museo de Arte e Historia de Ciudad Juárez, Chihuahua; la Galería Arte Actual Mexicano, el Centro Cultural Alfa, el Museo Monterrey, el Museo del Vidrio y el Museo de Arte Contemporáneo,

Enrique Canales
Gallo urgido, 1986
Oleo sobre tela, 160 x 140 cm.
Colección Particular

en Monterrey; el Museo Rufino Tamayo, en la ciudad de México; el Museo Amparo, en Puebla; en la Casa de la Cultura y Plaza Atenea, en París, Francia, y en Estados Unidos: en el Centro Cultural Mexicano en San Antonio, Texas, el Satire Municipal Park de Nueva York, el Dennon Museum de Michigan, en El Paso, Chicago, Miami y Dallas. Actualmente sus pinturas forman parte de las siguientes colecciones: Residencia Oficial de Los Pinos, en la ciudad de México, Pinacoteca de Nuevo León, Museo de Arte Contemporáneo de Monterrey, Museo Monterrey, Museo del Vidrio, Museo Amparo y Museo José Luis Cuevas. Dentro de sus obras urbanistas, realizó la escultura monumental *Angeles sedientos,* para el edificio de Seguros Comercial América, y pintó la cúpula mayor del Hotel Quinta Real, ambas en la ciudad de Monterrey.

Enrique Canales comenta que una vez le preguntó a su padre: *"¿Cómo le gustaría morir?"*, y éste le contestó: "Bien usado". Respecto a ello, Canales reflexiona: *"Como en las matemáticas de la vida no existe el tiempo, al estarte usando siempre, morirás bien usado".* Canales es ingeniero, innovador, escritor y artista bien usado, pero sobre todo un hombre bien usado, por su capacidad, su pasión, su entrega y su alegría; por su amor a sí mismo y a los demás, y también su gran amor por la vida.

master of his own style. This process has implied that Canales has, in his own words, "assassinated many paintings, with knife in hand". He does not believe in providing a forum in his work for bitterness and tragedy, which, in his opinion, may come or go, while the beauty of life is everlasting. Canales explains: "Out of the Aztec work, I prefer a cricket, a grasshopper or a snail, like those on the Templo Mayor, because they are sweet art, which is very rare. The other Aztec art, the one that is imposing, of Coatlicue and all of that, is an art that was done to collect taxes and frighten the neighborhood, the population; it is an art of subjugation, and I am against that. It is not art like that of the Tarascans, which is for enjoyment."

In 1980, Canales invited a group of friends to his house, including a gallery owner from Monterrey who, with an expert eye, asked about one of the paintings hanging on the wall. Alicia, Canales' wife, commented that her husband was the painter; the gallery owner, surprised, asked if he had produced other work. Suddenly, the living room was filled with more than fifteen paintings. At that moment, the idea for Canales' first individual exhibition was suggested, for Monterrey's Galería Miró. The date marked the beginning of Canales' career as an artist. From that time on, individual and collective exhibitions were held in museums and galleries in Mexico and abroad: in the Galería Pluma of Bogota, Colombia; the Museo Histórico of Medellín, Colombia; the Museo de Arte e Historia of Ciudad Juárez, Chihuahua; the Galería Arte Actual Mexicano, the Centro Cultural Alfa, the Museo Monterrey, the Museo del Vidrio and the Museo de Arte Contemporáneo, in Monterrey; the Museo Rufino Tamayo, in Mexico City; the Museo Amparo, in Puebla; the Casa de la Cultura and Plaza Atenea, in Paris; and in the United States at the Centro Cultural Mexicano in San Antonio, Texas, New York's Satire Municipal Park, the Dennon Museum of Michigan, as well as in El Paso, Chicago, Miami and Dallas. At present, Canales' paintings form part of the following collections: the Los Pinos presidential residence in Mexico City, Pinacoteca de Nuevo León, Museo de Arte Contemporáneo de Monterrey, Museo Monterrey, Museo del Vidrio, Museo Amparo and Museo José Luis Cuevas. His urban pieces include the monumental sculpture, Angeles sedientos, for the Seguros Comercial América building, and the painting of the primary dome of the Hotel Quinta Real, both in the city of Monterrey.

Enrique Canales comments that he once asked his father: "How would you like to die?" The answer was: "Well used". In this regard, Canales reflects: "Since time does not exist in the mathematics of life, if you are using yourself at all times, you will die well used." Canales is a well-used engineer, innovator, writer and artist, but above all, a well-used man because of his ability, his passion, his commitment and his joy; because of his love for himself and others, as well as his great love for life.

Alberto Castro Leñero
Figura en arco, 1999
Oleo sobre tela, 200 x 100 cm.

Alberto Castro Leñero

1951

Si deseáramos estructurar las etapas evolutivas de la obra de Alberto Castro Leñero, nos encontraríamos ante un lineamiento cíclico, el cual plantea nuevas propuestas que van enriqueciéndose, siempre recurriendo a elementos anteriores; los retoma y los replantea.

Lupina Lara Elizondo

Alberto Castro Leñero nació en la ciudad de México en 1951. Nos platica de su familia: *"Mi familia era muy tradicional... muy conservadora. Mi infancia se desarrolló en un ambiente cerrado. Recuerdo que a mi padre le gustaba la pintura y nos ponía a dibujar; algo había heredado de mi abuela. Ella había estudiado en una de las escuelas de artes y oficios. Ella nos enseñaba los trabajos que había realizado como estudiante y, cuando dibujábamos, nos corregía, pues tenía vocación de maestra. Sé que fue maestra muchos años de su vida. Lo que pasó fue que perdió el oído, y por eso lo dejó. Con ella pinté algunos cuadritos".*

El padre ponía a dibujar a sus hijos sin saber que, de entre ellos, cuatro se convertirían en reconocidos pintores. El caso de esta familia es único. En nuestro país existen familias en las que varios de sus miembros han sido artistas, como es el caso de los Revueltas, en que Fermín fue pintor, Silvestre, músico, y José, escritor; o la familia del pintor Ricardo Martínez, en que su hermano Oliverio era escultor y su hermano Jorge actor, y como éstas existen otras, pero en este caso, cuatro hermanos son pintores. En la familia de Alberto, él es el mayor, y aunque pudiera pensarse que fue él quien inició a los demás hermanos en la pintura, no fue así, pues los cuatro empezaron a pintar al mismo tiempo. Al terminar la preparatoria, Alberto fue el primero en elegir su carrera. En ese momento y debido a la idea inculcada en la familia de contar con un futuro seguro, decide ingresar a la carrera de Comunicación Gráfica, que estudia de 1971 a 1974. Pero al darse cuenta de que lo que quería era pintar, después se transfiere a la carrera de Artes Visuales en la Escuela Nacional de Artes Plásticas de la UNAM, en donde estudió durante el período entre 1974 y 1978. La experiencia que dejó en él esta etapa formativa de la universidad, fue la de visualizar la potencialidad de la pintura. Ello provocó en él un gran estímulo que lo motivó a dirigirse hacia el desarrollo de la expresividad plástica, ya que lo que él estaba haciendo en su taller en ese tiempo no correspondía a lo que estaban enseñando en la escuela: *"Yo estaba enlazando la ilustración y la pintura. Estaba haciendo imágenes que tenían que ver con el cartel. Por ejemplo: hacía una figura y una letra; hice una serie como un alfabeto. Fue un planteamiento que se me ocurrió, y funcionó bien. En la escuela les gustó mucho a los maestros".* Entre los cursos técnicos, por los que más se interesó fueron los de grabado y litografía. El considera que la pintura no se puede enseñar; que uno va descubriendo su propia manera de hacer pintura.

Alberto Castro Leñero was born in Mexico City in 1951. He tells us about his family: "My family was very traditional... very conservative. My childhood transpired in a closed atmosphere. I remember that my father liked painting and that he would have us draw; he had inherited some of that from my grandmother. She had studied at one of the arts and crafts schools. She would show us the projects she had done as a student, and when we would draw, she would correct us, because she had the vocation of a teacher. I know she was a teacher for many years of her life. When she lost her hearing, she left teaching. I did some small paintings with her."
Alberto's father would have his children draw without knowing that four of them would become well-known painters. In this sense, the family is unique. There are families in Mexico that have several artists in the family, such as the Revueltas (Fermín was a painter, Silvestre a musician, and José a writer), or the family of the painter, Ricardo Martínez (one brother, Oliverio, was a sculptor and another, Jorge, an actor), as well as other families with similar situations, but in this case, four brothers are painters. Although Alberto is the oldest, he was not responsible for getting his brothers started in painting: all four started painting at the same time. After finishing preparatory school, Alberto was the first to choose his career. Largely because of the ingrained family idea of ensuring a secure future, he chose Graphic Communication, which he studied from 1971 to 1974. But when he realized that painting was what he truly wanted, Alberto transferred to Visual Arts at the UNAM Escuela Nacional de Artes Plásticas, where he remained from 1974 to 1978. The outcome of his university experience was the ability to visualize the potential of painting—a great stimulus that motivated him to develop plastic expression. The projects he worked on in his workshop often did not correspond to what was being taught at school: "I was linking illustration and painting. I was doing images that had to do with posters. For example, I would do a figure and a letter; I did a series like an alphabet. It was an idea I had, and it worked well. The teachers at school liked it a lot." The technical courses that most interested Alberto were engraving and lithography. He believes that painting cannot be taught, and that the artist discovers his own way of painting.
While Alberto was in his final year at the university, he and his brothers participated in a collective exhibition: Alberto, Francisco, José and Miguel Castro Leñero, in Halls 6 and 7 of the Palacio de Bellas Artes. It was the first time the four had presented their work together and the different proposals were evident: each brother had found his own way. During that time, Alberto participated in a university contest and won the FONAPAS scholarship, which he used to study painting in 1978 and 1979 at the Academia delle Belle Arti in Bologna, Italy. There he presented an exhibition entitled Pittura e Disegni at the Galería Laboratorio Pietralta. Following the exhibition, Alberto traveled to Spain and then to

Cuando cursaba el último año en la universidad, se llevó a cabo una exposición colectiva en la que participaron los cuatro hermanos: Alberto, Francisco, José y Miguel Castro Leñero, en las salas 6 y 7 del Palacio de Bellas Artes. Por primera vez presentaban juntos su obra. En la exposición se advertían diferentes propuestas: cada uno había encontrado su propio camino. En ese tiempo Alberto participa en un concurso en la universidad, y obtiene la beca que otorgaba el FONAPAS, con la que estudió pintura de 1978 a 1979 en la Academia delle Belle Arti, de Bologna, Italia. Allí presentó una exposición titulada *Pittura e Disegni,* en la Galería Laboratorio Pietralta. Después de ello, Alberto viajó a España y posteriormente a Alemania. En la ciudad de Düsseldorf pudo contactar a los alumnos y seguidores del pintor Joseph Beuys, cabeza de la corriente conceptualista.

A su regreso trabajó como ilustrador en diversas revistas y publicaciones culturales. En 1982 presentó varias exposiciones, entre ellas: *Alberto Castro Leñero,* en la Galería Eduardo Haggerman; *Dos crónicas,* en la Galería Los Talleres, y una importante exposición, titulada *Vuelta prohibida,* en el Museo de Arte Moderno de la ciudad de México. Refiriéndose a esta última, Alberto comenta: *"Presenté cerca de treinta cuadros en los que continué trabajando sobre aquel concepto de los carteles con letras y figuras, pero ahora con un sentido urbano más elaborado, con mayor contenido. El evento provocó una crítica muy favorable. Los textos reconocían como algo sobresaliente mi participación en la temática urbana. Pero yo había pintado eso sin considerar tomarlo como el tema básico de mi pintura, por lo que el tema no tuvo continuidad, ya que mis siguientes trabajos se dirigieron hacia otros temas. Posteriormente pinté marinas, trabajadas en un lenguaje contemporáneo, bajo un concepto expresionista, pero también con cierta tendencia abstracta. Mi pintura busca ir describiendo mi visión del mundo; esa es la línea cíclica que la guía".*

También en 1982 se llevó a cabo la presentación de su libro *Crónica de 20 días,* en el local de Fonágora, en la Galería Los Talleres y en el vestíbulo del Palacio de Bellas Artes —en 1984 se presentó en los principales centros culturales y museos de diferentes ciudades de la República, como: Monterrey, Aguascalientes, Torreón, San Luis Potosí, Zacatecas y Celaya—. El año 1983 nuevamente vuelve a ser un año prolífico y de grandes exposiciones, como fueron las de la University of Exeter y la Canning House, en Londres, Inglaterra; la de la Galería Collage, en Monterrey, Nuevo León, y la de la Galería Magrite, en Guadalajara, Jalisco. En 1984 presenta la muestra *El árbol de la vida,* durante el ciclo "El artista ante el público", organizado por el Museo Universitario del Chopo, UNAM. Las marinas fueron exhibidas en 1985, en la Galería de la Academia de San Carlos, UNAM, con un texto en el catálogo de Juan García Ponce.

De 1982 a 1987, fue maestro de experimentación visual en la Escuela Nacional de Artes Plásticas. A fines de 1987 Alberto Castro Leñero presentó

ALBERTO CASTRO LEÑERO
MUJER CON BASTONES, 1989
Oleo sobre tela, 80 x 60 cm.

una importante exposición en las Salas Diego Rivera e Internacional del Palacio de Bellas Artes. En 1990 expuso en la Galería de Arte Contemporáneo de la ciudad de México. En 1992 participó con una exposición individual en el Festival Internacional Cervantino y en el Museo de Bellas Artes de Paraguay. Entre el año 1993 y el año 2000, Alberto fue reconocido en diferentes ocasiones al ser invitado a formar parte del Sistema Nacional de Creadores del Fondo Nacional para la Cultura y las Artes. En 1995 fue seleccionado para participar en el Programa de Intercambio de Residencia entre México, Estados Unidos y Canadá, con un proyecto de residencia en la ciudad de Nueva York. En 1996 presenta la exposición itinerante *Castillo interior,* la cual viajó por varias ciudades de Estados Unidos y Canadá. Ese mismo año presentó una instalación, con pintura y escultura, en el ex-Templo de San Agustín de la ciudad de Zacatecas. En 1997 participó en el XVI Simposium Internacional de Pintura de Baie Saint Paul, en Quebec.

Germany. In the city of Düsseldorf, he was able to contact the students and followers of Joseph Beuys, the painter who headed the conceptualist movement. On his return to Mexico, Alberto worked as an illustrator for various magazines and cultural publications. In 1982, he held several exhibitions, including: Alberto Castro Leñero, at the Galería Eduardo Haggerman; Dos crónicas, at the Galería Los Talleres, and an important exhibition, Vuelta prohibida, in Mexico City's Museo de Arte Moderno. Alberto comments on this showing: "I presented close to thirty paintings of my continued work with the concept of posters with letters and figures, but with a more elaborate urban meaning, with a greater content. The event obtained very favorable reviews. They saw my participation in the urban topic as something outstanding. But I had painted it without considering using it as the basic topic of my painting. So the topic had no continuity—my next work was aimed at other topics. Later I painted marinas in a contemporary idiom, with an expressionist concept, but with a certain abstract tendency. My painting tries to describe my view of the world—that is the cyclical guiding line." Another event in 1982 was Alberto's presentation of his book, Crónica de 20 días, in Fonágora, in the Galería Los Talleres and in the vestibule of the Palacio de Bellas Artes. In 1984, it was presented at the principal cultural centers and museums of various cities in Mexico: Monterrey, Aguascalientes, Torreón, San Luis Potosí, Zacatecas and Celaya. The following year, 1983, was once again prolific with large exhibitions, at the University of Exeter and Canning House, in London; the Galería Collage in Monterrey, Nuevo León; and the Galería Magrite in Guadalajara, Jalisco. In 1984, Alberto presented the exhibition, El árbol de la vida, during the cycle, "El artista ante el público", organized by the UNAM's Museo Universitario del Chopo. The marinas were exhibited in 1985, at the UNAM Galería de la Academia de San Carlos, with a catalogue text by Juan García Ponce. From 1982 to 1987, Alberto Castro Leñero was a teacher of visual experimentation at the Escuela Nacional de Artes Plásticas. In late 1987, he presented an important exhibition in the Sala Diego Rivera and the Sala Internacional of the Palacio de Bellas Artes. In 1990, he exhibited at the Galería de Arte Contemporáneo in Mexico City. In 1992, he participated in an individual exhibition at the Festival Internacional Cervantino and at the Museo de Bellas Artes of Paraguay. Between 1993 and 2000, Alberto was recognized on different occasions as an invited member of the Sistema Nacional de Creadores del Fondo Nacional para la Cultura y las Artes. In 1995, he was selected to participate in the Residence Exchange Program sponsored by Mexico, the United States and Canada, with a residence project in New York City. In 1996, he presented the

Alberto Castro Leñero
Los muertos, 1990
Oleo sobre tela, 80 x 60 cm.
Colección Casa de Bolsa México

traveling exhibition, Castillo Interior, which visited various cities in the United States and Canada. That same year he presented painting and sculpture at the former Templo de San Agustín in the city of Zacatecas. In 1997, he participated in the Sixteenth International Painting Symposium of Baie Saint Paul in Quebec. In 1999, his work was once again shown at the Palacio de Bellas Artes in the Corpus exhibition, dedicated primarily to female nudes. Along with the curator, Santiago Espinoza de los Monteros, Alberto prepared the exhibition, Transformaciones, in 2000, which included twenty-four paintings produced from 1999 to 2000. The pieces visited eight states in Mexico: Veracruz, Yucatán, Chiapas, Puebla, Aguascalientes, Querétaro, Estado de México and Morelos. This year (2002), Alberto is exhibiting his painting and sculpture at the Museo de la Ciudad de México in Forma, a showing of recent work that depicts different proposals of an organic nature.
If we attempt to structure the developmental stages of the work of Alberto Castro Leñero, we find ourselves before a cyclical line: a suggestion of new ideas that are enriched by their return to previous elements. We can appreciate the coming and going of Alberto's topics—nature, form and figure—in other words, the organic, the inorganic and the human figure. Each of these three has a series of variants: the organic may be represented by the ocean, fish, a maguey, a tree or a vine; the inorganic, by geometric figures, frets or symbols; and the human figure generally by female nudes, occasionally only a face, and by men's heads infrequently. In a desire to enrich, the three elements intertwine, interact and then separate in order to reemerge in isolated form with new plastic interpretations. Alberto's pictorial style combines the abstract and the figurative. His paintings reveal their photographic predecessors, given that Alberto uses photographs as a preparatory work, like sketches.
There was a time in the early 1990's that form and figure invited Alberto to take up the third dimension and begin sculpting. He comments: "All of a sudden it interested me for volume, which is illusory in painting, to become an object. The field of sculpture is very different since space is handled from all sides. Understanding sculpture is something that takes time, and I have enjoyed experimenting. Thanks to sculpture I understand form, but I need to become more involved in the essence of sculpture. For example, you must be absolutely knowledgeable about the human body—you are working from all angles and all of them must coincide." Alberto's sculpture has borrowed geometric and organic forms from his painting, and the human figure has been almost ignored except in references. With the freedom of experimentation that characterizes him, Alberto has painted his sculptures with encaustic.

En el año 1999 su obra vuelve a presentarse en el Palacio de Bellas Artes, en la exposición titulada *Corpus,* la cual estaba dedicada principalmente al desnudo femenino. Junto con el curador Santiago Espinoza de los Monteros, en el año 2000 preparó la exposición *Transformaciones,* que reunió veinticuatro obras trabajadas entre 1999 y el año 2000. En esta ocasión la obra viajó por ocho estados de la República: Veracruz, Yucatán, Chiapas, Puebla, Aguascalientes, Querétaro, Estado de México y Morelos. En este año, 2002, exhibe su obra en el Museo de la Ciudad de México, en la muestra de pintura y escultura que lleva el título *Forma,* integrada por obras recientes en las que representa diferentes propuestas de forma orgánica.

Si deseáramos estructurar las etapas evolutivas de la obra de Alberto Castro Leñero, nos encontraríamos ante un lineamiento cíclico, el cual plantea nuevas propuestas que van enriqueciéndose, siempre recurriendo a elementos anteriores; los retoma y los replantea. Así, podemos apreciar un ir y venir entre los siguientes temas: la naturaleza, la forma y la figura, en otras palabras, entre lo orgánico, lo inorgánico y la figura humana. Y cada uno de éstos, con una serie de variantes: lo orgánico puede estar representado por el mar, los peces, un maguey, un árbol o un enramado; lo inorgánico, por figuras geométricas, grecas o símbolos, y la figura humana que por lo general es representada por el desnudo femenino, en ocasiones varía y únicamente representa el rostro, aunque también nos encontramos de forma muy eventual con cabezas de hombre. Y, en ese afán de enriquecerse, los tres elementos se intercalan, conviven entre sí, y luego se separan para resurgir aisladamente bajo nuevas interpretaciones plásticas. Su estilo pictórico combina lo abstracto y lo figurativo. En sus pinturas, la figura llega a revelarnos su antecedente en la fotografía, ya que Alberto toma ésta como un trabajo previo, a manera de apunte o boceto.

For Alberto Castro Leñero: "Painting is a means that allows you to express yourself with the inside and the outside." His work is his way of being present in this world. He takes its forms as a visual reference and uses them as a pretext for producing the painting and sculpture that so highly motivate him and become the vehicle for his emotions, his concerns and his pleasures.

Hubo un tiempo, a principios de los años noventa, en que la forma y la figura lo invitan a tomar el tercer plano y a iniciarse en la escultura, y al respecto, comenta: *"De momento me interesó que el volumen, que es ilusorio en la pintura, se volviera objeto. El campo de la escultura es muy diferente, pues el manejo del espacio es por todos lados. Entender la escultura es algo que lleva tiempo y me ha gustado experimentar. De ella entiendo la forma, pero me falta adentrarme más en la esencia de la escultura. Por ejemplo: sobre el cuerpo humano tienes que tener un conocimiento absoluto, pues estás trabajando por todos los ángulos y todos ellos tienen que coincidir"*. En su caso la escultura ha tomado de su pintura, en primer lugar, la forma geométrica y la forma orgánica, dejando casi a un lado a la figura humana, de la que únicamente ha realizado apuntes y referencias. Con esa libertad de experimentación que lo caracteriza, Alberto ha pintado sus esculturas a la encáustica.

Para Alberto Castro Leñero: *"La pintura es un medio que te permite expresarte con el interior y con el exterior"*. Su trabajo es su manera de estar presente en este mundo, al tomar referencia visual de sus formas y emplearlas como pretexto para hacer pintura y escultura, que tanto le motivan, volviéndose ellas el vehículo de sus emociones, de sus inquietudes y de sus placeres.

Alberto Castro Leñero
Tallo simétrico, 2000
Oleo sobre tela, 200 x 100 cm.

José Castro Leñero
Paisaje fragmentado 1, 1998
Temple y óleo sobre tela, 110 x 165 cm.

José Castro Leñero

1953

"Es imposible mantenerse alejado de estas nuevas posibilidades. Es sumamente atrayente para cualquier creador experimentar con ellas. Sin embargo, cuando se es pintor, simplemente se es pintor, y regresa uno a ese mundo de posibilidades que ofrece este gran género".

Lupina Lara Elizondo

José Castro Leñero nació en la ciudad de México en el año 1953. Su padre había mostrado un gusto natural por la pintura; sin embargo, con el compromiso de mantener a sus seis hijos, se vio obligado a relegar esa actividad y a ejercer su carrera como contador público. José, que es el tercero de los hijos, recuerda que su padre los ponía a dibujar, y ésa era una actividad que disfrutaba enormemente. Lo curioso en esta familia ha sido que el gusto del padre por la pintura, transmitido a través de aquella actividad infantil, haya despertado la vocación artística de cuatro de sus hijos, pues en ellos, con el tiempo, el dibujo dejó de ser un pasatiempo y se volvió una necesidad. Como lo afirma José, esta actividad se convirtió en una forma de estar y de ser, en cada uno de ellos. De esta manera nacieron, con espontaneidad y de manera casi simultánea, los cuatro pintores Castro Leñero: Alberto, José, Francisco y Miguel. Cuando llegó el momento de elegir una carrera, Alberto, el mayor, ingresó a la Escuela de Comunicación Gráfica de la UNAM. Le siguió José, quien también ingresa a la carrera de comunicación gráfica, en 1973. Posteriormente, Francisco se inscribe en La Esmeralda, y por último, Miguel ingresa a San Carlos. Después de permanecer durante un año en los estudios de comunicación gráfica, José desecha la consideración de contar con un título en una carrera que le pudiera ofrecer mayor seguridad económica, y se cambia a la Escuela Nacional de Artes Plásticas, San Carlos, para estudiar la carrera de artes visuales.

Los cuatro hermanos compartían un espacio, pues desde muy jóvenes decidieron rentar una casa para tener un taller en donde pintar. Cada uno realizaba su trabajo de manera independiente, de aquí que los estilos de estos cuatro artistas sean completamente distintos. José acudía a las clases con la curiosidad de encontrar ciertas referencias. Tan sólo deseaba conocer las reglas básicas, a lo que él llama "la química de la pintura". El considera que la pintura no se aprende, se descubre, y que por lo mismo, es algo que no se puede enseñar. Define la pintura como una actividad intimista que exige una disciplina individual. En su caso, se le facilitaba trabajar en su taller, más que hacerlo en la escuela. Su proceso creativo requiere de una gran intimidad, de ese estar consigo mismo para poder inventar y descubrir la pintura. Conforme terminaba sus trabajos, los presentaba a sus maestros para acreditar las materias. Durante su etapa formativa, que se extendió durante seis años, observar pinturas se convirtió en una actividad interesante, ya que en ellas podía apreciar las

JOSÉ CASTRO LEÑERO
REFLEJO, 1994
Oleo sobre madera, 60 x 60 cm.

JOSÉ CASTRO LEÑERO WAS BORN IN MEXICO CITY IN 1953. His father had shown a natural liking for painting, but the responsibility of supporting six children obligated him to put painting aside and work in his profession as a public accountant. José, the third child in the family, remembers that his father would have the children draw, and that he enjoyed the activity enormously. The family is unusual in that the father's interest in painting, transmitted through family drawing activities, produced four artists in the family—for whom drawing became a necessity rather than a pastime. As José affirms, drawing became a form of existence. In a spontaneous and almost simultaneous manner, the four artists in the Castro Leñero chose their profession: Alberto, José, Francisco and Miguel. Alberto, the oldest, enrolled in the Escuela de Comunicación Gráfica of the UNAM, followed by José, who also entered graphic communication in 1973. Francisco attended La Esmeralda, and Miguel went to San Carlos. After one year in graphic communication, José discarded the idea of a degree that might have offered him greater economic security, and transferred to the Escuela Nacional de Artes Plásticas, San Carlos, to study visual arts.
The four brothers shared a working space, since they had decided when very young to rent a house for a workshop. Each brother worked independently, resulting in completely different styles. José attended classes with the idea of finding references and learning only the basic rules, which he called the "chemistry of painting". His opinion is that painting is discovered rather than learned, and therefore cannot be taught; he defines painting as an intimate activity that requires individual discipline. As a student, José found it easier to work in his workshop than at school, due to the fact that his creative process requires the privacy of being alone in order to invent and discover. As he finished his projects, he would present them to his teacher to receive credit for his subjects. During the six years of his schooling, he was intrigued by studying paintings to appreciate the solutions of other artists. He also became interested in the various techniques of graphic reproduction as well as engraving.
While still a student, José participated in 1976 in the XI Concurso Nacional para Estudiantes de Artes Plásticas at the Casa de la Cultura de Aguascalientes, where he won first place in engraving, and in 1984, he obtained the painting prize at the IV Encuentro Nacional de Arte Joven at the Casa de la Cultura de Aguascalientes. These prizes opened forums for his work, and served to introduce his painting in different spheres. During this initial stage, José Castro Leñero followed the path of abstractionism. Afterwards, his brushes made a complete turn towards hyper realism, yet without reaching the movement's visual extremes. He later dedicated his

soluciones que adoptaron los creadores de las mismas. También se interesó por diferentes técnicas de reproducción gráfica, como en el grabado.

Todavía como estudiante, en 1976 participó en el XI Concurso Nacional para Estudiantes de Artes Plásticas, Casa de la Cultura de Aguascalientes, en donde obtuvo el Primer Premio de Grabado, y en 1984 obtiene el Premio de Pintura en el *IV Encuentro Nacional de Arte Joven,* Casa de la Cultura de Aguascalientes. Estos premios abren foro a su obra y a través de ellos su pintura se da a conocer en diferentes ámbitos. En esta etapa inicial, José Castro Leñero había tomado la ruta del abstraccionismo. Al término de este período su pincel da un giro completo, encaminándose hacia el hiperrealismo, sin llegar a los extremos visuales de esta corriente. Posteriormente, el pintor se dedica a desarrollar glosas de cuadros del arte universal, principalmente de obras correspondientes al barroco italiano y al siglo de oro de la pintura española. En ellas, José busca hacer una paráfrasis de las grandes obras, en particular de Velázquez y de Caravaggio, entre otros.

En los años 1992 y 1996, la obra de José Castro Leñero participa en la *VI* y *VIII Bienal de Pintura Rufino Tamayo,* en el Museo de Arte Contemporáneo de Oaxaca y el Museo Rufino Tamayo de la ciudad de México, respectivamente, en donde obtiene el Primer Lugar en la primera y el Premio de Pintura en la segunda.

Después del gran trabajo involucrado en las reinterpretaciones de los grandes temas de la pintura y con la inquietud de pintar su entorno, José se aboca al paisaje urbano, estableciendo un cercano contacto con la ciudad de México. En un principio su acercamiento con la ciudad fue casual, como el de cualquier habitante capitalino que transita por sus calles, mirando los aconteceres, las manifestaciones, la actividad comercial, el desplazamiento de las personas que cruzan a todas horas entre un extremo y otro de la ciudad, y la manera como interactúa y convive esta gran masa poblacional. Más tarde la contacta a través del lente de su cámara fotográfica, y entonces ya la representa en la tela. En estas obras nos encontramos frente un trabajo pictórico que integra un particular efecto óptico, el cual José logra al jugar con la figura, el espacio, la luz y el movimiento. Este tratamiento podría hacernos recordar, de cierta manera, al postimpresionismo, aunque en el caso de Castro Leñero el efecto óptico es consecuencia del manejo pictórico y no de la luz, como es el caso del impresionismo, y crea cierta teatralidad en la obra misma, provocando que el espectador se introduzca y experimente la atmósfera que envuelve a cada escena. Conforme se miran estos cuadros y sin advertirlo, uno va adentrándose en el espacio; una vez allí, el cuadro exige seguir mirando en derredor, guiando nuestra observación hacia todo el espacio, para de pronto tropezarnos con alguna persona o grupo de personas, con los edificios, los camiones y con el asfalto mismo. Así juega esta pintura con nuestro papel de espectadores, que aunque estando fuera del cuadro nos lleva a sentirnos dentro de él, y este hecho se repite una y otra vez. Por eso podemos decir que esta serie de obras rebasa el realismo pictórico, logrando crear un realismo "vivencial".

time to developing variations of master art works, mainly paintings from the Italian baroque and the Spanish Golden Age. In these paintings, he seeks to paraphrase the master works, particularly Velázquez and Caravaggio. In 1992 and 1996, José Castro Leñero's work participated in the VI and VIII Rufino Tamayo Biennial of Painting at the Museo de Arte Contemporáneo de Oaxaca, where it won first place, and at the Museo Rufino Tamayo of Mexico City, where he was awarded the painting prize. Following the major project of reinterpreting well-known topics in painting, José became interested in painting his surroundings. He focused on urban settings and established close contact with Mexico City. At first, his approach to the city was casual, like that of any resident of the capital who moves through its streets, observant of events, demonstrations, commercial activity, the constant movement of individuals crossing from one part of the city to another, and the way the immense population interacts and shares physical space. Later, he contacted the city through his camera lens and then represented it on the canvas. In these pieces, we find ourselves facing a pictorial work that integrates a particular optical effect—which José achieves by playing with figures, space, light and movement. This treatment could remind us of post-Impressionism to a degree, although in the case of Castro Leñero, the optical effect is a consequence of the pictorial handling and not of the light, as in Impressionism; the theatricality created in the paintings causes the viewer to enter and experience the atmosphere that

José Castro Leñero
Sin título, 1995
Políptico de 44 pzas. de 50 x 40 cm.
Oleo sobre tela, 200 x 440 cm.

pervades each scene. On looking at these paintings, we inadvertently become part of them while our vision is guided to study them through and through—until our gaze is suddenly locked on a person or group of persons, buildings, trucks or the asphalt himself. The painting manipulates our role as viewers. Outside of the painting, we are led to feel we are in its interior, once and again. For this reason, we can say that this series of paintings goes beyond pictorial realism and creates an "experiential" realism.
In spite of the dynamic direction of José's compositions, we also notice that they show time as having stopped, as if the film reel had halted during a scene, surprising the characters in different poses. In addition to the tension generated, we discover that some paintings contain spaces where the brush has deliberately been directed to the abstract, while others create an effect of liveliness in the figures and the emphasizing of certain details in the scene. It should be pointed out that although José's topics generally deal with social demonstrations and street marches, he has no intention to make allusions of a political nature, but simply attempts to show the realities of the city. This series of works, entitled "Ciudad en movimiento", was begun 1998 and concluded in 1999, to make way to new ideas.

Aunado a ello y no obstante el sentido dinámico que existe en cada composición, advertimos que el tiempo se ha detenido en ellas, como si el filme se hubiera suspendido en una escena, sorprendiendo a sus personajes en diferentes poses y actitudes. Adicionalmente a esta tensión que se presenta, nos encontramos con que en la pintura existen espacios en donde el pincel deliberadamente se encamina hacia lo abstracto, mientras que en otros se deleita creando un efecto de reavivamiento en las figuras, buscando enfatizar ciertos detalles de la escena. Cabe aquí aclarar que, aunque la temática trata generalmente de manifestaciones sociales y marchas callejeras, no existe en el artista la intención de hacer alusiones de índole político, simplemente muestra una de las realidades que acontecen en esta gran ciudad. Esta serie de obras, que fue titulada "Ciudad en movimiento", dio inicio en 1998 y concluyó en 1999, para dar paso a nuevas creaciones.

Al preguntarle a José acerca del proceso que se involucra en la concepción de un cuadro o de una serie, comenta: *"Una idea te nace en cualquier situación. Lo que me sucede a mí es que tengo en la mente una idea, o un apunte de la idea, y en ocasiones ésta permanece latente durante cierto tiempo, a veces varios años. Entonces, de repente, llega el momento en el que por alguna razón decido recurrir a ella. He llegado a pensar que si la idea logró mantenerse durante todo este tiempo debe ser por cierto motivo, y en ocasiones eso ha significado que hay algo importante en ella. Al desenterrar una idea para traerla a la realidad de la pintura, puede suceder que la encuentre con claridad; pero en ocasiones empieza uno a forcejear con ella, hasta que poco a poco te vas acercando y logras definirla y tener un concepto más claro, con el cual ya es posible trabajar. A partir de ese momento, la misma idea se va ramificando, generando una gran cantidad de creaciones".*

JOSÉ CASTRO LEÑERO
PAISAJE POBLADO, 1998
Oleo sobre tela, 120 x 160 cm.

De entre las exposiciones individuales de su obra, sobresalen: la exposición *Trayectoria, gráfica, dibujo y pintura*, realizada en el Museo de Arte Carrillo Gil, INBA, en 1982; *La imagen encontrada*, en el Museo de Arte Moderno,

José Castro Leñero
La espera, 1999
Encausto y óleo sobre tela, 120 x 160 cm.

INBA, en 1992; las que se llevaron a cabo en el ex-Convento del Carmen, en Guadalajara, Jalisco, y en el Museo Regional de Historia de Colima, en Colima, e *Imágenes de tránsito, Gráfica digital,* que tuvo lugar en el año 2001 en la Galería del Centro Nacional de las Artes, en la ciudad de México. En su más reciente exposición individual, en 2002, *Multiestables,* realizada en la Galería Oscar Román, Castro Leñero presentó obra en la que nuevamente recurre a la paráfrasis de elementos clásicos, en este caso de rostros que dejó en las obras de *El Greco, Emaús, El rostro de la Verónica.*

Acerca de las herramientas que ofrecen las nuevas tecnologías como medio de expresión artística, José Castro Leñero comenta: *"Es imposible mantenerse alejado de estas nuevas posibilidades. Es sumamente atrayente para cualquier creador experimentar con ellas. Sin embargo, cuando se es pintor, simplemente se es pintor, y regresa uno a ese mundo de posibilidades que ofrece este gran género".*

Nos encontramos ante uno de los grandes creadores de nuestro tiempo, un artista para quien la búsqueda va en dirección de enriquecer las propuestas actuales, un artista que no pretende sorprender a su público con la notoriedad del escándalo temático, sino con la notoriedad que da un sólido oficio que día a día se enriquece y que no cede a demeritarse en aras de la modernidad. En estos tiempos de tantos cambios e innovaciones, en los que proponer se ha vuelto casi una obligación para los creadores, se requiere, como es el caso de José Castro Leñero, de una gran madurez, de un espíritu emprendedor, de temple, seguridad, y del respaldo de un gran oficio para no perder el rumbo ni el compromiso.

When José is asked about the process involved in conceiving a painting in a series, he comments: "An idea occurs to you in any situation. What happens to me is that I have an idea in mind, or an outline of an idea, and occasionally it remains latent for a certain time, sometimes several years. Then, all of a sudden, the time comes when for some reason, I decide to turn to the idea. I have come to think that if the idea is able to survive all that time, it must be for a reason, and that has occasionally meant that the idea contains something important. On unearthing an idea to bring it to the reality of the painting, I may find it with clarity; but occasionally you begin to struggle with it, until you gradually approach it and are able to define it and have a clearer concept, with which it is possible to work. Starting at that moment, the idea itself begins to branch out, generating a large number of creations."

José's individual exhibitions include Trayectoria, gráfica, dibujo y pintura, held in the Museo de Arte Carrillo Gil, INBA, in 1982; La imagen encontrada, in the Museo de Arte Moderno, INBA, in 1992; the exhibitions at the ex-Convento del Carmen, in Guadalajara, Jalisco, and at the Museo Regional de Historia of Colima, in Colima, and Imágenes de tránsito, Gráfica digital, in 2001 in the Galería del Centro Nacional de las Artes in Mexico City. In his most recent individual exhibition, Multiestables, held in 2002 in the Galería Oscar Román, Castro Leñero showed work that once again turned to the paraphrasing of classical elements; in this case, the faces represented in the works of El Greco, Emaús, El rostro de la Verónica.

José Castro Leñero speaks about the tools for artistic expression that are offered by new technology: "It is impossible to remain distanced from these new possibilities. It is extremely attractive for any artist to experiment with them. However, when you are a painter, you are simply a painter, and you return to the world of possibilities offered by this great genre."

We find ourselves before one of the great creators of our time, an artist who attempts to enrich current proposals, an artist who does not try to surprise his public with the notoriety of a scandalous topic, but with the notoriety provided by a solid craft that grows day by day, without ceding to devaluation in the name of modernity. In these times of change and innovation, making proposals has become almost an obligation for artists; as in the case of José Castro Leñero, developing new ideas requires maturity, an enterprising spirit, valor, self-confidence, and the support of a solid craft, in order for the artist not to lose his way or his commitment.

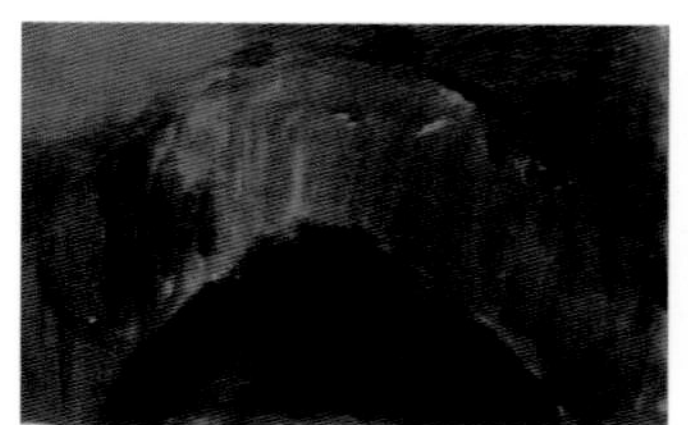

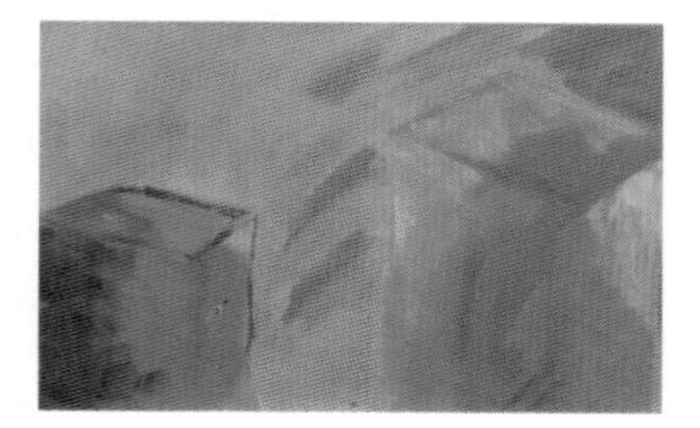

Teresa Cito
Las torres, 2000
Oleo sobre tela, 100 x 120 cm.
más 4 en la predela de 18 x 28 cm. c/u

Teresa Cito

1939

Su pintura se va desarrollando por series,
las cuales son motivadas por reflexiones temáticas y expresiones emotivas.
Cito nunca pinta por compromiso, pinta por necesidad, por pasión.

Lupina Lara Elizondo

Teresa Cito nació en Bengasi, Libia, en el año 1939. Sus padres eran de origen italiano, y su padre que en esa época formaba parte del ejército, estaba asignado en una misión militar en ese país. Italia combatía en el norte de Africa, junto con el ejército alemán de Rommel, contra las tropas británicas y sus aliados. En 1943, al perderse el territorio, la familia iba a ser repatriada a bordo de un barco que debía cruzar el Mediterráneo. Allí su padre fue capturado por los ingleses como prisionero de guerra y llevado a la India, de donde lograría salir siete años después. La madre continuó el trayecto con Teresa y su hermano mayor. Debido a que tenían que evadir a las fuerzas enemigas, en lugar de un día, demoraron siete días en llegar a Siracusa, en Sicilia. De allí emprendieron una larga caminata, que duró tres meses, hasta llegar a Florencia. Algunos días lograban avanzar con más agilidad, ya que en el camino se encontraban con soldados que sentían compasión por ellos y los acercaban en sus vehículos al siguiente poblado. En otras ocasiones, los soldados iban a pie y cargaban a Teresa en hombros para hacerle más ligero el camino. Teresa recuerda esos días: *"Viví la guerra como una aventura, pues por mi edad no estaba consciente de las consecuencias de lo que estaba sucediendo. Ir montada en hombros de un soldado era muy agradable, pues podía ver todo a mi alrededor. Un día en que sonó la alarma y nos teníamos que meter en el refugio, yo estaba jugando y llegué cuando se había cerrado la puerta. Me quedé afuera. Cuando vi que estaba sola me dio miedo, pero yo siempre cargaba una sillita de madera que me había regalado un vecino y era mi único juguete. Como venía el bombardeo, pensé que si me sentaba y subía los pies a los barrotes, al no tocar la tierra estaría a salvo. Así lo hice, y mi gran sorpresa fue que no me pasó nada. Mi idea había funcionado..."*

Finalmente llegaron a Florencia, donde la vida perdió el espíritu de aventura. Allí se crearon momentos en que los recuerdos trajeron la plena conciencia de los sucesos, como la captura de su padre y la muerte de su hermano, y fue entonces cuando en ella se rompió esa coraza y afloró una gran tristeza. Al finalizar la guerra, Teresa entró a la escuela; esto le significó un cambio de vida, pues con ella surgieron los amigos y los juguetes. Teresa vivía rodeada de artistas, tíos y primos, entre ellos el paisajista italiano Gino Paolo Gori, con quien salía a tomar apuntes y a pintar en los alrededores de la ciudad. Ella le ayudaba limpiando los pinceles, pero llegó un momento en que de manera natural empezó a hacer sus propios cuadros. Teresa terminó sus estudios, y aunque el camino

Teresa Cito was born in Bengasi, Lybia, in 1939. Her parents were of Italian origin, and her father, then in the military, was on assignment in Lybia. Italy was fighting in northern Africa, along with Rommel's German army, against the British troops and their allies. In 1943, when the territory was lost, the family was to be repatriated by ship across the Mediterranean. On board, Teresa's father was captured by the English as a prisoner of war and taken to India, where he lived in confinement for seven years. Teresa's mother continued the crossing with Teresa and her older brother, but due to the forced evasion of enemy forces, the normal one-day sail to Siracusa, Sicily, extended to seven. Once there, the family began the long, three-month journey on foot to Florence. Some days they were able to advance more easily, when friendly soldiers on the road would take them in military vehicles to the next town. On other occasions, soldiers on foot would carry Teresa on their shoulders to help her along. Teresa remembers those days: "I experienced the war as an adventure. Because of my age I was not aware of the consequences of what was happening. Riding on a soldier's shoulders was very nice because I could see everything around me. One day, the alarm sounded and we had to go into the shelter. I had been playing, and when I arrived at the shelter, the door was shut. I stayed outside. When I saw I was alone, I was afraid. I always carried a wooden chair that a neighbor had given me, and it was my only toy. Since the bombs were on the way, I thought that if I sat down and put my feet on the chair rungs, I would be safe by not touching the ground. That is what I did, and to my great surprise, nothing happened to me. My idea had worked..."
The family finally reached Florence, where life lost its spirit of adventure. There were moments when events became perfectly clear—events like the capture of Teresa's father and the death of her brother. At those times, Teresa's hard outer shell would crack and great sadness would rise to the surface. At the end of the war, Teresa entered school and experienced it as a change of life with its accompanying friends and toys. Teresa was surrounded by artists in the family—aunts, uncles and cousins—including the Italian landscape painter, Gino Paolo Gori, with whom she would sketch and paint on the city's outskirts. She would help him by cleaning the brushes, but the time came when she naturally began to make her own paintings. Teresa finished her studies, and although the most logical path to follow would have been art, she selected mathematics. "After three months, I left the school horrified, but luckily, my mother had enrolled me in art school. So I did not lose a year, and entered immediately." Teresa studied at the Instituto Statale d'Arte in Florence from 1951 to 1956, under strict academic guidelines. "After finishing my studies, I faced a big choice: working in my profession or starting my family. At that time, women did not do both." Destiny led her to take the second option and her new life in Mexico began when she accepted the marriage proposal of a young Mexican law student in Rome: Salvador Rocha Díaz, currently an attorney and well-known politician in our country.

más lógico a seguir hubiera sido el de las artes, ella eligió las matemáticas. *"A los tres meses salí despavorida de esa escuela, y por suerte mi mamá me había inscrito en la escuela de arte, así que no perdí el año y entré de inmediato".* Teresa estudió en el Instituto Statale d'Arte de Florencia de 1951 a 1956, bajo un lineamiento estrictamente académico. *"Al terminar mis estudios, me enfrenté a una gran elección: ejercer mi profesión o formar mi familia. En aquella época las mujeres no hacían las dos cosas".* El destino la llevó a tomar la segunda opción y con ella a empezar una nueva vida en México, al aceptar la propuesta de matrimonio de un joven mexicano que estudiaba Derecho en Roma: Salvador Rocha Díaz, quien actualmente ejerce la abogacía y es un destacado político en nuestro país.

"Llegar a México fue impactante: su historia, su tradición, las costumbres, el modo de vida, sus paisajes y su luz". Mientras estuvo casada, Teresa no volvió a tomar un pincel, no obstante el apoyo e insistencia de su marido. Se dedicó a formar una familia, que se fue integrando con sus cinco hijos. Ella bloqueó toda esa pasión que había despertado la pintura en su etapa de estudiante, y dejó fluir otra pasión: el amor a sus hijos. Pero después de once años, la pintura reclamó su lugar y lo hizo con fuerza. Algo empezó a provocarle momentos de amnesia, y la mejor terapia resultó rescatar aquello que traía dentro. Así fue como ingresó al taller libre con Tomás Parra, en La Esmeralda. *"Con él estuve un año, hasta que el mismo Tomás me corrió... Me dijo: —Tú ya sabes pintar. Deja el lugar a otros que no sepan.— Entonces me fui a San Carlos, al taller de Gilberto Aceves Navarro. El me quitó toda la rigidez académica que había adquirido en Florencia. Estuve allí dos años en los que todo se desbordó. El arte se volvió como un amante en mi vida y no pude conciliar el matrimonio con la pintura. Apenas logré conciliar mi trabajo con mis hijos. Inevitablemente, mi vida cambió; el mundo que me rodeaba cambió; los amigos cambiaron. Al quedarme sola, busqué la manera de sobrevivir. Entonces empecé a dar clases, y tuve muchos alumnos. Después de las clases, me ponía a pintar en mi estudio. Pinté mucho, pero tenía mucha resistencia a exponer. En esa época guardaba todo lo que hacía".*

Desde 1974, Teresa Cito se dedica profesionalmente a la pintura. En 1975 fue invitada a exponer de manera individual en la Galería del Colegio de Arquitectos. El año siguiente, Hugo Gutiérrez Vega, quien entonces era el director de la Galería de la Casa del Lago, de la UNAM, conoce la obra de Cito y la invita a presentar su obra. Esta fue una exposición muy importante en su carrera, ya que La Casa del Lago era un foro que daba a conocer a los valores profesionales del arte joven. La presentación estuvo a cargo de Armando Pérez Muchúa. A partir de este evento, las exposiciones individuales continuaron en diferentes galerías: la Arvil, en 1977; la Estela Shapiro, en 1978; la Galería Metropolitana de la

TERESA CITO
SIN TÍTULO, 1996
Acrílico sobre papel, 50 x 70 cm.

UAM, en 1981; la Kin, en 1983; el Palazzo Pretorio de Anghiari (Arezzo), y el Circolo Filologico Milanese de Milán, en Italia, en 1985; en la Rafael Matos, en 1987; en la HB, en 1989; en La Soffitta de Florencia, Italia, en el Centro Cultural de México en París, Francia, y la HB, en 1991; en el Centro Cultural de Atenas, Grecia, en 1993; en el Espaco Oikos de Lisboa, Portugal, en 1994; en Coimbra, en Loulé sur de Portugal, en 1995, y en Oporto, Portugal, en 1996; en el Circolo Culturale Bertolt Brecht de Milán, Italia, en 1997; en la Biblioteca Central Magna, la Galería México, el Conjunto Cultural Durango y la Sala Fermín Revueltas, en Durango; en la Sala Márquez, en la Casa de la Cultura del Estado de Puebla y en la Galería Oscar Román, en 1999. En el año 2000 presentó la exposición itinerante *El vuelo del color,* que inició en San Antonio, Texas, y posteriormente viajó al Instituto Italiano de Cultura en Toronto y a la Casa de la Cultura de Notre Dame de Grâce de Montreal, en Canadá; de allí viajó al Hudson Museum del Maine Center for the Arts de la Universidad de Maine, en los Estados Unidos, para presentarse por último en la Galería Lourdes Sosa de la ciudad de México. Aunado a ello, su obra ha participado en más de sesenta exposiciones colectivas en México y en el extranjero. Dentro de los críticos que han comentado acerca de su obra, se encuentran: Toby Joysmith, Alaide Foppa, Antonio Rodríguez, Luis Carlos Emerich y Carlos Payán, entre otros.

Su obra ha participado en las siguientes publicaciones: en 1991, en la portada de la revista *Nexos;* en 1992 realizó diversas ilustraciones para el Boletín 41 del Colegio de México, *La Gaceta,* la Comisión Nacional de Derechos Humanos, la portada del libro *Infinita,* de Ethel Krauze, y la portada del libro *Por amor y coraje,* de Alejandra Massolo; en 1995 realizó

"Arriving in Mexico was impressive: its history, its tradition, the customs, the lifestyle, its landscapes and its light. "While she was married, Teresa did not paint, in spite of her husband's support and insistence. She devoted herself to forming a family of five children. She blocked out all the passion painting had awakened during her student years, and allowed another passion to flow: love for her children. But after eleven years, painting reclaimed its place, and with vigor. Something began to provoke moments of amnesia, and therapy was able to rescue Teresa's inner feelings. As a result, she entered Tomás Parra's open workshop at La Esmeralda. "I was there one year, until Tomás himself dismissed me ... He told me, 'You already know how to paint. Leave your place for others who do not know how.' So I went to San Carlos, to Gilberto Aceves Navarro's workshop. He took away all the academic rigidity I had acquired in Florence. I was there two years, while everything overflowed. Art became like a lover in my life and I could not conciliate marriage with painting. I was barely able to conciliate my work with my children. Inevitably, my life changed; the world around me changed; my friends changed. When I saw I was alone, I looked for a way to survive. Then I began to give classes, and I had many students. After class, I would paint in my studio. I painted a lot, but I was very reluctant to exhibit. I kept everything I did during that time."

Since 1974, Teresa Cito has been professionally dedicated to painting. In 1975, she was invited to exhibit individually at the gallery of the Colegio de Arquitectos. The following year, Hugo Gutiérrez Vega, then the director of the UNAM's Galería de la Casa del Lago, saw Cito's work and invited her to show it. This exhibition was very important in her career, since La Casa del Lago was a forum for presenting the professional values of young art. The person in charge of the presentation was Armando Pérez Muchúa. After this event, Cito's individual exhibitions continued at various galleries: at the Arvil, in 1977; at Estela Shapiro's gallery, in 1978; the UAM's Galería Metropolitana in 1981; the Kin, in 1983; the Palazzo Pretorio de Anghiari (Arezzo), and the Circolo Filologico Milanese of Milan, Italy, in 1985; at the Rafael Matos, in 1987; the HB, in 1989; La Soffitta of Florence, Italy, the Centro Cultural de México in Paris, France, and the HB, in 1991; the Cultural Center of Athens, Greece, in 1993; the Espaco Oikos of Lisboa, Portugal, in 1994; at Coimbra, Loulé Sur, Portugal, in 1995, and in Oporto, Portugal, in 1996; at the Circolo Culturale Bertolt Brecht of Milan, Italy, in 1997; at the Biblioteca Central Magna, the Galería México, the Conjunto Cultural Durango and the Sala Fermín Revueltas, in Durango; and at the Sala Márquez, the Casa de la

Cultura del Estado de Puebla and the Galería Oscar Román, in 1999. In 2000, Cito presented the traveling exhibition, El vuelo del color, that began in San Antonio, Texas, and moved on to the Italian Institute of Culture in Toronto and the Notre Dame de Grâce cultural center in Montreal, Canada; from there, it traveled to the Hudson Museum of the Maine Center for the Arts at the University of Maine, in the United States, and closed at the Galería Lourdes Sosa in Mexico City. In addition to these individual exhibitions, Cito's work has participated in over sixty collective exhibitions in Mexico and abroad. The critics who have reviewed her work include Toby Joysmith, Alaide Foppa, Antonio Rodríguez, Luis Carlos Emerich and Carlos Payán. Teresa Cito's work has participated in the following publications: in 1991, on the cover of the magazine, Nexos; in 1992, various illustrations for Boletín 41 of the Colegio de México, La Gaceta, the Comisión Nacional de Derechos Humanos, the cover for the book, Infinita, by Ethel Krauze, and the cover of Por amor y coraje, by Alejandra Massolo. In 1995, Cito produced the illustrations for De lo cotidiano a lo académico, by Bernard Lacombe, UAM, and the cover of Las mujeres en México, by Ana M. Fernández Poncela, edited by Colegio de México; in 1999, she did the illustrations for Boletín 64 of the Colegio de México, and an illustration for the magazine, Casa del tiempo, número 9, edited by the UAM.
"I began with abstract painting. It was an overwhelming change from what I had studied in Florence. Fortunately, I had a very firm foundation, and was therefore able to take advantage of Aceves Navarro's classes and find my own expression. If you do not have a foundation, you cannot do it. In abstract art, you have to have firm notions about the construction of a painting. If not, it falls apart, it is not sustained, because there are no values, there is no chiaroscuro, there is no weight anywhere. In my work, there are figurative references, because I do not pretend to pertain to a specific movement. I like abstraction because of the emptiness. The empty spaces possibly remind me of the desert, but they are interior spaces, intimate spaces. I am a landscape painter. I have never liked to paint closed spaces, I like open spaces. Abstract painting demands a lot of closeness and a constant dialogue. You paint, you observe and you listen, and then you paint again. An emotional and poetic dialogue is established. It is transforming feelings into color. There is no specific idea, the dialogue itself constructs the piece, since there are no concrete elements to use as leverage." Like few, Teresa Cito is able to take control of this space that has no references, and allows herself to be guided by her own poetry. Cito's painting is developed in series, which are motivated by thematic reflections and emotional expressions.

las ilustraciones para *De lo cotidiano a lo académico*, de Bernard Lacombe, UAM, y la portada de *Las mujeres en México*, de Ana M. Fernández Poncela, editado por el Colegio de México; en 1999 realizó las ilustraciones del Boletín 64 del Colegio de México, y la ilustración de la revista *Casa del tiempo*, número 9, editado por la UAM.

"Yo empecé con la pintura abstracta. Fue un cambio contundente de lo que había estudiado en Florencia. Afortunadamente traía una base muy firme, y por eso pude sacar provecho de las clases de Aceves Navarro y así encontrar mi propia expresión. Si no tienes bases, no la haces. En el arte abstracto tienes que tener nociones firmes de lo que es la construcción de un cuadro, si no se te cae al instante; no se sostiene, porque no hay valores, no hay claroscuros, no hay pesos en ningún lado. En mi obra hay referencias figurativas, porque no pretendo pertenecer a una corriente en específico. La abstracción a mí me gusta por el vacío. Son espacios vacíos que posiblemente me recuerdan el desierto, pero más bien son espacios interiores, espacios íntimos. Soy paisajista. No me ha gustado pintar espacios cerrados, me gustan los espacios abiertos. Esta pintura abstracta exige mucha cercanía, demanda un diálogo constante. Pintas, observas y escuchas, y después vuelves a pintar. Se establece un diálogo emotivo y poético. Es transformar los sentimientos en color. No existe una idea específica, el mismo diálogo va construyendo la obra, pues no existen elementos concretos para apalancarte". Como pocos, Teresa Cito logra apoderarse de este espacio que no tiene referencias, y se deja llevar guiada por su propia poesía.

Teresa Cito
Cuando vuelan las cigüeñas, 1997
Oleo sobre tela, 130 x 180 cm.

TERESA CITO
HIJA DE PRISCILA, 1990
Oleo sobre tela, 95 x 100 cm.

Su pintura se va desarrollando por series, las cuales son motivadas por reflexiones temáticas y expresiones emotivas. Cito nunca pinta por compromiso, pinta por necesidad, por pasión. Esa pasión va descargándose en su pintura, hasta agotarse quedando vertida en la tela, a través de formas y colores. En ocasiones son recuerdos de la infancia, espacios sugerentes, paisajes urbanos, aviones que tiran bombas, edificios, palmera y barcos. La figura humana también hace su aparición en estos espacios; su presencia es etérea, como la de los personajes que participan en nuestros sueños. Es evidente que su pintura está llena de sugerencias, por un lado las que ella misma propone y, por otro, las que ella nos invita a descubrir. La obra de Teresa Cito se mantiene viva porque su autora constantemente balancea conocimiento y búsqueda, seguridad e innovación.

She never paints out of commitment, but out of need and passion. That passion is released through her painting and exhausted on the canvas in forms and colors: occasionally childhood memories, suggestive spaces, urban landscapes, bombing airplanes, buildings, palms and ships. The human figure also appears in these spaces, but its presence is ethereal, like the people in our dreams. It is evident that Cito's painting is full of suggestions, on one hand those that she herself proposes, and on the other, those that she invites us to discover. The work of Teresa Cito stays alive because the creator constantly balances knowledge and research, security and innovation.

Alejandro Colunga
San Hilario hilando, 1999
Oleo sobre lino, 165 x 125 cm.
Colección Particular

Alejandro Colunga

1948

La obra de Alejandro Colunga recoge las vivencias de su infancia, de ese mundo que transita entre las iglesias, los juegos de niño, las visitas al museo y los cuentos de su nana, y de ese don de inagotable imaginación que le es innato.

Lupina Lara Elizondo

Alejandro Colunga nació en el barrio de San Juan de Dios, en la ciudad de Guadalajara, Jalisco, en 1948. En aquellos años la ciudad aún conservaba sus tradiciones populares familiares, cívicas y religiosas. Su padre había sido presidente municipal de la ciudad en los años treinta, y en aquel entonces participó en la fundación del sindicato ferrocarrilero. Fue un padre que educó a sus hijos dentro de un rigor religioso exacerbado, lo cual dejó severos miedos y temores en casi todos ellos. La familia vivía en una hermosa casona del siglo XVIII, de aquellas antiguas, y tenía tres patios y dieciocho habitaciones. Alejandro fue el menor de los ocho hermanos. Recuerda haber sido criado por su nana Luisita, quien lo llevaba con asiduidad a la iglesia y lo obligaba a rezar el rosario, mientras él, a sus escasos cuatro o cinco años, recorría con la mirada el cuerpo del agonizante Cristo ensangrentado en el interior de un ataúd de cristal; también miraba las pinturas de las ánimas sufrientes que se purificaban con las llamas del purgatorio. Las figuras de vírgenes y santos estofados le llamaban la atención. Los imaginaba conversando y cantando desde sus nichos, haciendo piruetas desde las alturas, como si estuvieran en un gran circo. Antes de ir a dormir, su nana le contaba cuentos de aparecidos, en los que el diablo y la llorona siempre figuraban, y que en lugar de provocarle tranquilos sueños, lo dejaban temblando. Todos estos eventos dejaron recuerdos que más tarde aparecerían en sus pinturas.

El padre muere cuando Alejandro tenía cuatro años, y su madre se queda con la responsabilidad de sacar a sus hijos adelante. Ella era una mujer sensible, con más apertura en sus ideas, de carácter bondadoso y condescendiente, que al contrastar con la férrea disciplina del padre provocó que los hijos crecieran desordenadamente. En esos días su hermano Miguel se inclinó por la pintura, y Bernardo, otro hermano, por la música de *rock* que empezaba a ponerse de moda en los años cincuenta. La madre permitió que los hijos instalaran sus estudios de música y pintura en la casa. Su hermano Miguel intuyó el interés de Alejandro por la pintura y lo guió, montándole un pequeño caballete en una de las habitaciones de la casa. Al cabo de un tiempo, Miguel dejó la pintura para dedicarse a la filosofía y al estudio del alma, pero siguió apoyándolo; le compraba lápices, óleos y libros de arte. El lo introdujo a la pintura de los grandes maestros.

En su adolescencia, Alejandro se relacionó con un grupo de jóvenes que lo introducen en el camino de las drogas, del cual le fue sumamente difícil salir. En todo momento luchaba por mantenerse

Alejandro Colunga was born in the San Juan de Dios sector of the city of Guadalajara, Jalisco, in 1948. In those years, the city still conserved widespread family, civic and religious traditions. Colunga's father had been the mayor of the city in the 1930's, when he had participated in founding the railway workers' union. He raised his children with an exacerbated religious fervor that left almost all of them with deep-seated fears and foreboding. The family lived in a beautiful 18th-century home, with three patios and eighteen rooms. Alejandro was the youngest of eight. He remembers having been cared for by his nanny, Luisita, who would take him assiduously to church and obligate him to recite the rosary, while he, barely four or five years old, would stare at the bleeding body of the agonizing Christ in a glass coffin; he would also look at the paintings of the souls in purgatory, purified by the flames. The figures of the gilded saints and virgins attracted his attention. He would imagine them conversing and singing in their niches, doing pirouettes high above, as if in a great circus tent. Before going to sleep at night, his nanny would tell him stories about phantoms, always including the devil and the figure of death—stories that far from inducing sleep, would leave Alejandro shaking. The memories of all of these childhood experiences were to appear later in his painting.

Alejandro's father died when he was four years old, and his mother had to carry the full load of raising the children. She was a sensitive, open-minded woman with a kind and indulgent character; in the absence of the father's contrasting iron discipline, her laxity caused the children to grow up haphazardly. Alejandro's brother, Miguel, became interested in painting, and Bernardo, another brother, in the rock music that was starting to become popular in the 1950's. Their mother allowed them to install painting and music studios at home. Miguel perceived Alejandro's interest in painting and served as his guide, providing him with a small easel in one of the house's rooms. After a time, Miguel abandoned painting to devote himself to philosophy and the study of the human soul, but continued to support Alejandro by buying him pencils, oils and art books. He introduced him to the work of the great masters.

In his adolescence, Alejandro became involved with a group of friends who introduced him to the world of drugs, from which he found it extremely difficult to escape. He struggled to keep his distance and continue studying: between periods of abstinence and relapses that overcame his willpower, Alejandro was able to finish secondary and preparatory school and enter the university school of architecture. At that time, he was a member of a successful rock band. In 1967, after one year of architecture, Alejandro decided to leave

alejado de ellas y por continuar sus estudios, y así, entre períodos de abstinencia y de caídas que rebasaban su voluntad, logró concluir la secundaria y la preparatoria e ingresar a la carrera de arquitectura. En aquel tiempo formó parte de un exitoso grupo de *rock*. En el año 1967, al terminar el primer año de carrera, Alejandro toma la decisión de dedicarse a la pintura y abandona la universidad. Monta un pequeño taller fuera de su casa y se va a vivir allí. Esa decisión es la que de alguna manera le permite cierto alejamiento del vicio, pues el interés por la pintura tuvo el poder de establecer en él un compromiso. Los períodos de abstinencia se empiezan a hacer más amplios y la pintura empezó a avanzar. En este tiempo le sobrevinieron momentos de grandes reflexiones, en los que cae en cuenta de que él no es ni el cuerpo ni la mente, que él es algo más que de momento no puede definir, pero que es lo que lo hace estar vivo. Y así, empieza su acercamiento a los libros y frecuenta a su hermano Miguel, quien como él lo define, es un científico del alma. Todo ello: la pintura, el estímulo espiritual y su amor a la vida y a los demás, rescataron su vida.

Colunga inició su carrera de manera autodidacta. En esa primera etapa era inminente buscar la manera de sobrevivir, por lo que empezó haciendo paisajes y bodegones que llevaba a las mueblerías para su venta. Con ello podía pagar la renta y comprar comida y materiales. En ese tiempo se acercó a él la galerista norteamericana Marilyn Hosh, quien en ese tiempo dio un gran apoyo a los jóvenes valores, y le propuso realizar su primera exposición individual: *"Me dio un poco más de un mes de plazo para reunir las obras. La presión del compromiso para realizar cerca de treinta y dos óleos y dibujos me obligó a descubrir lo que es la responsabilidad y la disciplina, pues los amigos me iban a ver para ir a fiestas y a reuniones y tuve que aprender a decir que no, para sacar el trabajo adelante"*. La exposición tuvo gran éxito y se vendió casi toda la obra; así dio inicio su carrera artística. Con ese evento el compromiso de pintar

Alejandro Colunga
Las lunas marcianas y luna colada, 1999
Oleo sobre lino, 170 x 270 cm.
Colección Particular

ALEJANDRO COLUNGA
HADA PROTECTORA, 1999
Oleo sobre lino, 100 x 80 cm.

se afirmó, por lo que siguió un amplio período de experimentación, de búsqueda y de visitas a museos, en donde estudió las obras de los grandes maestros. Poco a poco su obra fue adquiriendo forma y consistencia, y así siguieron nuevas exposiciones en la ciudad de Guadalajara: en la Senior International, en la Casa de la Cultura, en el ex–Convento del Carmen, en la Galería Doce y en la Galería O.M. Asimismo, a partir de 1976 y hasta 1987, cada año exhibió en la Galería Uno de Puerto Vallarta, Jalisco. Alejandro no olvida las palabras que el pintor Manuel Felguérez expresó en una de aquellas exposiciones realizadas al principio de su carrera, cuando le preguntaron acerca de su obra. En esa ocasión se encontraban con él Vicente Rojo y Rufino Tamayo, y él contestó: "Ahora no podemos decir nada de la obra de Colunga, porque su obra es pura experimentación. No sabemos si la semana entrante va a tronar, porque esta es una carrera de resistencia y de conciencia, y un pintor realmente comienza su carrera de los cincuenta años en adelante".

La obra de Colunga también fue solicitada para presentarse en foros internacionales, exponiendo en la Galería Franco Terranova y la Petite

the university and devote himself to painting. He established a small workshop away from home, where he took up residence. This decision allowed him to avoid drugs since his interest in painting demanded his total commitment. His periods of abstinence began to lengthen and his painting advanced. During this period, he experienced moments of great reflection, in which he realized that rather than the body or the mind, there is something not definable that permits life. He began to search in books and pay visits to his brother, Miguel—a scientist of the soul, in Alejandro's words. All of these factors—painting, spiritual stimulation and his love for life and others—put his life on track.

Colunga began as a self-taught artist. Since finding a way to survive was his initial priority, he painted landscapes and still-lifes to sell at furniture stores. In this manner, he was able to pay the rent and buy food and art supplies. He approached Marilyn Hosh, a US gallery owner who was highly supportive of youth, and she proposed his first individual exhibition: "She gave me a little more than one month to get the work together. The pressure of the commitment to complete almost thirty-two oil paintings and drawings obligated me to discover responsibility and discipline. My friends would invite me to parties and get-togethers and I had to learn to say no, in order to get my work done." The exhibition was highly successful and almost all of Colunga's work was sold: the event marked the beginning of Colunga's artistic career and affirmed his commitment to paint. A lengthy period of experimentation followed, with research and visits to museums where he studied the work of the masters. His painting gradually acquired form and consistency and new exhibitions were held in the city of Guadalajara: at the Senior International, the Casa de la Cultura, the ex–Convento del Carmen, the Galería Doce and the Galería OM. From 1976 to 1987, he showed his work every year at the Galería Uno of Puerto Vallarta, Jalisco. Alejandro remembers the comments made by the painter, Manuel Felguérez, about his work in the early days of his career. Accompanied by Vicente Rojo and Rufino Tamayo, Felguérez expressed his opinion of Colunga's production: "We cannot say anything about Colunga's work because it is pure experimentation. We do not know if he will collapse next week, because this is a career of stamina and conscience, and a painter really begins his career at age fifty."

Colunga's work was also included at international forums, such as the Galería Franco Terranova and the Petite Galerie in Rio de Janeiro, as well as the Museo de Arte Contemporáneo of Bahía, Brazil. He held two exhibitions at the Instituto Mexicano de Cultura in Zurich and in Bern, Switzerland, and at

ALEJANDRO COLUNGA
MAGO CON BONETE, 1998
Bronce a la cera perdida, 450 x 90 x 110 cm.

the Modern Art Museum of the OAS in Washington, DC. In 1980, the Museo de Arte Moderno of Mexico City hosted an important individual exhibition that marked Colunga's definite consecration as an artist. In 1989, the FIAC International Contemporary Art Fair in the Grand Palais of Paris exhibited Colunga's work, which highly impressed the critics and French public due to its plastic force and thematic originality, unknown in that part of the world. Visitors were also surprised by the circumstances surrounding Colunga's participation. Due to a customs strike in France, his paintings were trapped in the Charles de Gaulle airport; two days before the show's inauguration, Alejandro made the decision to start painting to replace the work. In less than twenty-four hours, his paintings, still fresh, were on display. On the day of the opening, President Miterrand paused before his work, perceiving the smell of paint; when he was told what had happened, he remarked: "I like this because it makes me feel as if I were in the artist's workshop." Enthusiastic, Alejandro remembers: "The stand and its surroundings were about to burst, and in the crowd, mostly French and Mexican, I noticed the presence of the well-known Nicaraguan painter, Armando Morales, who congratulated me affectionately. It was an unforgettable event that paid for my efforts with great satisfaction."
Alejandro Colunga's work collects the experiences of his childhood, of that world that moves among churches, children's games, visits to the museum (which he remembers as quite abandoned), his nanny's stories and his inexhaustible imagination. A magical atmosphere is created, sometimes in the guise of a fiesta and at other times, with hallucinating scenes that have the devil, phantoms and the insane at center stage. Colunga depicts religious themes in the form of a catharsis of images that seek to liberate him from the oppression and fears provoked by the religious rigor of his childhood. He has no intention of being irreverent. His painting reverts the heaviness of such experiences, after enveloping them in humor. Another topic that has attracted him since a child is the circus, where he performed for a time as a clown, in addition to helping care for the elephants and tigers. The circus is the source of the wide variety of animals in Colunga's painting. On his trips to Brazil he became aware of sensuality. In India, he experienced the country's exoticism and the extremes of its contradictions: mysticism and decadence, life and death, opulence and poverty, wisdom and ignorance. His work, which above all depicts his Mexican character, has subtly integrated other elements, resulting in imposing pieces that are impossible not to notice.
In 1990, Colunga once again exhibited in Paris, and at the Borsky Gallery in New York. In 1992, he showed

Galerie, ambas en Río de Janeiro, así como en el Museo de Arte Contemporáneo de Bahía, en Brasil. Posteriormente realizó dos exposiciones en los Institutos Mexicanos de Cultura de Zurich y Berna, en Suiza, y en el Museo de Arte Moderno de la OEA, en la ciudad de Washington. En 1980 el Museo de Arte Moderno de la ciudad de México realizó una importante exposición individual, la cual marca la consagración definitiva del artista. En 1989 se llevó a cabo la Feria Internacional de Arte Contemporáneo FIAC, en el Grand Palais de París, y en ella se exhibió la obra del jalisciense, causando un fuerte impacto entre la crítica y los espectadores franceses, tanto por su fuerza plástica como por su originalidad temática, poco conocida por aquellos lugares. También sorprendieron al público las circunstancias en que se vio involucrada la participación de Colunga, pues debido a una huelga de los agentes aduanales en Francia sus cuadros se quedan atrapados en el aeropuerto Charles de Gaulle. Dos días antes de la inauguración, Alejandro tomó la decisión de ponerse a pintar para reponer la obra. En menos de veinticuatro horas sus pinturas, aunque todavía frescas, ya estaban colgadas. El día de la inauguración el presidente Miterrand se detuvo frente a su obra, advirtiendo el fuerte olor a pintura, y al explicársele lo sucedido, comentó: "Esto me gusta, pues me hace sentir como si estuviera en el taller del artista". Entusiasmado, Alejandro recuerda: *"El stand y sus alrededores estaban a reventar, y entre la multitud, que en su mayoría eran franceses y mexicanos, advertí la presencia del reconocido pintor nicaragüense Armando Morales, quien me felicitó afectuosamente. Fue un evento inolvidable, que me pagó con grandes satisfacciones el esfuerzo que realicé".*

La obra de Alejandro Colunga recoge las vivencias de su infancia, de ese mundo que transita entre las iglesias, los juegos de niño, las visitas al museo —que, según recuerda, en ese entonces estaba bastante abandonado— y los cuentos de su nana, y de ese don de inagotable imaginación que le es innato. De todo ello surge una atmósfera mágica, que en ocasiones se viste de fiesta y en otras de alucinantes escenas, en donde el diablo, los fantasmas y los locos roban cámara. Colunga aborda los temas religiosos como en una catarsis de imágenes que busca liberarlo de la opresión y los miedos provocados en él por el rigor religioso de su infancia. No existe en él la intención de ser irreverente. Su pintura revierte la carga que dejaron aquellas experiencias, tras envolverla con su gran humor. El circo es otro tema que le atrae desde su juventud, ya que en algún momento en aquellos años se contrató en un circo, y aparecía en la arena vestido de payaso, cuidaba a los elefantes y aseaba a los tigres. De allí proviene la amplia variedad de animales que surge en sus pinturas. En sus viajes a Brasil advirtió la sensualidad. En la India experimentó su exotismo y sus extremos, al entrar en contacto con las más fuertes contradicciones: el misticismo y la decadencia, la vida y la muerte, la opulencia y la pobreza, la sabiduría y la ignorancia. Su obra, que ante todo evidencia una gran mexicanidad, ha ido integrando con gran sutileza diferentes elementos, resultando en un trabajo imponente, imposible de pasar desapercibido a los ojos del espectador.

En 1990 Colunga vuelve a exhibir en París; también lo hace en la Galería Borsky, en Nueva York. En 1992 expone en la galería Nader de Miami, en la Jansen de San Antonio, Texas, y en la Riva Yares de Santa Fe, Nuevo México. En 1994, con la exposición en el Museo de Moneda de la ciudad de México concluye esa etapa de exposiciones, para involucrarse en un ambicioso proyecto escultórico, de carácter interactivo, que consiste en la ejecución de esculturas en bronce, las cuales representan sillas y sofás de tres y hasta seis metros de alto. Estas piezas se encuentran colocadas en lugares públicos, en donde los niños y paseantes pueden subirse, sentarse y jugar en ellas. Tres de éstas se encuentran en importantes lugares de la ciudad de Guadalajara, otra serie se encuentra frente al mar en Puerto Vallarta, y otra pieza está ubicada desde 1998 en el Museo Amparo de Puebla.

Alejandro Colunga es un artista que desborda creatividad, con un gran deseo de disfrutar la vida, de compartirla y, sobre todo, de hacer magia, mientras juega con los pinceles, la tela, la madera, el bronce y el color.

his work at the Nader Gallery of Miami, the Jansen Gallery of San Antonio, Texas, and the Riva Yares of Santa Fe, New Mexico. In 1994, the showing at the Museo de Moneda in Mexico City concluded Colunga's stage of exhibitions, and he became involved in an ambitious sculptural project of an interactive nature. The project consists of bronze sculptures of chairs and sofas from three to six meters high located in public places, with the implicit invitation for children and passersby to experience them by climbing, sitting and playing. Three of the sculptures are at well-known sites in Guadalajara, one series faces the ocean in Puerto Vallarta, and another piece was installed in 1998 at the Museo Amparo of Puebla.

Alejandro Colunga is an artist with overflowing creativity, plus a great desire to enjoy and share life, and especially to do magic while playing with his paintbrushes, canvas, wood, bronze and color.

ALEJANDRO COLUNGA
ESPADA EN ROJO, 1993
Oleo sobre lino, 100 x 80 cm.

Luis Fracchia
Viaje de dos, 1999
Oleo sobre tela, 142 x 152 cm.

Luis Fracchia

1959

Lo que sorprende al mirar su obra, no es la representación fiel del cuerpo humano ni el brillo lumínico que envuelve a sus figuras, es esa emotividad que emana de sus personajes, reflejada en miradas que miran, que sienten, que confrontan.

Lupina Lara Elizondo

Luis Fracchia nació en la ciudad de Asunción, Paraguay, en el año 1959. Su padre es de origen italiano, y su madre, brasileña. Cuando Luis tenía trece años, la familia se traslada a Italia por motivos de trabajo de su padre. Reside en Roma desde 1973, en donde cursa la escuela media superior. Continuó sus estudios de bachillerato en España, y fue allí donde contó con un maestro de dibujo que logró observar la habilidad natural que Luis tenía y por ello decidió dedicarle un tiempo especial para encauzarlo en temas más avanzados. A diferencia de otros creadores que sienten el llamado al arte desde temprana edad, Luis nunca antes había manifestado interés hacia la pintura o el dibujo; este fue el primer momento en que se manifestó. Fue tan determinante este encuentro con sus verdaderos intereses, que en ese momento decide dedicarse a la pintura. Al regresar a Italia estudia las técnicas del fresco sobre muro en la Scuola di Arti di San Giacomo, una de las academias más antiguas de Roma, la cual data del año 1600.

Si bien su familia no lo apoyó abiertamente en su decisión, tampoco se opuso a ella. Pensaban que se trataría de una inquietud pasajera. Su padre, siendo abogado, hubiera preferido que estudiara una carrera que le ofreciera más garantías para su futuro. Luis estaba consciente de lo que su decisión implicaba; no obstante, había algo interior que le marcaba con claridad su camino. Reflexionando sobre ello, comenta: "*...Dedicarse al arte... creo que es el arte de la resistencia. Para hacerlo, tiene que haber algo que te mantiene en ello. La pasión es lo único que te permite permanecer allí. Te mantienes, también, porque sabes que no te encuentras bien en otra parte o haciendo otra cosa. Cuando el arte es un refugio, no sobrevives, pues el precio que tienes que pagar es alto*".

El estudio del fresco lo dirige hacia el muralismo mexicano, y despierta en él un fuerte interés por conocer la manera como los artistas mexicanos lo habían desarrollado en el siglo XX. A consecuencia de ello, en 1980 Luis viaja a México, invitado por el escultor mexicano Mario Cabrera. Luis nos explica que ya existía en él una disposición para regresar a América: "*Durante el tiempo que viví en Europa, no llegué a europeizarme del todo; siempre existió en mí cierta nostalgia de este continente. Las opciones que me planteaba eran: Paraguay, Brasil, que era la tierra de mi madre, y México. Como artista, este último lugar me ofrecía una atmósfera más evolucionada*

Luis Fracchia was born in the city of Asunción, Paraguay, in 1959. His father is of Italian origin and his mother is Brazilian. When Luis was thirteen, the family moved to Italy because of his father's work. Starting in 1973, Luis lived in Rome, and went to secondary school there. He continued his high school studies in Spain, where a drawing teacher saw his natural talent and began to dedicate extra time to giving him more advanced instruction. Contrary to many other artists, who feel the call of art from an early age, Luis had not shown prior interest in painting or drawing. The encounter with his true interests was so determining that Luis immediately decided to be a painter. On returning to Italy, he studied fresco techniques at the Scuola di Arti di San Giacomo, dating from 1600 and one of the oldest academies in Rome. Although Luis' family did not openly support his decision, neither did they oppose it. They thought art would be a passing interest. His father, a lawyer, would have preferred for Luis to have studied a major with more future guarantees. Luis was aware of the implications of his decision; however, something inside of him marked his route clearly. He comments in retrospect: "...Dedicating yourself to art... I think that is the art of resistance. To do it, there has to be something that allows you to stay there. You also stay because you know

Luis Fracchia
Cuerpos de mazorcas-elogio, 2000
Mixta sobre tela, 150 x 60 cm.

en el terreno del arte, que la que podía encontrar en Paraguay o Brasil. Desde esa fecha he vivido en México, país que me ha ofrecido un ambiente propicio para hacer mi trabajo con tranquilidad y a la vez con libertad". La gran apertura en propuestas plásticas que existe en nuestro país, permite a los creadores encauzar su creatividad con esa libertad a la que Luis se refiere.

Su interés inicial por el fresco fue pasajero, aunque dio paso a sus estudios en las técnicas del óleo, la pintura de caballete y la expresividad. Al llegar a nuestro país, Luis permanece en la ciudad de México, y durante ese tiempo se mantuvo dando clases y haciendo ilustraciones para revistas. Ello le permitió sobrepasar el proceso de aprendizaje y búsqueda. Fracchia recorre este camino de manera autodidacta. *"Soy un pintor autodidacta. He avanzado en este camino por medio de la observación, encontrando soluciones en la propia tela... La pintura nace de la pintura. Los pintores estamos observando pintura constantemente... Aunque manejo una pintura realista, en mí la técnica nunca ha sido una obsesión. Mis búsquedas técnicas han estado motivadas por lo que quiero alcanzar. No me gusta quedarme corto en lo que quiero expresar, por eso busco que los elementos técnicos me acompañen. Pero a la vez no quiero dedicarle tanta atención, no deseo ir en pos de la perfección, pues me interesa no perder esa frescura de la expresión".*

Entre sus exposiciones individuales más importantes, destacan las siguientes: la de 1984, en la Galería Arte Sanos, en Asunción, Paraguay; la de 1989, en la Galería Orbe, en Cancún, Quintana Roo; *Entre el óxido y la piel*, en 1994, en la Galería Oscar Román de la ciudad de México; la de 1996 en *Expo Arte Guadalajara*, en la Feria Internacional de Arte de Guadalajara, Jalisco; *Naturaleza Contenida*, en 1994, de nuevo en la Galería Oscar Román; *Naturaleza Peregrina*, en 1997, en la Galería Martha Manchini de Asunción, Paraguay; *Cuerpo natura*, en 1999, también en la Galería Oscar Román, y en el año 2000, *Otra orilla de la mirada*, en la Galería de Arte Contemporáneo de Jalapa, Veracruz. Adicionalmente a ellas, la obra de Luis Fracchia ha participado en más de cuarenta exposiciones colectivas, y en 1987 fue merecedor de la Medalla al Mérito por el primer lugar en el *XXXII Salón de la Acuarela*, en el Museo de la Acuarela, en la ciudad de México.

Desde fines del siglo pasado hemos visto surgir en el arte latinoamericano una tendencia estética que, sin proponérselo, ha revalorado las virtudes de la pintura y del dibujo como tales. Esta tendencia ha retomado la figuración como elemento fundamental en su propuesta visual. A esta corriente se le ha llamado de diferentes maneras: neorrealismo, neoacademicismo o hiperrealismo. Y no obstante la

Luis Fracchia
Naturaleza contenida, 1996
Oleo sobre lino, 160 x 120 cm.

abrumadora variedad de propuestas que determinan la vanguardia en el arte del siglo XXI, en los trabajos que nos ofrecen estos creadores neoacadémicos destaca su replanteamiento, no de la pintura en sí misma, pero sí de su expresión. Fracchia ha encontrado en este camino su medio natural de expresión, tomando al cuerpo humano como una fuente para la reflexión plástica. Y es que, a mi modo de ver, en el caso de este artista su objetivo no es retratar al cuerpo en poses que lo embellezcan, como sucedía en la escultura griega y romana, sino que sus composiciones plantean otro enfoque, que nada tiene que ver con el culto al cuerpo. Más bien, Fracchia plantea un estado de conciencia, el cual lo lleva a pintar cuerpo y alma. Para ello debe ser un gran anatomista, es decir, un experto en la anatomía del cuerpo humano, y contar con una aguda percepción.

that you don't feel right anywhere else or doing anything else. When art is a refuge, you do not survive because the price you have to pay is high."
Studying frescoes directed Luis to the Mexican mural movement, and strongly motivated his interest in Mexican mural painting of the 20th century. As a consequence, Luis traveled to Mexico on the invitation of the Mexican sculptor, Mario Cabrera. Luis explains that he had already contemplated a return to the Americas: "During the time I lived in Europe, I did not become completely European; I always had a certain nostalgia for this continent. My options were Paraguay, Brazil (my mother's native country) and Mexico. As an artist, Mexico offered me a more developed atmosphere in art than I could find in Paraguay or Brazil. Since that time, I have lived in Mexico, a country that has offered me an appropriate setting for doing my work in peace, and with freedom at the same time." The great tolerance for proposals in the visual arts in Mexico allows artists to use their creativity with the freedom mentioned by Luis.
Luis Fracchia's initial interest in fresco painting was temporary, although it led to studies in oil techniques, easel painting and expressiveness. On arriving in Mexico, Luis remained in Mexico City, and made a living by giving classes and illustrating magazines. In this manner, he was able to surpass the process of learning and research. He followed this route in a self-taught manner. "I am a self-taught painter. I have advanced by observing, by finding solutions on the canvas itself... Painting is born from painting. We painters are constantly looking at painting... Although I do realistic painting, technique has never been an obsession for me. My technical searches have been motivated by what I want to attain. I do not like to fall short in what I want to express. That is why I look for technical elements to accompany me. But at the same time, I do not want to pay so much attention to technique, nor do I want to strive for perfection, because I am interested in not losing the freshness of expression."
Fracchia's most important individual exhibitions include: 1984, at the Galería Arte Sanos, in Asunción, Paraguay; 1989, at the Galería Orbe, in Cancún, Quintana Roo; Entre el óxido y la piel, *in 1994, at the Galería Oscar Román of Mexico City; 1996 at Expo Arte Guadalajara, at the Feria Internacional de Arte of Guadalajara, Jalisco;* Naturaleza Contenida, *in 1994, once again at the Galería Oscar Román;* Naturaleza Peregrina, *in 1997, at the Galería Martha Manchini of Asunción, Paraguay;* Cuerpo natura, *in 1999, also at the Galería Oscar Román, and in 2000,* Otra orilla de la mirada, *at the Galería de Arte Contemporáneo of Jalapa, Veracruz. In addition, Luis Fracchia's work has participated in forty collective exhibitions, and in 1987, won the merit prize for first place in the* XXXII Salón de la Acuarela, *at the Museo de la Acuarela in Mexico City.*

Luis Fracchia
Referencias, 1999
Oleo sobre tela, Díptico, 200 x 95 cm.

Since the final years of the last century, we have seen an aesthetic trend in Latin American art that has unintentionally revalued the virtues of painting and drawing as such. This trend has adopted figuration as a fundamental element in its visual proposal. The current has been assigned different names: neo-realism, neo-academicism or hyper-realism. And in spite of the overwhelming variety of proposals in the avant-garde art of the 21st century, the work of these neo-academic artists emphasizes the restatement, not of painting, but of expression. Fracchia has found on this road his natural means of expression, with the adoption of the human body as a source of artistic reflection. In my opinion, Fracchia's objective is not to portray the body in flattering poses, as in Greek and Roman sculpture, but to suggest another focus that has nothing to do with body worship. He proposes a state of awareness, and paints both the body and soul. To meet this goal, the painter must be an acutely perceptive anatomist.
Some art critics have come to believe that realistic painting contains no statement, interpretation or creation by the artist. They sustain that realism does not offer the challenge of restating reality. I believe, however, that the major goal of realism as well as of hyper-realism is not to fall into the artifice of a copy, but to transplant life to the canvas. In the case of Luis Fracchia's painting, the purpose of the painting itself precedes any other, yet the phenomenon of infusing life occurs naturally. Fracchia's personages are not simply models: they transmit a presence, precisely the mystery of great art. What is surprising about seeing his work is not the faithful representation of the human body or the luminous shine that envelopes the figures, but the emotion that emanates from his personages. The emotion is reflected in gazes that look, that feel, that confront; in skin that feels and that touches; in hands that squeeze, hug and caress; in muscular backs that denote strength and seem to be willing to withstand physical weight without collapsing; in heads bowed over the hands or legs, as a sign of reflecton. Fracchia's work reveals the existence of the psyche... of the soul... as the inhabitant of the body, and through which it can express the abandonment of its own language, the purely spiritual.
Studies about the spirit and its relationship with the material universe make statements about the animism the spirit infuses into matter. These studies teach that observing with more than the sense of sight enables observing and feeling at the same time. This form of observing contains and permeates the essence of objects. With the eyes of the soul, Fracchia looks at what he is going to paint, in order to reveal to us the most intimate details of the stones, the walls, the wood, the reeds, in sum, of the material world.
When asked about his still-lifes, Luis comments: "I have worked a lot on this topic. They arise from ideas I have kept, and that somehow pass the test of time, since

Algunos críticos de arte han llegado a considerar que en la pintura realista no existe ningún planteamiento, interpretación o creación del artista. Sostienen que el realismo no ofrece ese reto al replantear la realidad. Sin embargo, yo pienso que el gran reto, tanto del realismo como del hiperrealismo, es justamente no caer en el artificio de la copia, sino en el efecto de trasplantar vida al lienzo. En el caso de la pintura de Luis Fracchia, el propósito de la pintura en sí misma se antepone a cualquier otro; no obstante, este fenómeno de infundir vida sucede, sucede de manera natural. Sus personajes no son meros modelos; en ellos se percibe una presencia, y en esto consiste precisamente el misterio del gran arte. Lo que sorprende al mirar su obra, no es la representación fiel del cuerpo humano ni el brillo lumínico que envuelve a sus figuras, es esa emotividad que emana de sus personajes, reflejada en miradas que miran, que sienten, que confrontan; en piel que siente y que toca; en manos que aprietan, abrazan y acarician; en espaldas que denotan fuerza y que parecieran encontrarse dispuestas a soportar el peso físico sin desplomarse; en cabezas clavadas sobre las manos o sobre las piernas, en señal de reflexión. Su obra revela la existencia de la psique... del alma... como habitante de un cuerpo, y a través del cual puede expresarse cuando abandona su propio lenguaje, el meramente espiritual.

En los estudios acerca del espíritu y de su relación con el universo material, se hacen señalamientos acerca del animismo que el espíritu infunde a la materia. A través de ellos se comprende como es que al observar con algo más, que no son los ojos, se observa y se siente al mismo tiempo. Esta forma de observar contiene y permea la esencia de los objetos. Con estos ojos del alma Fracchia mira lo que va a pintar, para poder revelarnos los detalles más íntimos de las piedras, de los muros, la madera, el carrizo, en fin, del mundo material.

Al preguntarle acerca de sus naturalezas muertas, Luis comenta: *"Ha sido un tema que he trabajado poco. Ellas surgen de ideas que he guardado, y que de alguna manera pasan la prueba del tiempo, pues se siguen sosteniendo en mi imaginación hasta que decido pintarlas. Pero ha habido una continuidad mayor con la figura"*. En estas naturalezas, tan desprovistas de elementos, envueltas en esas atmósferas austeras características de su obra, en las que no hay narrativa, simplemente se percibe el espacio y la presencia. *"Trato de que en mis cuadros no haya anécdotas, que no haya historietas. Trato de decir todo de la manera más simple... más directa, sin adornos"*.

En la obra de Luis Fracchia existe una gran reflexión, encontraremos siempre un sentido de búsqueda en la forma, en el movimiento y en la expresión. El insiste en que su pasión por hacer pintura es el deleite que le produce hacerlo, quizá porque ello le permite traspasar el sutil umbral del pintor para convertirse en creador.

they remain in my imagination until I decide to paint them. But there has been greater continuity with the human figure." In these scenes, so deprived of elements, enveloped in the austere atmospheres characteristic of Fracchia's work, there is no narrative, but only the perception of space and presence. "I try to avoid anecdotes, stories in my paintings. I try to say everything the simplest, most direct way, without adornment."
Luis Fracchia's work contains great reflection. We shall always find a sense of search in the form, movement and expression. He insists that his passion for painting is a product of his enjoyment as an artist, perhaps because it allows him to cross the subtle threshold between painting and creating.

Luis Fracchia
Pirámide, 2001
Acrílico sobre tela, 100 x 120 cm.

Luis Granda
Animal y personajes, 1998
Oleo sobre tela, 175 x 220 cm.

Luis Granda

1941

En sus lienzos es palpable una atmósfera que nos refiere a lo sensible y espiritual, una atmósfera que toca notas sutiles a las que se contrapone la fuerza expresiva del color y de la forma.

LUPINA LARA ELIZONDO

LUIS GRANDA NACE EN MADRID, ESPAÑA, EN 1941. SU PADRE, DON JOSÉ MARÍA GRANDA, ERA UN pintor aficionado, de profesión era Chef, y además era un gran conocedor y apreciador del buen arte. Como buen español, su gran admiración la tenía reservada a Goya. Acostumbraba ir al Museo del Prado todos los sábados y llevaba de acompañante a su hijo Luis. En ocasiones se unía a ellos su tío Antonio, que era un gran dibujante. Luis nos habla acerca de su infancia: *"Yo empiezo a ser pintor desde que tomo conciencia de ese maravilloso trabajo que hacía mi padre. Recuerdo que lo veía poner líneas sobre la tela y de pronto aparecían cosas y, como niño, eso es fascinante. Mi casa estaba llena de sus cuadros. También recuerdo esas visitas que hacíamos al Prado. Mientras mi padre se quedaba clavado viendo a Goya, yo me ponía a mirar el gran cuadro de Velázquez:* Las Meninas. *Observaba ese gran perro mastín, tan quieto, a la infanta y a las muchachas que la cuidaban, las famosas meninas. Era como si el tiempo se hubiera suspendido de momento, interrumpiendo lo que estaba sucediendo".*

Luis estudia la primaria en el Instituto Séneca, en Madrid, y allí el hijo del dueño, que había estudiado en la Academia de Bellas Artes de San Fernando, era el maestro de dibujo. Y dice Luis: *"Cuando vio mis dibujos, simplemente me adoptó. Me llevaba a dibujar a las clases de los de bachillerato. Yo me sentaba en el escritorio del maestro y me ponía a trabajar. Esto significó un gran apoyo, pues el maestro me daba papeles de calidad, carboncillos y tinta china para trabajar. Mi padre también me dejaba trabajar en alguna tela que no le había quedado bien o no le gustaba. Me decía: –A ver, pinta aquí una flor.– Durante ese tiempo me convertí en el ayudante de mi padre. El me hablaba de la Academia de San Fernando, pero en mi mente de niño no existía la conciencia de ver la pintura como una profesión".* El gusto que Luis tenía por la pintura no constituyó ningún obstáculo para llevar su vida de niño; por el contrario, pintaba soldaditos en cartón, y los montaba, de tal manera que se podían parar; éstos le permitieron hacer trueques, obteniendo con ellos trompos, pelotas y carritos.

La familia llegó a México a principios de los años cincuenta. Su padre había superado la primera etapa de la problemática que se generó a los contrarios con el triunfo de Franco; no obstante, decide autoexiliarse, para evitar así problemas de índole político para la familia. Para Luis, la llegada a México trajo consigo un mundo nuevo. Su nueva escuela fue el Colegio Madrid, y al respecto comenta: *"Encontramos en esta nueva cultura grandes diferencias y también grandes similitudes. De niño uno*

Luis Granda
Rostro enmarcado, 2002
Oleo sobre tela, 110 x 130 cm.

Luis Granda was born in Madrid, Spain, in 1941. His father, José María Granda, was an amateur painter, a chef by profession, and an art connoisseur. Like a true Spaniard, Mr. Granda's highest admiration was reserved for Goya. He had the custom of going to the Museo del Prado every Saturday and taking along his son, Luis. They were occasionally joined by an uncle, Antonio, a talented draftsman. Luis tells us about his childhood: "I began to be a painter when I became aware of the marvelous work my father did. I remember that I would watch him draw lines on the canvas, and objects would suddenly appear; as a child, that is fascinating. Our house was full of his paintings. I also remember our visits to the Prado. While my father would focus on looking at Goya, I would look at the great painting by Velázquez: The Maids of Honor. I would look at that huge mastiff, so still, at the infanta and the girls who cared for her, the famous maids of honor. It was as if time had stopped for a moment, interrupting what was happening." Luis attended elementary school at the Instituto Séneca in Madrid; the son of the owner, who had studied at the Academia de Bellas Artes de San Fernando, was the drawing teacher. Luis explains: "When he saw my drawings, he simply adopted me. He would take me to the high school drawing classes. I would sit at the teacher's desk and he would have me draw. It meant great support, since the teacher would give me high quality paper, charcoal and India ink to use for working. My father would also let me work on canvases that had not turned out well or that he did not like. He would tell me: 'Let's see, paint a flower here.' During that time I became my father's assistant. He would talk to me about the Academia de San Fernando, but in my young boy's mind, there was no awareness of painting as a profession." Luis' interest in painting was not an obstacle to living the life of a child. Quite the contrary: he made painted cardboard soldiers that would stand on their own, and then would trade them for tops, balls and toy cars.
The Granda family arrived in Mexico in the early 1950's. Although part of the opposition, Luis' father had overcome the initial problems generated by the triumph of Franco; he decided, however, to go into exile to avoid political problems for the entire family. For Luis, Mexico brought along a new world. His new school was the Colegio Madrid, on which he comments: "We found important differences as well as important similarities in this new culture. As a child, you adapt easily, and over time, you become a very normal Mexican. In preparatory school, I approached a teacher who taught me watercolor painting; he came to appreciate and trust me, and sometimes asked me for help with the students; sometimes I even taught the class." After finishing preparatory school,

se adapta muy fácilmente, y al cabo del tiempo se vuelve uno un mexicano muy normal. En la preparatoria me acerqué a un maestro que daba acuarela; me tomó aprecio y confianza, y en ocasiones me pedía ayuda con los alumnos, al grado de confiarme la clase". Al concluir la preparatoria, Luis le comenta a su maestro su duda entre estudiar arquitectura o pintura, y el maestro le comenta que como pintor puede ser autodidacta, pero como arquitecto, no.

Después de este consejo, Luis Granda reflexiona e ingresa a estudiar arquitectura a la UNAM. La arquitectura puede ser interesante para unas manos creativas; sin embargo, en él la inquietud de pintar nunca desapareció. En una de sus clases, una vez el maestro encargó un ejercicio de creatividad que se conoce con el nombre de repentina; las instrucciones eran las de desarrollar una casa para un arquitecto, en el Ajusco. *"Yo me fui al Ajusco. Pinté un paisaje en una pequeña tela, luego copié una casa que vi en una revista y eso fue lo que presenté. El maestro bromeó conmigo, argumentando que allí no era la Escuela de Pintura. Ese evento provocó un acercamiento con el maestro y, desde entonces, conté con su apoyo y orientación".* Durante la carrera, Luis estudió acuarela, dibujo y pintura con modelo; pintaba en el taller que había instalado en su casa. Además de ello, los profesores que tenían sus despachos de arquitectura le encargaban hacer apuntes en acuarela de casas para sus clientes. Estos trabajos estaban muy bien remunerados y con esos ingresos logró hacer su primer viaje a Europa, en el que recorrió toda España. Al poco tiempo reunió otra cantidad, y en esta ocasión viaja a Italia. Además de estos trabajos, Luis vendía sus pinturas a los amigos de su padre, con lo que tuvo oportunidad de ir ocho veces a París. Siempre que viajaba, lo hacía con su obra y visitaba las galerías en donde, además de conocer las nuevas propuestas, dejaba algunas piezas a la venta. De esta manera, también logró relacionarse en el mercado de arte de Nueva York.

Luis no había caído en cuenta de que su verdadero camino era el de pintor. Todo parecía marchar de manera favorable, así que en ese tiempo jamás se preocupó por establecer contacto con alguna galería, y no es sino hasta 1977 cuando realiza su primera exposición individual en la Casa de la Cultura de la ciudad de Puebla. A partir de esa fecha ha continuado exhibiendo en diferentes galerías y museos: en la Proteus de la ciudad de México; en la Alejandro Gallo de Guadalajara; en Iturralde Gallery, en La Joya, California; en la Ramis Barquet de Monterrey; en la Caobay de Puerto Rico; en la Tudores, en Málaga, España; en la H.B., en la Esthela Shapiro y la Casa Lamm, en la ciudad de México; en el Museo de la Ciudad de Guadalajara, el Museo de Zacatecas y el Museo de Arte Contemporáneo. En 1998 se llevó a cabo una gran exposición en el Palacio de Bellas Artes de la ciudad de México, bajo el título *Diálogo de los videntes*. Adicionalmente a ello, su obra ha participado en más de ochenta exposiciones colectivas en México, Puerto Rico, Holanda, Bélgica, Portugal, Japón, Francia, España, y en los Estados Unidos en: Atlanta, California, Nueva York, Texas, Alabama, Washington, Illinois y Florida. Granda se retira de la arquitectura en 1987, justamente el año en que recibe, junto con otros arquitectos, el premio Sir Robert Matthew, de la Unión Internacional de

Luis told his teacher that he was undecided about whether to study architecture or painting; the teacher answered that a painter can be self-taught, but not an architect.
Luis Granda reflected on this advice and enrolled in the school of architecture at the UNAM. Architecture can be of interest for creative hands; however, in Luis the desire to paint never disappeared. In one of his classes, a teacher assigned him a creativity exercise of developing a house for an architect in the Ajusco mountains. "I went to the Ajusco. I painted a landscape on a small canvas, then I copied a house that I had seen in a magazine, and that is what I presented. The teacher joked with me, saying that I was not in the school of painting. The event helped me get to know the teacher, and he began to support and direct me." During his university years, Luis studied watercolor technique, drawing and painting with the use of models; he painted in the workshop he had installed in his house. In addition, his teachers who had architectural firms hired him to make water colors of their clients' houses. These projects paid well and allowed Luis to make his first trip to Europe; on that occasion he toured all of Spain. After a short while, he saved a new amount that he used to travel to Italy. Luis also sold paintings to his father's friends, and earned enough to make eight visits to Paris. On every trip, he would take his work along and visit galleries where he would present his ideas and leave a few pieces for sale. In this manner, he was able to make himself known in the New York art market.
Luis had not realized that his true calling was painting. Life treated him favorably, and it was not until 1977 that he became interested in organizing his first individual exhibition, which was held at the Casa de la Cultura in the city of Puebla. From that date on, he has continued to exhibit at various galleries and museums: Proteus in Mexico City; the Alejandro Gallo Gallery of Guadalajara; at the Iturralde Gallery in La Jolla, California; Ramis Barquet of Monterrey; the Caobay Gallery of Puerto Rico; the Tudores Gallery in Malaga, Spain; at H.B., the Esthela Shapiro Gallery and Casa Lamm in Mexico City; the Museo de la Ciudad de Guadalajara, the Museo de Zacatecas and the Museo de Arte Contemporáneo. In 1998, he showed his work at a grand exhibition, Diálogo de los videntes, in Mexico City's Palacio de Bellas Artes. His work has also participated in more than eighty collective exhibitions in Mexico, Puerto Rico, Holland, Belgium, Portugal, Japan, France, Spain and in the United States in Georgia, California, New York, Texas, Alabama, Washington, Illinois and Florida. Granda retired from architecture in 1987. That year he received,

Luis Granda
Figuras en movimiento, 2001
Oleo sobre tela, 170 x 200 cm.

along with other architects, the Sir Robert Matthew prize from the International Union of Architecture for his participation in the Mexico City rebuilding project ordered by President Miguel de la Madrid after the earthquake of 1985. It was at this time that Granda decided to devote himself solely to painting. Luis Granda refers to the references that have inspired his work: "The largest unknown in nature is the human being. As a painter, the human figure has always attracted me, not only as a model, but also as a concept. In an attempt to decipher this enigma and understand its origins, I have studied philosophy, sociology and anthropology, and at a certain moment in time I decided to go to Africa, not to follow the route of Picasso or of Matisse, but to understand man in a more natural state. I made three trips to Africa. On these trips, I studied a concept I found there, which has always interested me, and that is symbolism. Ever since ancient times, man has lived enveloped in rites and symbols, and modern man continues to be immersed in them. Perhaps somewhat more refined and material, but still rituals and symbols in daily life. Behind the symbols is thinking that can be of an historical, religious, aesthetic, ethnic, psychological or sociological nature, and delving into that content has been my great passion." This accumulation of experiences has inspired Granda's painting from his beginnings. To explain in grater detail the content of his painting, he comments: "The symbol of a kiss is the lips, but the rite is the action of kissing. The painting is precisely a symbol, which must contain the emotion of the ritual." As a child, Luis noticed the presence of symbols when he saw the hooded processions in Holy Week. He realized that although the individuals vary from those of the past, their garments continue to represent punishment. During one of his trips to Africa, Luis had the opportunity to observe how a tribal member acquired supernatural force by painting his nude body in preparation for the hunt. He witnessed the ritual of painting, a painting full of symbols, and observed the man's transformation. Taking into account the degree of mystery involved, Luis was aware that the power of the ritual is sustained by man's own considerations, and that the point of interest is being able to decipher these considerations. The topic has enriched Granda's painting over time. His calligraphy, as he calls his brushstrokes, is firm, mature, and highly in agreement with his expression. On the other hand, we are faced by a master of color, of form and of matter, an artist who employs these elements fully, without restrictions or limitations in taking advantage of their infinite possibilities. The result is wonderful painting of high plastic quality. By means of experience that has accumulated and reaffirmed, while remaining open to the unexpected, Luis Granda's painting has developed. This process of evolution has occurred in an atmosphere where certainty and freedom, rather than becoming an obstacle, have represented a vehicle that permits the construction of substantive work.

Arquitectura, el cual le fue otorgado por su participación en el proyecto de reconstrucción de la ciudad de México que el presidente Miguel de la Madrid había ordenado a raíz del terremoto de 1985. Es en este momento cuando toma la decisión de dedicarse únicamente a pintar.

Luis Granda habla de las referencias que han inspirado su obra, y nos dice: *"La incógnita más grande que nos plantea la naturaleza es el ser humano. Como pintor, la figura del ser humano siempre me atrajo, no sólo como modelo, sino como concepto. Buscando descifrar este enigma y entender sus orígenes, me he adentrado en estudios de filosofía, de sociología y de antropología, y en un momento determinado decidí ir al Africa, no para seguir la ruta de Picasso o la de Matisse, sino por entender al hombre en un estado más natural. Hice tres viajes al Africa, y en ellos me adentré en un concepto que allí encontré y que siempre me interesó, que es el simbolismo. Desde la antigüedad el ser humano ha vivido envuelto en ritos y símbolos, y el hombre actual sigue inmerso en ellos. Quizás éstos un poco más refinados y materiales pero, al fin y al cabo, en la vida cotidiana se presentan rituales y símbolos. Detrás de los símbolos existe un pensamiento que puede ser de naturaleza histórica, religiosa, estética, étnica, psicológica o sociológica y, adentrarme a conocer ese contenido, ha sido mi gran pasión".* Este cúmulo de experiencias ha inspirado su pintura desde su época más temprana. Buscando explicar con más detalle el contenido de su pintura, comenta: *"El símbolo de un beso son los labios, pero el rito es la acción de besar. La pintura es justamente un símbolo, que debe contener la emotividad del ritual".* Desde niño Luis advirtió la presencia de los símbolos en una ocasión en que vio a los encapuchados en las procesiones de Semana Santa. En ese momento se da cuenta de que aunque ellos no son los mismos personajes del pasado, su vestimenta sigue representando el castigo. En uno de sus viajes a Africa tuvo oportunidad de observar cómo un hombre tribal adquiría una fuerza sobrenatural al pintar su cuerpo desnudo en preparación para la caza. Luis presenció el ritual de la pintura, una pintura llena de símbolos, y observó la transformación de este hombre, hasta quedar poseído de una fuerza sobrenatural. Había en ello algo misterioso; sin embargo, él advirtió cómo es que el poder del ritual está sostenido por las mismas consideraciones que el hombre involucra, y entonces lo interesante se volvió poder descifrar esas consideraciones.

El tema se ha ido enriqueciendo y enriqueciendo a su pintura. Su caligrafía, como él la llama al referirse a su trazo, es firme, madura, y demuestra gran concordancia con su expresión. Por otro lado, nos encontramos ante un amante y, sobre todo, un maestro del color, de la forma y de la materia, ante un artista que emplea estos elementos a plenitud, sin restricciones, y disfrutando y haciendo uso cabal de sus infinitas posibilidades. El resultado: una pintura portentosa, de gran calidad plástica. Mediante una

LUIS GRANDA
FÉMINA CON GALLO, 1994
Oleo sobre tela, 200 x 300 cm.

experiencia que se acumula y reafirma y que a la vez sigue abierta a la búsqueda y al encuentro de lo inesperado, se ha ido desarrollando la evolución de su pintura. Hablamos de un enriquecimiento que sucede en un medio en donde la certeza y la libertad no se han vuelto un obstáculo, sino un vehículo que permite ir construyendo una pintura de gran sustancia.

Su iconografía nos refiere a la figura humana como tema central. Esta surge ambientada en espacios primitivos, ricamente trabajados, y empleando su oficio a fondo para provocar empastes, veladuras y luminosidades. Alrededor de ella se encuentran otros elementos que de acuerdo a la narrativa de la obra bien pueden ser trompetas, pavos, barcos, toros, sillas, laberintos, etcétera. En sus lienzos es palpable una atmósfera que nos refiere a lo sensible y espiritual, una atmósfera que toca notas sutiles a las que se contrapone la fuerza expresiva del color y de la forma.

La pintura de Granda es gozosa. Con esto me refiero a que en ella se advierte su pasión por pintar. Para él el pintar es un acto en el que no hay reservas, la entrega es total, como en el amor. Y así, nos lleva como espectadores a no conformarnos con menores esfuerzos, a ser exigentes con él y con su trabajo, pues una vez deleitados con este frenesí que provocan sus telas, no podremos volver a conformarnos con un arte secundario o decorativo.

Granda's iconography points to the human figure as the central topic. Humans are depicted in primitive spaces that are richly completed: the artist's skill is employed in producing impasto, glazes and luminosity. Surrounding the human figure are other elements that, according to the narrative of the work, may be trumpets, turkeys, boats, bulls, chairs or labyrinths. There is an atmosphere on Granda's canvases that takes us to the sensitive and the spiritual—an atmosphere that plays subtle notes in contrast with the expressive force of color and form.
Granda's work is joyful: it shows his passion for painting. For Granda, painting is an unreserved act with full surrender, comparable to love. He causes us to refuse to be content with lesser efforts, and to be demanding with him and with his work. Once we have been delighted with the rapture provoked by his canvases, we are unwilling to accept secondary or decorative art.

Ismael Guardado
Rebozo de palomas, 1997
Oleo sobre lino, 152.5 x 122 cm.

Ismael Guardado

1942

La creación de este gran artista ha acumulado desde sus inicios un lenguaje propio y definido, que tan sólo ha admitido el perfeccionamiento de su gran oficio. Ese lenguaje se ha nutrido del latir y el color de su tierra.

Lupina Lara Elizondo

En el pueblo de Ojo Caliente, cercano a la ciudad de Zacatecas, nació Ismael Guardado en 1942. Es un lugar de clima seco, de cielos limpios y una luz transparente que imparte un brillo especial a la atmósfera. Su padre fue maestro rural, y su madre desarrolló diferentes actividades manuales para obtener recursos adicionales, con el fin de apoyar la educación de sus hijos. La familia vivía en la plaza principal del pueblo, la cual se transformaba en los días de fiesta con los desfiles, las procesiones, los bautizos, los entierros y las bodas. Entre esos recuerdos Ismael guardó, además de la alegría y el alboroto de esas ocasiones, una imagen grata, impregnada de ritmos y colores, que más tarde afloraría en su pintura. *"Recuerdo haber ido al cine, que llevaban al pueblo los gitanos en su camión de redilas. Rentaban un corral con barda de adobes, en donde colgaban una sábana, y cada quien llevaba su banco o su silla. En ocasiones recogía pedacitos de película, y en la casa hacía mi propio proyector con una caja de cartón y una lámpara".* Por esos días su padre abrió una tienda de abarrotes. Allí Ismael se interesó en copiar las reproducciones de pinturas clásicas que aparecían en los calendarios que regalaba la Cigarrera La Moderna, y también copió algunas estampas religiosas.

Fue en el año 1962 cuando su madre, al mirar con su natural sensibilidad los dibujos que Ismael hacía, sintió la necesidad de investigar los cursos de pintura de la Academia de San Carlos. Ya con la información en mano, decidió que la familia entera debía trasladarse a la capital a fin de que su hijo pudiera ingresar a estudiar pintura. En breve tiempo traspasaron los negocios, se rentó la casa, y en unas cuantas semanas la familia se encontró instalada en la gran ciudad. Ismael avanzó rápidamente durante el primer año de estudios. Al cabo de este tiempo, el resto de la familia se regresó a Ojo Caliente. Desde allí, su padre le enviaba una pequeña pensión, pero como no le era suficiente para vivir y comprar materiales, desde muy temprano se puso a trabajar, haciendo diseños de joyería y de logotipos. Ismael comenta: *"Fue maravilloso que mi madre advirtiera en mí el gusto por la pintura y que me apoyara a encontrar el lugar que me abriría a este maravilloso mundo de la pintura. Yo llegué a la ciudad de México y a La Academia sin ningún antecedente, ninguna preparación. Tan sólo traía mis dibujos y, poco a poco, fui tomando conciencia de lo que era el arte. Entre los maestros que me dieron clase se encontraban: el maestro Capdevilla, el maestro Nishizawa, el maestro Trejo, el maestro Garibay, el maestro Asúnsolo. Fue una apertura total hacia el arte y hacia la vida".*

In the town of Ojo Caliente, close to the city of Zacatecas, Ismael Guardado was born in 1942. His hometown has a dry climate, clear skies and transparent light that gives the atmosphere a special brightness. His father was a rural schoolteacher, and his mother did various manual activities to obtain additional resources for supporting the children's education. The family lived on the town's central plaza, which transformed on fiesta days with parades, processions, christenings, funerals and weddings. Ismael has memories of the happiness and jubilation of those occasions, in addition to a pleasant image impregnated with rhythm and color that came to blossom in his painting. "I remember going to the see the movies that the gypsies would take to town in their cargo truck. They would rent a corral with an adobe wall, where they would hang a sheet, and everyone would take his own stool or chair. Sometimes I would pick up little pieces of film, and at home I would make my own projector with a cardboard box and a lamp." During those years, Ismael's father opened a grocery store. There Ismael liked to copy the reproductions of classic paintings that appeared on the Cigarrera La Moderna calendars, as well as some religious stamps. It was in 1962 when Ismael's mother, on seeing the natural sensitivity in her son's drawings, felt it necessary to investigate the painting courses at the Academia de San Carlos. With information in hand, she decided that the whole family should move to the capital in order for Ismael to study painting. In a short time, they had sold their businesses, rented their house, and had moved to the great city. Ismael advanced quickly during his first year of studies. At the conclusion of the school year, the rest of the family returned to Ojo Caliente. The small allowance his father sent him was insufficient to cover his living expenses and buy supplies, so Ismael soon began to work designing jewelry and logos. He comments: "It was marvelous that my mother noticed my enjoyment of painting and that she supported me in finding the place that would open up this marvelous world of painting. I arrived in Mexico City at La Academia with no background, no preparation. I brought along only my drawings, and I gradually became aware of what art is. The teachers who gave me classes included Maestro Capdevilla, Maestro Nishizawa, Maestro Trejo, Maestro Garibay, and Maestro Asúnsolo. It was a total opening to art and life."
After finishing his studies, Ismael returned to Zacatecas. He soon moved to Aguascalientes, where he worked at the Taller Posada and organized open workshops for engraving and painting. He states: "After La Academia, I began to discard all the influences and schools and I began to do my own research to find my own language." In 1969, Ismael traveled to France. During his stay, he went to various countries and toured important museums. In Paris, he visited workshops dedicated to graphic design and printing techniques, although at that time music occupied a fundamental place in his life: he had a contract to play the guitar and sing at a well-known

Al concluir sus estudios, Ismael se regresó a Zacatecas. Poco después se fue a Aguascalientes, en donde trabajó en el Taller Posada y organizó talleres libres de grabado y pintura. Y dice: *"Después de La Academia, yo empecé a desechar todas las influencias de escuelas y empecé a realizar mis propias búsquedas para encontrar mi propio lenguaje".* En 1969 Ismael viaja a Francia. Durante su estancia visitó diferentes países y recorrió importantes museos. En París asistió a talleres de diseño gráfico y de técnicas de impresión, aunque en ese momento la música ocupó para él un lugar primordial, ya que tenía un contrato para tocar guitarra y cantar en un conocido restaurante del barrio latino de París, en el cual habían cantado Atahualpa Yupanqui y Georges Moustaki. Al cabo de dos años, Ismael sintió el deseo de volver a su patria para ponerse a pintar.

A su regreso, y después de una breve estancia en Aguascalientes, Ismael se dirigió a la ciudad de México para ir a ver a Fernando Gamboa al Museo de Arte Moderno. Era su intención solicitarle una beca, pues tenía la inquietud de ampliar sus estudios de grabado en Japón. Gamboa contaba con gran prestigio, tanto en México como en el extranjero, y en lugar de la beca le entregó una carta, dirigida al Ministro de Cultura de Japón, el señor Kamasawa. Ismael consiguió el financiamiento para su pasaje y viajó a Japón, donde el Ministro lo recibió, y después de leer la carta, personalmente lo llevó a un taller de serigrafía en las afueras de Tokio, recomendándolo con el maestro Kiyokasu Yamasaki. Ismael trabajó allí como asistente e impresor. Recordando aquellos días, comenta: *"Allí me desarrollé en el lenguaje de la gráfica. Me enriqueció la experiencia visual del diseño, la cerámica, la escultura, la línea de los dibujos y las tintas japonesas".* Para mantenerse, y también para convivir y conocer la forma de vida de los japoneses, por las noches regresaba a la ciudad, donde cantaba y tocaba guitarra en un restaurante japonés–peruano. Tuvo mucho éxito como cantante; su voz y sus canciones gustaban al público japonés, pero al cabo de dos años decidió volver a México.

Nuevamente regresa a la ciudad de Aguascalientes, en donde dirigió el Taller de Grabado José Guadalupe Posada en los años 1975 y 1976, y en 1977 fundó el taller–laboratorio de Artes Visuales para la Universidad Autónoma de Aguascalientes: *"Desde mi regreso la pintura se convirtió en mi principal interés. No obstante, la música ha seguido formando una parte importante de mi vida. Es un lenguaje que sigo investigando; lo hago a sus horas, pero dedico más tiempo a la plástica. Sin embargo, las dos actividades están juntas; son necesarias para mí. Diario toco un instrumento... ensayamos diferentes piezas. Tengo que hacerlo, pues la música es algo que entra en mi cuerpo de otra manera... el sonido... las cuerdas... Es otro enriquecimiento necesario para mí y para mi pintura".*

Ismael Guardado
Las tablas de Dionisio, 1999
Oleo sobre tela, 200 x 150 cm.

restaurant in the Latin quarter, where Atahualpa Yupanqui and Georges Moustaki had previously performed. After two years, Ismael felt the desire to return to Mexico and begin painting.
Following a brief stay in Aguascalientes, Ismael went to Mexico City to see Fernando Gamboa at the Museo de Arte Moderno. His intention was to request a scholarship to study engraving in Japan. Gamboa was prestigious in Mexico and abroad, and instead of a scholarship, he gave Ismael a letter addressed to Japan's Minister of Culture, Mr. Kamasawa. Ismael obtained funds to buy his ticket and traveled to Japan. After Mr. Kamasawa received him and read the letter, he personally took Ismael to a serigraphy workshop outside of Tokyo, and recommended him to Maestro Kiyokasu Yamasaki. Ismael worked there as an assistant and printer. Remembering those days, he comments: "There I learned the language of graphics. I was enriched by the visual experience of design, ceramics, sculpture, the line of drawing and the Japanese inks." To support himself, and also to interact and become familiar with the Japanese way of life, he would return to the city every evening to sing and play the guitar at a Peruvian/Japanese restaurant. Ismael was very successful as a singer, and his voice and songs were liked by the Japanese public. But after two years, he decided to return to Mexico. Once again, he went to Aguascalientes, where he directed the Taller de Grabado José Guadalupe Posada in 1975 and 1976, and in 1977, founded the laboratory workshop of visual arts for the Universidad Autónoma de Aguascalientes: "On my return, painting became my main interest. However, music has continued to form an important part of my life. It is a language that I continue to investigate. I practice at certain hours, but I dedicate more time to painting. However, the two activities are joined, and are necessary for me. I play an instrument every day... we practice different pieces. I have to do it because music is something that enters my body in another way... the sound... the strings... It is another enrichment that is necessary for me and for my painting."
In 1980, Ismael moved to Mexico City. During the decade of the 1980's, he won important prizes for his work: in 1981, the acquisition prize in painting at the INBA Salón Nacional de Artes Plásticas; in 1984, the first prize in engraving at the Primera Bienal Diego Rivera; in 1987, the acquisition prize at the VII Bienal de Grabado Latinoamericano in San Juan, Puerto Rico; in 1988, the first prize in drawing at the III Bienal Diego Rivera. In the 1990's, he won the Paris/Painting prize after having been selected in 1996 and 1999 at the International Triennial of Engraving in Kochi, Japan. These prizes, as well as Ismael's work itself, verify his interdisciplinary production and

En 1980 Ismael se va a vivir a la ciudad de México. En esta década obtiene importantes premios por su trabajo: en 1981, el Premio de Adquisición, en pintura, en el *Salón Nacional de Artes Plásticas* del INBA; en 1984, el Primer Premio de Grabado, en la *Primera Bienal Diego Rivera;* en 1987, el Premio de Adquisición, en la *VII Bienal de Grabado Latinoamericano,* en San Juan de Puerto Rico; en 1988, el Primer Premio de Dibujo, en la *III Bienal Diego Rivera.* Más tarde, ya en la década de los noventa, obtiene el premio París/Pintura, además de haber sido seleccionado en 1996 y en 1999 en la *Trienal Internacional de Grabado,* en Kochi, Japón. Estos premios, así como la misma obra, avalan un trabajo interdisciplinario y el dominio de varios oficios, entre ellos: la pintura, la escultura, el grabado, el dibujo, el mural, el tapiz y el arte objeto. A lo largo de cuarenta años de carrera artística, Ismael ha realizado más de

ISMAEL GUARDADO
TEJEDORA, 2002
Oleo sobre tela, 83 x 104 cm.

mastery of several crafts, including painting, sculpture, engraving, drawing, murals, tapestry and art objects. During the forty years of his career as an artist, Ismael has held more than fifty individual exhibitions in Mexico, the United States and Spain, and his work has participated in no fewer than one hundred ninety collective exhibitions in various countries on four continents, with the exception of Australia. Outstanding among his murals is the most recent, produced in 2001 in the Tribunal Superior de Justicia de Zacatecas, and based on the topic of Temis (Greed goddess of justice) with the use of mixed techniques, as well as his mural of 1984 in the Edificio del Congreso del Estado de Zacatecas, entitled Bajo la roca. This work represents the history of Zacatecas since pre-Hispanic times by depicting the Chicomostoc zone, Independence, the Revolution and mining. Another mural by Ismael Guardado is found in the administrative building of the Universidad Autónoma de Zacatecas, in addition to a metallic mural on the outside of the building, Prometeo, 1969. He produced a stained glass window for the city hall of Zacatecas, as well as for the Zacatecas campus of the Instituto Tecnológico de Monterrey.

In the 1990's, Ismael traveled to Ojo Caliente and visited a town lot owned by his father. Fenced by an ancient adobe wall, the lot contained a huge willow and an extensive prickly pear patch, all over two hundred years old. At that moment, Ismael heard the call of his homeland, and asked his father to have a bricklayer begin to build a house on the lot. For the past eight years, Ismael has lived in this marvelous place, where he enjoys a cozy home, an ample painting workshop, a workshop for engraving, and another for weaving tapestries. He works there with serenity and happiness, with time to play his Veracruz harp and sing old Veracruz songs with his wife. At present, he is working on paintings on large slabs of volcanic rock that are subjected to very high temperatures in order to manipulate their shapes. The stone is prepared and then painted, inscribed and chiseled, resulting in pieces of great character and freedom. The creative process for these stones has required a dynamic rhythm that has motivated Ismael to begin painting frescoes.

Ismael Guardado's work appears before us as rich in spirituality and sentiment. Its content is expressed in an abstract manner, with a combination of the sensual and the mystic. Regardless of the different genres, these qualities join to form part of life—the frame of our existence under the duality of body and soul. From the beginning, Guardado's creation has accumulated its own definite language, which has permitted the perfection of his craft. It is a language that has been nourished by the heartbeat and color of the earth. In Guardado's painting, we are impressed by the expressive freedom and firmness of line, manifested in a frank,

cincuenta exposiciones individuales en México, Estados Unidos y España, y su obra ha participado en no menos de ciento noventa exposiciones colectivas en diversos países de cuatro continentes, quedando fuera solamente Oceanía. Entre su obra mural destaca su obra más reciente, realizada en el año 2001 en el Tribunal Superior de Justicia de Zacatecas, con el tema *Temis* (diosa griega de la justicia), desarrollada en técnica mixta, así como el mural que trabajó en el año de 1984 en el Edificio del Congreso del Estado de Zacatecas, con el título *Bajo la roca*. En este último representa la historia de Zacatecas, desde la época prehispánica, haciendo alusión a la zona de Chicomostoc, a la Independencia, la Revolución y la minería. En la rectoría de la Universidad Autónoma de Zacatecas realizó un mural y en el exterior del edificio un relieve metálico con el tema de *Prometeo*, 1969. En el edificio del Ayuntamiento de la ciudad de Zacatecas realizó un vitral; de igual manera en el Instituto Tecnológico de Monterrey, campus Zacatecas, ha ejecutado un espléndido vitral, *Edificio*.

En los años noventa, en un viaje que hizo a Ojo Caliente, Ismael visitó un terreno que su padre tenía en el pueblo. Rodeado por una vieja barda de adobe, en su interior se encontraban un gran árbol de pirul macho y una extensa nopalera, todo ello con más de doscientos años de antigüedad. En ese momento Ismael sintió el llamado de su tierra, y pidió a su padre mandara a un albañil para empezar a construir su casa. Desde hace ocho años, Ismael vive en este maravilloso lugar, en el que disfruta de una acogedora casa, un amplio taller de pintura, otro de grabado, y otro con un telar, en donde se tejen los tapices que él diseña. Allí trabaja con serenidad y alegría, y tiene tiempo para tañer las cuerdas de su arpa jarocha y entonar con su mujer antiguos sones veracruzanos. Actualmente, Guardado ha desarrollado un trabajo de pintura sobre lajas de piedra volcánica de gran formato, las cuales son sometidas a muy altas temperaturas para manipular su forma. La piedra es preparada y posteriormente pintada, esgrafiada y picada con cincel, logrando una pieza de gran carácter y libertad. El proceso creativo en estas piedras requirió un ritmo muy dinámico que ha motivado a Ismael a incursionar en la pintura al fresco.

La obra de Ismael Guardado aparece ante nosotros rica en espiritualidad y en sentimiento. Su contenido se expresa de manera abstracta, reuniendo lo sensual y lo místico, que no obstante la diferencia en género, se unen al formar parte de la vida, en la cual existimos bajo la dualidad de ser alma y tener un cuerpo. La creación de este gran artista ha acumulado desde sus inicios un lenguaje propio y definido, que tan sólo ha admitido el perfeccionamiento de su gran oficio. Ese lenguaje se ha nutrido del latir y el color de su tierra. En su pintura, nos halagan su libertad expresiva y la firmeza de sus trazos, los cuales se manifiestan de manera franca, abierta y segura. Guardado sabe y siente lo que nos quiere decir, lo que desea compartir; por ello, como sucede al virtuoso, le es fácil enfrentarse a la tela y dejar que la línea fluya y que el color se exprese. Y en ese acto no surgen titubeos ni contradicciones, simplemente un ir y venir de sentimientos y emociones entre el creador y sus elementos.

Para este artista el reto es una constante; no existe el conformismo, ni rutinas, y siempre va en busca de nuevas formas que den cabida a su expresión. Los materiales exigen entrega, pero en su momento se subordinan a la voluntad del artista. Guardado disfruta del lenguaje abstracto, que en el caso de la pintura se integra por forma y color, y en la escultura, por forma y espacio. Su trabajo involucra una armonía cadenciosa que se enriquece con el ritmo de la música y el vibrante encanto que le proporciona el color.

open and sure manner. Guardado knows and feels what he wants to tell us, what he desires to share; for this reason, like a virtuoso, it is easy for him to face the canvas and allow the lines to flow and the colors to express themselves. In this act, there is no stuttering or contradiction, simply a coming and going of feelings and emotions between the artist and his elements.

For Ismael Guardado, challenge is a constant; there is no conformity or routine, and he is forever in search of new forms for his expression. The materials require dedication, but they submit to the artist's will. Guardado enjoys the abstract language integrated by form and color in painting, and by form and space in sculpture. His work involves a lilting harmony that is enriched by the rhythm of the music and the vibrant enchantment of color.

ISMAEL GUARDADO
JUBILEO, 1999
Oleo sobre tela, 200 x 150 cm.

Rubén Leyva
Niño enmascarado totalmente feliz, 1998
Oleo sobre tela, 100 x 80 cm.
Colección Particular

Rubén Leyva

1953

La alegría llega a ser tan evidente que en ocasiones puede llegarse a sentir que el cuadro ríe y canta, que evoca canciones y juegos inocentes.

LUPINA LARA ELIZONDO

BUSCANDO EL SENTIDO DE LA VIDA, RUBÉN LEYVA ENCONTRÓ EL SENTIDO DE LA PINTURA. Y ÉSTA motivó de tal manera su espíritu que decidió convertirla en su actividad diaria, dando así un sentido a su existencia. De esta forma surgió Rubén Leyva, el pintor, quien había visto la luz del día en la ciudad de Oaxaca en el año 1953. Su padre tenía un taller textil, al cual Rubén recuerda haber asistido desde muy pequeño. Sus ojos de niño captaban la aparición de tonos en los caldos pigmentados y posteriormente en las figuras tejidas. A los ocho años colaboró en la manufactura, y ésas fueron, sin pretenderlo, sus primeras lecciones visuales de lo que más tarde sería su profesión.

Cuando Rubén asistió a la escuela, le encantaba dibujar, y en sus clases hacía caballos, monos, paisajes y barcos. Sobre aquellos días, comenta: *"Recuerdo que, cuando tenía diez años, tuve un sueño en el que me veía en medio de una multitud que estaba viendo mis cuadros. Es un sueño que nunca desapareció; lo seguí soñando muchas veces. En un principio parecía algo muy distante, pero con el tiempo llegó un momento en que ese sueño se hizo realidad. Cuando me encuentro en una exposición, rodeado de personas, casi siempre me acuerdo de ese sueño..."* Era evidente que había algo en el interior de este niño que empezaba a despertar. Cuando su tío, el pintor José Zúñiga, visitaba a su padre en Oaxaca, Rubén aprovechaba para expresarle sus inquietudes; le decía que él también quería ser pintor, pero Rubén tenía apenas diez años y el tío se encontraba pintando murales en Cerdeña, Italia.

Durante su infancia los juegos tuvieron un lugar muy importante; se recuerda rodeado de amigos, siempre jugando y riendo, dando vuelo a la imaginación. Entre los diez y once años, sus padres le dieron el encargo de sacar a pasear a determinada hora a un hombre que guardaba cierta cercanía con la familia. Esta persona había sufrido la caída de un camión, y aunque su cuerpo mostraba cierta deformación, a Rubén lo que le interesaba era su conversación. Un día este hombre no salió, y se enteró de que había muerto. Ese hecho inquietó su conciencia y su forma de ver la vida. En busca de respuestas ingresa a un seminario católico; sin embargo, al no encontrar lo que buscaba, al poco tiempo se salió.

Rubén tenía dieciocho años cuando resolvió marcharse de su casa e irse a la ciudad de México. Deseaba tener la oportunidad de enfrentarse a diferentes experiencias de manera más amplia y

RUBÉN LEYVA
ESCALERA, 2002
Oleo sobre lino, 80 x 110 cm.
Colección Particular

WHILE SEARCHING FOR THE MEANING OF LIFE, RUBÉN Leyva found the meaning of painting. And painting motivated his spirit in such a manner that he decided to make it his daily activity—an activity that provided meaning to his existence. These were the beginnings of Rubén Leyva, the painter, born in the city of Oaxaca in 1953. His father had a textiles workshop, where Rubén remembers being present from a very tender age. His young eyes captured the tones in the dye pots and then in the woven designs. At age eight, he began to participate in production—the first visual lessons of what was later to be his profession. While Rubén was at school, he loved to draw horses, monkeys, landscapes and boats. He comments on those days: "I remember that when I was ten years old, I dreamed I was in the midst of a crowd that was looking at my paintings. It is a dream that never went away; I dreamed it many times. At the beginning, it seemed to be something very distant, but over time, that dream became a reality. When I am at an exhibition, surrounded by people, I almost always remember that dream..." It was evident that there was something inside of this boy that was beginning to stir. When his uncle, the painter, José Zúñiga, visited his father in Oaxaca, Rubén took advantage to express his thoughts; he told his uncle that he also wanted to be a painter, but Rubén was barely ten years old, and his uncle was then painting murals in Cerdegna, Italy.
During Rubén's childhood, games also held a very important place; he remembers being with friends, playing and laughing, letting his imagination run loose. When he was ten, his parents assigned him the job of accompanying a friend of the family on a daily walk. The man suffered from physical ailments due to a fall from a bus, but Rubén was interested in his conversation. One day the friend failed to appear, and Rubén learned he had died. The occurrence affected his conscience and his way of viewing life. In a search for answers, he entered a Catholic seminary; not finding what he was looking for, he did not stay long.
Rubén was eighteen when he decided to leave home and move to Mexico City. He wanted to have the opportunity to experience life in a broader and more direct manner than would be possible in the peaceful city of Oaxaca. Inherent in his decision was the intention to take on the adventure of existence. Events happened fortuitously. Friends introduced him to other friends, and he met politicians, intellectuals, poets, painters, teachers and adventurers like himself. Each instant left its mark. He joined the Hari Krishnas, in search of answers. Mexico City also allowed him to become familiar with culture and

directa de lo que podía hacerlo en la apacible ciudad de Oaxaca. Su decisión llevaba la intención de aventurarse a experimentar la vida. Los eventos sucedían al azar. Unas personas lo llevaban a conocer a otras; así llegó a conocer a políticos, intelectuales, poetas, pintores, maestros y aventureros igual que él. Cada instante dejaba su huella. En un momento se unió a los Hari Krishnas, buscando encontrar respuesta a sus inquietudes. La ciudad de México también le permitió conocer del arte culto y refinado, del buen teatro, de la buena música. Acudió de manera informal a unas cuantas clases en la Escuela de Pintura y Escultura La Esmeralda, lo que le permitió reafirmar algo que ya sabía, que ya era tiempo de que se iniciara en esa su vocación innata, la pintura. De allí en adelante empezó a visitar las galerías de la ciudad de México y acudió a exposiciones de diversos artistas, entre ellos Francisco Zúñiga. La obra de Pedro Coronel despertó en él fuerte interés, por su manera de descomponer la forma y de emplear el color. Conoció la pintura de otro oaxaqueño, Rodolfo Nieto, y desde entonces Rubén lo consideró como uno de los pintores mexicanos que mejor han manejado la plasticidad. Transcurrieron casi dos años en los que conoció los extremos de la vida y entre éstos un abanico de opciones, hasta que llegó el momento en que consideró que las experiencias vividas le habían inculcado una formación firme que le permitiría en el futuro elegir con más claridad. Como nunca antes, sentía una gran seguridad.

Valioso y fructífero fue el encuentro que Rubén tuvo consigo mismo durante su estancia en la ciudad de México. De este encuentro surge el descubrimiento de sus afinidades y el rechazo a lo que no le pertenece. Este suceso, tan contundente y claro, se dio gracias a la transparencia de su espíritu y será la base futura de una auténtica creación. Rubén regresó a Oaxaca y se dedicó a reforzar su preparación artística. En 1972 acudió a la Escuela de Bellas Artes de la Universidad Autónoma Benito Juárez de Oaxaca, y allí permaneció cerca de tres años, estudiando pintura y serigrafía. Desde ese momento decide apartarse del academicismo, pues existían en su interior tantas ideas y sentimientos, que sólo podría expresarse con un lenguaje propio. Para mantenerse, Rubén se ve en la necesidad de trabajar, por lo que se contrata en una empresa de artículos eléctricos. Después del trabajo, Rubén se dedicaba a pintar; en ocasiones se quedaba trabajando durante toda la noche. Al poco tiempo contrajo matrimonio con María de los Angeles Santiago, con quien tuvo dos hijos: Rubén y Mariana. Con el deseo de adquirir una casa propia, los desvelos se hicieron cada vez más frecuentes. Hacía principalmente acuarelas, y al no haber todavía galerías formales en la ciudad, los sábados salía a la calle a vender sus pinturas entre las personas que pasaban. Siempre tenía la fortuna de encontrar clientes interesados.

En esa época Leyva pintaba temas cotidianos, y a veces hacía uno que otro cuadro con las ideas originales que le venían a la mente, hasta que decidió apostar todo a su propio estilo. De esta manera fue surgiendo una pintura libre y espontánea, llena de expresividad, la cual no guardaba compromisos con nada ni con nadie, más que consigo mismo. Una vez iniciado en ese camino jamás pensó en claudicar: *"Mi pintura me pone*

RUBÉN LEYVA
POR LA RUTA DE LA SEDA, 1998
Tinta sobre papel, 57 x 76 cm.
Colección Particular

fine art, good theater and good music. He casually attended a few classes at the Escuela de Pintura y Escultura La Esmeralda, which reaffirmed what he already knew: it was time to make a beginning in his innate vocation of painting. From that moment on, Rubén began to go to galleries in Mexico City and visit the exhibitions of various artists, including Francisco Zúñiga. The work of Pedro Coronel made a strong impression on Rubén because of its manner of decomposing form and employing color. He saw the painting of another native of Oaxaca, Rodolfo Nieto, and came to consider him as one of the Mexican painters who has best handled plasticity. For almost two years, Rubén experienced the extremes of life and a variety of options. The time finally arrived when he felt that his experiences had provided him with a firm foundation for making clear choices in the future. As never before, Rubén enjoyed great self-confidence. Rubén's period of self-encounters in Mexico City was valuable and fruitful. It resulted in the discovery of his affinities and his rejection of things foreign to him. Such a conclusive outcome was due to the clarity of his spirit, and would be the future basis of authentic creation. Rubén returned to Oaxaca and dedicated himself to reinforcing his artistic preparation. In 1972, he enrolled in the Fine Arts School of the Universidad Autónoma Benito Juárez in Oaxaca, and remained there close to three years, studying painting and serigraphy. He decided during that time to distance himself from academics, since his ideas and feelings could only be expressed in a language of his own. To support himself, Rubén found it necessary to seek employment in an electrical appliance firm. He would paint after work, and sometimes extended his painting throughout the night. He married María de los Angeles Santiago, and the couple had two children, Rubén and Mariana. Due to his desire to buy a home, Rubén's long nights became even more frequent. He painted mainly watercolors, and in the absence of formal art galleries in the city, would go out on the streets on Saturday to sell his work to the passersby. He always had the good fortune of finding interested buyers.

During that era, Leyva painted everyday scenes, and at times would produce a painting or two using the original ideas that came to his mind. He ultimately decided to dedicate himself entirely to his own style, and came to create free and spontaneous work, full of expressiveness, without commitments to anything or anybody other than himself. Once he had started down that path, he never considered abandoning it: "My painting makes me very happy, simply because when I paint I am myself and I do not have to pretend that I am anyone else. I decided to place my bets on myself, of course with great references and influences from other painters, like Monet, Miró and Chagall. In my personal opinion, Impressionism has become one of the most important stages in painting... With complete freedom and a great spirit of playfulness, which I have always had, I am creating. And that person is I..."That splendid freedom is the source of a large part of the enchantment that the viewer finds in Rubén's work: the freedom envelops us and stimulates nostalgia for the childhood that has so quickly escaped us. True relaxation is produced by absorbing the infinite happiness that inspires the artist. Such happiness becomes so evident that a painting can occasionally be felt to laugh and sing, and to evoke innocent songs and games. Rubén's work is based on sentiment, and has the final purpose of containing and sharing feelings.

While in Oaxaca, Rubén met Graciela Cervantes and Dora Luz Martínez, and conceived with them the project of opening a gallery. Rubén Leyva was one of the first artists shown at the new gallery, along with Luis Zárate, and others gradually joined their ranks. In 1981, Leyva prepared his first individual exhibition, which was presented at Oaxaca's Museo de Antropología e Historia; his work was received with enthusiasm. The way was opened for future exhibitions that were prepared year after year. In 1982, his work was shown at the Galería Los Siete Príncipes and the Casa de la Cultura de Oaxaca, and the following year once again at the Museo de Antropología e Historia de Oaxaca.

In 1984, Leyva's work reached Mexico City: the Galería La Capilla and the Instituto Francés de América Latina. Because of these exhibitions, Leyva received the proposal in 1985 to show his work at a gallery in San Diego, California, and a year later, in the Atlas Gallery of Chicago. That same year he was awarded the Primer Premio de Artes Plásticas ("First Prize in Plastic Art") at the Casa de la Cultura de Oaxaca.

An outstanding exhibition entitled El sentido del color, was held at the Galería Quetzalli of Oaxaca in 1987. One year later, one of the gallery pioneers in Monterrey, Ramis Barquet, contacted Leyva to carry out an important exhibition in that city. He enjoyed great success among the area's collectors.

In 1992, Leyva held another important exhibition, Fragmentos de mis sueños, in Mexico City, and in 1995, he presented the 50th Anniversary of the United Nations in New York City. On that occasion, his work was selected for the edition of commemorative graphics of the UN's fiftieth anniversary. Between 1995 and 1996, he prepared a traveling exhibition for Texas, entitled Solar Earth. It was exhibited at the Instituto Cultural Mexicano of the Mexican Consulate in San Antonio, at the Federal Reserve Bank of Dallas, and concluded at the Instituto Cultural Mexicano in Houston.

In 1997, Leyva held an interesting exhibition and presented his book, El reino de la luz, at the Galería Talento in Mexico City. One year later, his second

muy contento, simplemente porque cuando pinto soy yo y no tengo que pretender ser alguien más. Decidí apostarme a mí mismo, por supuesto con grandes referencias e influencias de otros pintores como Monet, Miró y Chagall. Para mí, en lo personal, el impresionismo se ha convertido en una de las etapas más importantes de la pintura. [...] ...con toda libertad y con un gran espíritu de juego, como siempre he sido, estoy creando, y ése soy yo..." En esa espléndida libertad radica gran parte del encanto que el espectador encuentra en su pintura, ya que ésta envuelve y despierta en quienes la miramos la nostalgia de esa niñez que tan velozmente se nos ha esfumado. Ella provoca un auténtico relajamiento, al estar impregnada de esa infinita alegría que inspira a su creador. La alegría llega a ser tan evidente que en ocasiones puede llegarse a sentir que el cuadro ríe y canta, que evoca canciones y juegos inocentes. Su obra parte del sentimiento, y su fin último es contenerlo y compartirlo.

En aquellos días Rubén conoció a Graciela Cervantes y a Dora Luz Martínez, con quienes concibe el proyecto de iniciar una galería en forma y son ellas quienes lo consolidan. Rubén Leyva fue uno de los primeros artistas de la recién abierta galería, junto con Luis Zárate, y a ella se fueron adhiriendo poco a poco otros artistas más.

En 1981 Leyva prepara su primera exposición individual, la cual se presentó en el Museo de Antropología e Historia de Oaxaca; la obra fue recibida con entusiasmo. Esto dio apertura a sus futuras exposiciones, las cuales fueron preparándose año con año. En 1982 su obra se presentó en la Galería Los Siete Príncipes, Casa de la Cultura de Oaxaca, y el siguiente año volvió a presentarse en el Museo de Antropología e Historia de Oaxaca.

En 1984 la obra de Leyva llega a la ciudad de México: a la Galería La Capilla y al Instituto Francés de América Latina. A través de estas exposiciones, en 1985 Leyva recibió la propuesta de presentarse en una galería de San Diego, California, en los Estados Unidos, y un año después en la Atlas Gallery de Chicago. Ese mismo año recibió el Primer Premio de Artes Plásticas en la Casa de la Cultura de Oaxaca.

Una exposición sobresaliente fue la que tituló *El sentido del color*, realizada en la Galería Quetzalli de Oaxaca en 1987. Un año más tarde, uno de los galeristas pioneros de Monterrey, Ramis Barquet, contactó a Leyva para llevar a cabo una importante exposición en esa ciudad, en donde tiene gran éxito con los coleccionistas regiomontanos.

En 1992 realiza otra importante exposición, *Fragmentos de mis sueños*, en la ciudad de México, y en 1995 presenta *50th Anniversary of the United Nations* en la ciudad de Nueva York. En esta ocasión se seleccionó su obra para la edición de la gráfica conmemorativa del quincuagésimo aniversario de la ONU. Entre 1995 y 1996 preparó una exposición itinerante por Texas,

Rubén Leyva
La casa de la origamia, 2001
Oleo sobre lino, 150 x 200 cm.
Colección Particular

Solar Earth, la cual se exhibió en el Instituto Cultural Mexicano del Consulado General de México en San Antonio, en el Federal Reserve Bank of Dallas, y por último, en el Instituto Cultural Mexicano de Houston.

En 1997 llevó a cabo una interesante exposición y la presentación de su libro *El reino de la luz,* en la Galería Talento de la ciudad de México. Un año más tarde se edita su segundo libro, *Jugar o no jugar,* el cual fue presentado en la Grosvenor Place Gallery de la European Academy for the Arts, en Londres, Inglaterra. Para iniciar el nuevo siglo, Leyva preparó la exposición *Espejos del alma,* la cual presentó en la ciudad de México, en el Centro Cultural Casa Lamm, y en el 2001 lleva a cabo la exposición y la presentación de su tercer libro, *Conjugando el tiempo,* en el Instituto Galileo de Madrid, España.

Actualmente Rubén radica en Oaxaca. Su taller está ubicado dentro de una amplia finca de estilo rústico moderno, pintada en colores tierra, en cuyo exterior resaltan los tonos verdes de un sinnúmero de plantas cactáceas de diferentes tamaños y formas. Desde este lugar maravilloso, Rubén Leyva ejerce y comparte ese gran don que involucra la creación estética.

book, Jugar o no jugar, was published and presented at the Grosvenor Place Gallery of the European Academy for the Arts in London, England. To open the new century, Leyva prepared the exhibition, Espejos del alma, which he showed in Mexico City at the Centro Cultural Casa Lamm. In 2001, he held the exhibition and presentation of his third book, Conjugando el tiempo, at the Instituto Galileo of Madrid, Spain.
At present, Rubén lives in Oaxaca. His workshop is located in a large house of a modern rustic style, painted in earth colors, with the green tones of numerous cactuses of various shapes and sizes outside. From this marvelous place, Rubén Leyva exercises and shares his great talent of aesthetic creation.

Abelardo López
La cuesta, 1996
Oleo sobre tela, 70 x 100 cm.

Abelardo López

1957

La naturaleza es una obsesión a la que Abelardo se entrega,

y ella le paga con creces, como la más fiel de sus amantes.

Lupina Lara Elizondo

Abelardo López nació el 11 de octubre de 1957 en San Bartolo Coyotepec, Oaxaca, zona rural poblada por artesanos, en donde se trabaja el barro negro. Su padre es don Gregorio López Gómez, quien actualmente tiene ochenta y dos años y sigue siendo un afanoso campesino; toda su vida la ha dedicado al campo. Su madre, Aurora Moreno Fabián, ha sido la inseparable compañera de su padre y siempre lo ha apoyado en sus labores del campo. Todos los días, al terminar la faena, Doña Aurora trabaja la cerámica. En un principio lo hacía como pasatiempo, pero a partir de que adquirió más habilidad, ha elaborado piezas muy especiales y con eso ha compensado las necesidades de la familia.

Abelardo es el séptimo de once hermanos. El mismo comenta algunos detalles sobre su familia: *"De mi madre, heredamos su habilidad creativa con las manos. Uno de mis hermanos se dedicó a la gastronomía y tuvo la oportunidad de irse a trabajar a las Islas Bermudas. Ese hermano es mayor que yo, y recuerdo que él influyó mucho en mi decisión de ser pintor, pues a pesar de ser zurdo, dibujaba maravillosamente bien y a mí me gustaba mucho ver lo que hacía. Sus cuadros eran muy elaborados y de alguna manera me inspiraban. Desde el cuarto año de primaria me volví el dibujante oficial de mi clase, pero mi padre añoraba que yo estudiara agronomía en la Escuela de Chapingo. Sin embargo, al terminar la primaria, insistí en mi decisión de entrar a la Escuela de Bellas Artes de Oaxaca. Después de que mi padre indagó lo que se hacía en la escuela, llegó a la conclusión de que por lo menos saldría capacitado para dedicarme a ser maestro de dibujo y pintura. Eso lo tranquilizó, ya que al menos tendría con qué mantenerme. Así fue como inicié mis estudios formales de pintura"*.

En aquella época la enseñanza en esa escuela no era sistematizada; se reducía a ofrecer talleres abiertos en los que se inscribían personas de todas las edades. Los maestros se limitaban a supervisar el trabajo y no tenían ningún interés por actualizar sus métodos. En esos días, el Rector de la Universidad Autónoma de Oaxaca comentó al maestro Francisco Toledo su inquietud de impulsar las Artes Plásticas en el Estado, y éste recomendó al maestro Roberto Donis para llevar a cabo el ambicioso proyecto. Abelardo recuerda de aquellos días: *"Al poco tiempo de que ingresé a Bellas Artes, llegó a la institución el maestro Donis, una persona de gran dinamismo que trajo consigo*

Abelardo López was born on October 11, 1957, in the rural zone of San Bartolo Coyotepec, Oaxaca, where the craftsmen work black clay. Abelardo's father, Gregorio López Gómez, at age eighty-two is still a hardworking farmer with an entire lifetime behind him in the fields. Abelardo's mother, Aurora Moreno Fabián, has been his father's inseparable companion and constant helper in the fieldwork. At the end of every workday, Aurora makes ceramics. What was initially a hobby transformed into a source of income for covering the family's needs as Aurora became more skillful and was asked to produce special pieces.
Abelardo is the seventh of the family's eleven children. He comments on some of the details of his family life: "We inherited my mother's creative ability with her hands. One of my brothers devoted himself to gastronomy and had the opportunity to work in the Bermudas. He is older than I am, and I remember he was a big influence in my decision to be a painter. In spite of being left-handed, he drew marvelously well and I liked watching what he did very much. His paintings were very elaborate and somehow inspired me. Ever since fourth grade, I was the official artist of my class, but my father wanted me to study agronomy at the school in Chapingo. However, after finishing primary school, I insisted on enrolling in the Escuela de Bellas Artes de Oaxaca. Once my father found out what was taught in the school, he came to the conclusion that at least I would be trained to become a drawing and painting teacher. That reassured him, since I would at least be able to support myself. That was how I began my formal studies in painting."
At that time, teaching at the school was not systematized; it consisted of offering open workshops for persons of all ages. The teachers limited themselves to supervising the work and had no interest in updating their methods. The rector of the Universidad Autónoma de Oaxaca, however, was concerned about encouraging plastic arts in the state, and commented on the situation with Maestro Francisco Toledo; Toledo recommended Maestro Roberto Donis for the ambitious project. Abelardo recalls those days: "Shortly after I enrolled in Bellas Artes, Maestro Donis arrived at the institution. He was a very dynamic person who brought his team with him: Leticia Tarragó and Fernando Vilchis, among other teachers. He took on the task of integrating the Plastic Arts major, and to reach his goals, he began by restructuring the teaching and reforming methodology. Then he enlarged and furnished the facilities, and was able to integrate the workshops of engraving, enameling, restoration and serigraphy. In addition, he scheduled conferences of interest that broadened our limited knowledge of history and universal art. Many of us have since become well-known in painting in Oaxaca, including Ariel Mendoza and Filemón Santiago."
The students were enormously motivated by Maestro Donis' changes. In addition to the internal programs, he

un equipo de trabajo: a Leticia Tarragó y Fernando Vilchis, entre otros maestros. El asumió la tarea de integrar la carrera de Artes Plásticas, y para cumplir sus objetivos, empezó por reestructurar la enseñanza y reformar la metodología. Posteriormente amplió y equipó las instalaciones, y logró integrar los talleres de grabado, esmalte, restauración y serigrafía. Adicionalmente programó interesantes conferencias que ampliaban nuestros escasos conocimientos sobre Historia y Arte Universal. En ese entonces coincidimos muchos de los artistas que ahora hemos logrado destacar dentro de la pintura oaxaqueña, como Ariel Mendoza y Filemón Santiago".

El cambio que provocó el maestro Donis motivó enormemente a los estudiantes. Además de los programas internos, buscó abrir nuevos horizontes para ellos. Al año de haber llegado, los lanzó a una exposición colectiva en la Galería Misrachi, en la ciudad de México. En aquellos días Rufino Tamayo visitó la Escuela de Pintura y se sorprendió al ver los logros que se habían alcanzado, por lo que también ofreció su apoyo. El maestro Donis le dijo: "¿Por qué no empieza apadrinando esta exposición de jóvenes pintores oaxaqueños?" La inauguración tuvo un éxito sin precedentes, y el maestro Tamayo ofreció unas palabras que alentaron aún más a los exponentes.

Abelardo López permaneció tres años en la Escuela de Artes Plásticas, en los que buscó sacar provecho a los talleres que se impartían: aprendió el grabado, reforzó su calidad en el dibujo y ejercitó la acuarela. Todo el apoyo que la Rectoría de la Universidad otorgó a la Escuela de Artes Plásticas, fue recibido con recelo por las Escuelas de Música, Teatro y Danza, al grado de llegar a impedir la continuidad del desarrollo proyectado. El maestro Donis decidió separarse y formar un taller independiente; para ello se

Abelardo López
Valle de Tecolula, 1996
Oleo sobre tela, 95 x 130 cm.

Abelardo López
Rumbo a Mitla, 2001
Oleo sobre tela, 100 x 200 cm.

acercó a Rufino Tamayo, a Francisco Toledo y al INBA, y con ellos definió las bases del nuevo centro de estudios. Al momento de contar con las nuevas instalaciones, se integraron al que se denominó Taller Rufino Tamayo. La mayoría de los jóvenes tenía entre dieciséis y dieciocho años, y aún se encontraba bajo el subsidio de su familia; a los que no contaban con ese privilegio, el maestro Toledo les consiguió becas. Muchos de ellos, prácticamente vivían en el taller; trabajaban de día, y en muchas ocasiones la inspiración y la necesidad de cumplir con sus proyectos los hacía continuar de noche.

En aquellos días era Secretario de Educación Pública el ingeniero Víctor Bravo Ahuja, de origen oaxaqueño, a quien Tamayo había comentado sobre la labor del Maestro Donis. En una ocasión en que el ministro visitó la ciudad de Oaxaca y vio el trabajo de los estudiantes, propuso hacer una gran exposición de esos jóvenes, insistiendo en que debía hacerse en grande, presentándolos en el Museo de Arte Moderno. Fue así como se organizó la exposición, mostrándose a un vasto público el talento contenido en la entonces naciente "Escuela Oaxaqueña". A partir de esa exposición, los miembros del taller cosecharon importantes reconocimientos en el Concurso Nacional para Estudiantes de Artes Plásticas que se llevaba a cabo en Aguascalientes, y que después se convirtió en el Premio Nacional de Arte Joven. Abelardo permaneció dos años más en el mencionado taller, y a partir de 1976, empezó a trabajar por su cuenta.

En 1978 Abelardo conquistó el Tercer Lugar de Pintura en el Premio Nacional de Arte Joven. En 1979 viajó con sus compañeros a la ciudad de Washington, ya que habían sido invitados por el director del Museo de Arte Moderno Latinoamericano, el señor José Gómez Icre, quien era

attempted to broaden the students' horizons. One year after arriving, he launched a collective exhibition at the Galería Misrachi in Mexico City. Help was also offered by Rufino Tamayo, who had visited the painting school and was amazed by its accomplishments. Maestro Donis asked him, "Why don't you begin by sponsoring this exhibition of young painters from Oaxaca?" The opening had unprecedented success, and Maestro Tamayo delivered a speech that encouraged the participants even more.
Abelardo López remained at the Escuela de Artes Plásticas three years, attempting to take advantage of the workshops offered: he learned engraving, reinforced his quality in drawing and practiced watercolors. The support the university rector's office gave the Escuela de Artes Plásticas was viewed with misgivings, however, by the schools of music, theater and dance, and its projected development was interrupted. Maestro Donis decided to leave the school and form an independent workshop. He approached Rufino Tamayo, Francisco Toledo and the Instituto Nacional de Bellas Artes and with them defined the bases for the new educational center. At the moment the new facilities were ready, the Taller Rufino Tamayo was formed. Most of its students were between sixteen and eighteen years old and still supported by their families; those not receiving family help were the recipients of scholarships obtained by Maestro Toledo. Many of them practically lived in the workshop. They worked all day, often continuing through the night, depending on project needs and inspiration.
At that time, the Minister of Public Education was Víctor Bravo Ahuja, an engineer by profession from Oaxaca. He had heard about Maestro Donis' work from Tamayo. When the minister visited Oaxaca and

de origen cubano. En su visita al Taller Rufino Tamayo, se había quedado maravillado al ver la calidad de los trabajos, y de inmediato les organizó una exposición para exhibir la obra en dicho museo. Cada uno de los participantes envió entre cuatro y cinco cuadros, de los cuales ninguno regresó, pues todos se vendieron en la exposición. Los artistas regresaron muy entusiasmados y motivados para seguir pintando.

A Abelardo lo inquietaba la experiencia de participar en la docencia y por ello aceptó la propuesta para trabajar en la Casa de la Cultura de Tuxtepec en 1979. Ese es un lugar que geográficamente forma parte de Oaxaca, pero que culturalmente tiene una gran influencia veracruzana; allí logró formar un taller de Artes Plásticas. En 1981 estuvo en la Casa de la Cultura de Ciudad Ixtepec, una zona apartada en el Istmo, y en 1984 regresó a Oaxaca para trabajar en la Casa de la Cultura de la ciudad. Todas esas actividades le impidieron pintar.

Después de estas retribuyentes experiencias, Abelardo viajó a los Estados Unidos a visitar a su hermano mayor. Durante su estancia visitó museos y galerías, pero al poco tiempo regresó a Oaxaca junto con su esposa, ya que su hija estaba por nacer. Buscando un ingreso seguro que le permitiera mantener a su familia, pues en aquellos días aún no existían galerías en Oaxaca y la actividad de venta de cuadros estaba muy limitada, permaneció una corta temporada en el puerto industrial Lázaro Cárdenas, en Michoacán. A pesar de que Abelardo se contrató en el departamento de fotografía de la siderúrgica, no pudo permanecer mucho tiempo en el puesto ya que esto era ajeno a sus inquietudes artísticas, y al poco tiempo renunció para regresar a Oaxaca. Instalado de nuevo en su tierra, empezó a pintar con ahínco y a vender sus obras a los turistas que visitaban la ciudad. Más o menos lograba mantenerse con su trabajo, hasta que las recién abiertas galerías empezaron a buscarlo para establecer con él una relación de compromiso.

Abelardo López ha logrado ocupar un lugar destacado dentro de la plástica mexicana. El artista participa con todo el esplendor de su paisaje, siendo como lo ha sido, uno de los renovadores de este género. Su pintura nos lleva a amar y a la vez sentir el suelo mexicano, porque al verla dejamos de ser meros espectadores para volvernos parte de ella. Abelardo López decidió pintar el paisaje de manera espontánea, no fue un acto premeditado. Quizás porque siempre le rindió homenaje con la vista y lo alabó con el pensamiento, ahora que podía interpretarlo, lo enaltecería en sus lienzos. Su padre lo enseñó a amar la tierra y, desde muy pequeño, Abelardo sintió el llamado de la naturaleza; lo motivaron las piedras, las rocas, la lluvia, el viento, el sol, la luz y el espacio. Para él, mirar la naturaleza es sentirla; es entenderla en toda su potencialidad: *"El tema me gustaba,*

saw the students' work, he proposed a grand exhibition. He insisted on a large-scale project, and presented them in the Museo de Arte Moderno. In this manner, an exhibition was organized to show to a broad public the talent of the newly formed "Escuela Oaxaqueña". The exhibition marked the beginning of important recognition for the workshop's members in the Concurso Nacional para Estudiantes de Artes Plásticas ("National Contest for Students of Plastic Art") held in Aguascalientes and later to become the Premio Nacional de Arte Joven ("National Prize for Young Art"). Abelardo stayed in the workshop two years more, and in 1976, began working on his own.

In 1978, Abelardo won third place in painting in the Premio Nacional de Arte Joven. In 1979, he traveled with his classmates to Washington City on the invitation of the director of the Museo de Arte Moderno Latinoamericano, José Gómez Icre, from Cuba. On visiting the Taller Rufino Tamayo, Gómez Icre had marveled at the quality of the work, and immediately organized an exhibition at his museum. Each participant sent from four to five paintings and received none in return: they were all sold at the exhibition. The painters returned home with great enthusiasm and motivation to continue painting.

Abelardo was intrigued by the possibility of teaching, and accepted a proposal to work at the Casa de la Cultura of Tuxtepec in 1979. This town—where Abelardo was able to open a plastic arts workshop—geographically pertains to Oaxaca, but culturally has been highly influenced by Veracruz. In 1981, Abelardo was at the Casa de la Cultura de Ciudad Ixtepec, an isolated zone in the Isthmus, and in 1984, he returned to Oaxaca to work in the Casa de la Cultura. All these activities interrupted his painting.

Abelardo then traveled to the United States to visit his oldest brother. During his stay, he visited museums and galleries, although he was soon to return to Oaxaca to accompany his wife on the birth of their daughter. In search of steady income that would allow him to support the family (taking into account the lack of galleries in Oaxaca at that time and the very limited sale of paintings), Abelardo lived a short time in the industrial port of Lázaro Cárdenas, Michoacán. He was hired to work in the photography department of the city's iron and steelworks, but was unable to remain in the position due to his artistic interests; he soon resigned in order to return to Oaxaca. Once again in his native region, Abelardo began to paint with dedication, and sold his work to tourists in the city of Oaxaca. He was making only a marginal living until the newly opened galleries began to contact him to establish a committed relationship.

Abelardo López has attained an outstanding place in the Mexican plastic arts. He participates with all the splendor of the landscape, and has been a renovator of landscape painting. His work takes us to love and feel the Mexican soil: we cease to be mere spectators and become part of the land. Abelardo López decided to paint landscapes spontaneously; it was not a premeditated act. Perhaps since he had always paid homage with his eyesight and had praised the landscape with his thoughts, he was able to interpret and glorify it on his canvases. His father taught him to love the land, and even as a small boy, Abelardo felt the nearness of nature; he was motivated by the rocks, the rain, the wind, the sun, the light

pero además, se me facilitaba el pintarlo. En Oaxaca, visité el Istmo, la costa, la sierra y las zonas que colindan con Veracruz. Estos viajes me hicieron adentrarme a los panoramas de las distintas regiones, entender los cambios de estación y las coloraciones que éstos provocan".

Su obra requiere del gran formato para transmitir su majestuosidad, para entregarse de lleno y manifestarse con todo su atractivo. En esos lienzos inmensos, el artista se vuelca en sentimiento para plasmar de manera impecable el nítido horizonte que separa a la tierra ondulada de un cielo limpio como el del valle de Tamazulapan, el del camino de Zaachila o el del valle de Oaxaca. La paleta de Abelardo es pura y su pincelada transparente. Aplica el material a manera de empastes, creando texturas que enriquecen aún más sus paisajes. Abelardo pinta del natural, y por ello un valle de Zaachila siempre será distinto a otro. Siempre será nuevo porque es el paisaje de hoy.

La naturaleza es una obsesión a la que Abelardo se entrega, y ella le paga con creces, como la más fiel de sus amantes. Y en esta relación de mutua entrega el pintor ha buscado un nuevo acercamiento, una nueva dimensión desde la cual contemplarla y entenderla. Así, se ha lanzado a admirarla desde vistas aéreas, desde ángulos donde puede comprender la magnitud de su fuerza, desde donde entiende sus orígenes y su gestación. Y con el éxtasis que provoca esta comprensión externa, ha surgido la posibilidad de una nueva dimensión en la pintura de Abelardo López, posibilidad que exige la audaz tarea de reconfigurar la óptica y técnica de su pintura para compartir esta nueva perspectiva enriqueciendo la dimensión del paisaje mismo.

and space. For Abelardo, looking at nature is feeling and understanding nature in its entire potential: "I liked the topic, but in addition, I found it easy to paint. In Oaxaca, I visited the Isthmus, the coast, the mountains and the zones bordering Veracruz. These trips made me enter the panoramas of the different regions, understand the changes of seasons, and the colors they provoke." Abelardo's work requires a large format to transmit its majesty and full depth, and to manifest its attractiveness. On these immense canvases, the artist externalizes his sentiment in representing impeccably the clear horizon that separates the wavy earth from the clean sky in the valley of Tamazulapan, on the road to Zaachila or in the valley of Oaxaca. Abelardo's palette is pure and his brushstrokes transparent. He applies material thickly, creating textures that enrich the landscapes even further. Since he paints from life, one valley of Zaachila will always be different from another. It will always be new because it will represent the landscape of today. Nature is an obsession to which Abelardo surrenders, and nature repays him as the most loyal of friends. In this relationship of mutual trust the painter has sought a new approach, a new dimension from which he can contemplate and understand. He has boldly admired nature from aerial views, and from angles that explain the magnitude of its force, its origins and its gestation. Along with the ecstasy provoked by this external comprehension, the possibility of a new dimension has arisen in the painting of Abelardo López—the possibility that demands the audacious task of reconfiguring the optics and techniques of his painting in order to share this new perspective and enrich the dimension of the landscape itself.

Abelardo López
Camino a Zaachila, 1995
Oleo sobre tela, 100 x 200 cm.

Raúl Oscar Martínez
La noche, 2001
Mixta sobre panel, 120 x 150 cm.

Raúl Oscar Martínez

1941

Sus personajes podrían tener relación con aquellas figuras ficticias que inventábamos para jugar en la infancia, y que de tanto estar cerca, han cobrado vida. Raúl las pinta para que sepan que él no las olvida.

Lupina Lara Elizondo

Raúl Oscar Martínez González nació en la ciudad de Monterrey, Nuevo León, en el año 1941. Su madre es Alicia González y su padre Raúl Martínez Reyes, y en aquellos días tenía un negocio de impresión en el que sus hijos lo apoyaban. Esa actividad permitió a Raúl desarrollar agudeza en su observación y le llevó a entender la calidad de una buena reproducción y de un buen diseño. Su personalidad apacible y reservada se reveló desde que era niño. Siempre se mantuvo interesado en aquellas cosas que formaban su mundo e intentaba pasar desapercibido. Comenta que en su escuela había compañeros que dibujaban muy bien y que, conscientes de ello, presumían sus trabajos a los demás. Al respecto, él comenta: *"Yo nunca enseñaba los míos. Era más reservado, pero siempre me esforzaba para que me gustaran a mí".* Desde estos primeros dibujos apareció la figura como tema principal, predominando siempre la línea sobre el color. Su interés hacia el dibujo se fue incrementando, y con el tiempo adquirió algunos libros que lo orientaron, hasta que dejó de copiar dibujos para tomar apuntes de fotografías y del natural. Continuó investigando y documentándose durante todo el período en que cursaba la secundaria, hasta que sus esfuerzos encontraron una aplicación práctica cuando su padre lo llamó a trabajar en la imprenta. Allí desarrolló una gran cantidad de viñetas y diseños tipográficos. Como en aquel entonces todo se realizaba a mano, ello implicó para él una constante disciplina en el dibujo y el desarrollo de la habilidad manual. Cuando los clientes empezaron a requerir diseños comerciales para promocionar sus productos, la calidad que Raúl Oscar imprimía a los mismos provocó que este trabajo se convirtiera en un nuevo servicio que la imprenta ofrecía a sus clientes.

Al terminar la secundaria, surgió en Raúl la inquietud de estudiar arte y quiso dejar a un lado la preparatoria, pero sus padres no se lo permitieron; lo que más añoraban era contar con un profesionista en la familia. Raúl consideró que el bachillerato podría servirle como base cultural a futuro, y así se decidió a cursarlo. Por casualidad, el plantel se encontraba a una cuadra de la Escuela de Artes Plásticas, y en los momentos en que contaba con tiempo libre se escapaba para ir a ver lo que hacían los alumnos. Visitaba los talleres y, ocasionalmente, llegó a asistir a alguna clase. El ambiente que prevalecía en esa institución lo motivó a enlistarse en varias asignaturas, y asistía a sus clases con regularidad. Raúl se dio cuenta de que prefería trabajar en su casa, y de que en la intimidad su quehacer se desarrollaba de mejor manera.

RAÚL OSCAR MARTÍNEZ GONZÁLEZ WAS BORN IN THE CITY of Monterrey, Nuevo León, in 1941. His mother is Alicia González and his father, Raúl Martínez Reyes, formerly the owner of a printing business where the children in the family worked. Being active in the business helped Raúl develop a keen sense of observation and understand the quality of good reproduction and design. As a child, he had a quiet, reserved personality; he was always interested by the outside world, but tried to go unnoticed. He comments that his schoolmates who excelled at drawing boasted about their work to others. Raúl was different: "I never showed my work. I was more reserved, but I always made an effort so that I would like my own work." In those first drawings, figures appeared as the main topic, with the domination of line over color. His interest in drawing increased, and over time, he acquired books to guide him; finally, he stopped copying drawings in order to sketch photographs and scenes from real life. He continued researching and reading while at secondary school, and his efforts found a practical application when his father invited him to work at the printing shop. There Raúl developed a large number of vignettes and typographical designs. Since the work was all done by hand at that time, Raúl had the constant discipline of drawing and developing manual skills. When customers began to request commercial designs to promote their products, the quality of Raúl's printing permitted the shop to offer this new service.
After finishing secondary school, Raúl wanted to study art rather than preparatory school, but his parents would hear nothing of it; what they wanted most was for their son to study a profession. Raúl believed a simple high school degree could serve as a basis for cultural learning in the future. Coincidentally, the high school where he enrolled was one block from the Escuela de Artes Plásticas, and Raúl would watch the art students during his free time. He would visit the workshops and occasionally attend a class. The school's atmosphere motivated him to sign up for various subjects, and he began to attend classes there regularly. He realized that he preferred to work at home, and obtained his best results in the intimacy of his own surroundings.
When the time came to choose a college major, Raúl chose architecture, since it involved the exercise of his creativity. He spent more than four years at the drawing board, making lines and architectural drawings; however, he never abandoned his enigmatic and thoughtful figures. He remembers that many of his classmates liked his architectural drawings with thick watercolors, full of impasto, and would ask him for assistance. Raúl recalls: "The second year, I began to charge. Shortly afterwards, they recommended me to construction companies and architectural firms, which would quite frequently request work from me. My prices were very low, but the money I earned was sufficient to buy the materials for my major and for painting. In that way, little by little, I became involved in architectural design."
Raúl enjoyed his studies. On finishing, he moved to Chicago to work for a prestigious firm of architects,

En el momento de tomar la decisión sobre la carrera profesional a la que se iba a encaminar, optó por la arquitectura, ya que ésta involucraba el ejercicio de su creatividad. Pasó más de cuatro años trabajando frente al restirador, tirando líneas y haciendo planos; sin embargo, nunca dejó de dibujar sus figuras enigmáticas y pensativas. Recuerda que a muchos de sus compañeros les gustaba su manera de trabajar las representaciones arquitectónicas, en un estilo de acuarela gruesa, llena de empastes, y le solicitaban que los ayudara. Comenta él: *"En el segundo año les empecé a cobrar, y al poco tiempo ellos mismos me recomendaron con constructoras y despachos de arquitectos en los que me solicitaban trabajos con bastante frecuencia. Las tarifas que manejaba eran muy baratas, pero el dinero que recibía era suficiente para comprar los materiales de la carrera y los de mi pintura. Y así, poco a poco, me fui involucrando en el diseño arquitectónico..."*

Raúl Oscar disfrutó su carrera, y al terminarla se fue a la ciudad de Chicago a trabajar en un prestigiado despacho de arquitectos, Solomon and Cortwell. Al año regresó a Monterrey, y al poco tiempo se empleó en una constructora con un maestro que siempre había admirado su trabajo. No había transcurrido un año desde su llegada cuando se independizó, integrando su propia clientela. La arquitectura es una profesión muy absorbente, pues para entregar lo que los clientes quieren, se hace necesario dar constante seguimiento a los proveedores y a los trabajadores en las obras. No obstante, él siempre encontraba el tiempo para pintar. En aquel entonces intentó conseguir trabajo en algún despacho para trabajar en la ciudad de México. Deseaba encontrar ideas nuevas para la concepción de los espacios arquitectónicos. Y, mientras lo intentaba, se dio oportunidad de visitar los museos y las galerías, y compraba libros y material. Al no concretarse nada, ni tampoco en la ciudad de Guadalajara, se decidió a permanecer en Monterrey.

Se casó con la pintora Rosario Guajardo, y al poco tiempo nacieron sus hijos: Raúl y Alejandra. Durante ese tiempo el negocio iba viento en popa, pero la pintura lo inquietaba cada día más. En 1975 realizó su primera exposición en la galería del Instituto Arte, A.C., en Monterrey. En esa ocasión presentó dibujos, acuarelas y algunos acrílicos. La arquitectura lo requería demasiado, por lo que un día decidió dedicarse exclusivamente a hacer proyectos y dejar de construir, para así poder dedicar más tiempo a su pintura. Este cambio le funcionó durante tres años. Al término de este tiempo, tuvo la oportunidad de viajar a Madrid para asistir a un congreso de arquitectos. La estancia, entre otras cosas, lo llevó a reflexionar sobre su posición como artista, y a su regreso le propuso a su esposa volver a España. Se fueron en un momento difícil porque en esos días había mucho desempleo. Buscó probar fortuna en Barcelona, y disfrutó enormemente su estancia, pues ésta le permitió acercarse al arte moderno y al arte universal. Después de unos años, se vio en la necesidad de regresar a su patria.

Raúl Oscar Martínez
Los escribanos, 2000
Mixta sobre tela, 135 x 150 cm.

Al llegar a Monterrey, pudo darse cuenta de que entre sus clientes y en el medio de los arquitectos se sabía que se había alejado de la arquitectura y que tan sólo invertiría su tiempo en pintar. Se puso a pintar y poco a poco fue integrando una carpeta, y con la confianza que da la juventud, se lanzó a las galerías para mostrar sus trabajos. En ese tiempo participó en diversas exposiciones colectivas, donde se empezó a dar a conocer su estilo tan personal y, para su fortuna, la gente empezó a buscar su pintura. Aunque no fue fácil afrontar esta condición de reinicio, la familia supo adaptarse a las circunstancias y permitir ese paso tremendo del cambio de profesión.

En el año 1980 preparó un viaje a Washington, pues una de sus cuñadas, de origen norteamericano, le había ofrecido ponerlo en contacto con algunas galerías. Disfrutó mucho su estancia, pues tuvo la oportunidad de visitar los maravillosos museos de esa ciudad, como el Smithsonian. Sin embargo, el único proyecto aprobado fue el de una exposición en la OEA, y como la fecha asignada se encontraba muy lejana, decidió ir a Nueva York. En esa inmensa ciudad, llamó a un amigo de Monterrey que se encontraba estudiando ópera al haber obtenido una beca del importante grupo empresarial regiomontano "Grupo Alfa". El amigo, al ver sus trabajos, lo llevó a una galería modesta pero muy bien ubicada. Raúl pudo ver la cara de gusto del galerista cuando, viendo posibilidades, le dijo: "Me quedo con todo".

Justamente un año después de haber estado en Nueva York, Raúl recibió una llamada de una galerista neoyorquina que decía haber conseguido sus datos a través de su representante y que deseaba tener una

Solomon and Cortwell. One year later, he returned to Monterrey, and soon found work in a construction company with an artist who had always admired his work. Not a year had passed when he turned freelance and began working for his own clients. Architecture is a very absorbing profession: in order to satisfy clients' desires, it is necessary to follow up constantly on suppliers and workers on site. However, Raúl always found time to paint. He attempted to find employment in an architectural firm in Mexico City, where he hoped to find new ideas for designing architectural spaces. While searching for work, he made time to visit the city's museums and galleries, and buy books and materials. Given the lack of firm offers in Mexico City as well as in Guadalajara, Raúl decided to remain in Monterrey. He married Rosario Guajardo and their son, Raúl, was born, followed by Alejandra, two years later. Raúl's work load increased during that time, but painting interested him more each day. In 1975, he held his first exhibition at the gallery of Instituto Arte, A. C., in Monterrey, where he showed drawings, water colors and some acrylics. Given the demands of the architectural profession, Raúl decided to devote himself exclusively to designing projects rather than building, and thus dedicate more time to painting. For three years, he was content with the change. The turning point came during a trip he made to Madrid to attend an architectural congress, and his resulting reflections on his position as an artist. On his return home, he suggested to his wife that they move to Spain. They made their decision to go at a difficult moment in time, a time of high unemployment. Raúl tried his luck in Barcelona, and enjoyed his stay enormously because of his exposure to modern art and universal masterpieces. Yet after a few years, his return to Mexico became necessary. On arriving in Monterrey, he realized that his clients and other architects were aware that he had distanced himself from architecture in order to invest his time in painting. He took up the brushes and began to create a portfolio; with the confidence of youth, he set out to show the galleries his work. He participated in various collective exhibitions, where he began to introduce his unique style, and found that the public started to request his work. Although dealing with new beginnings was not easy, the family was able to adapt to the circumstances and permit Raúl's change of profession. In 1980, Raúl prepared a trip to Washington, since one of his sisters-in-law, of US origin, had offered to introduce him at some of the city's galleries. Raúl highly enjoyed his stay: he had the opportunity to visit the Smithsonian and other outstanding museums. However, the only project approval he obtained was for a far-off exhibition at the OAS, so he decided to move on to New York. Once there, he contacted a friend

entrevista con él. Raúl Oscar pensó que su amigo había propiciado este encuentro, así que no dudó en firmar el contrato. De allí surgió su participación en enero de 1981 en una exposición colectiva de la Feria de Arte de Nueva York. En marzo de ese mismo año, ella organizó una magna exposición en su galería, en la que presentó sesenta cuadros y a la cual asistieron más de quinientas personas. Adicionalmente a estos éxitos, las galerías de Monterrey iban vendiendo muy bien su obra.

Con la tranquilidad de tener el camino abierto, le surgió nuevamente la inquietud de volver a Barcelona; pensaba que muy bien podría pintar allí y hacer llegar sus cuadros a Nueva York. Así que la familia se mudó de nuevo a España. Raúl pintaba a todas horas y producía material suficiente para promoverse en las galerías locales. Al año de estar en Barcelona, empezó a tener problemas con su segunda galería de Nueva York; los pagos llegaban con demasiado retraso. Viajó a esa ciudad para ver qué estaba sucediendo, y así pudo constatar que la galería se encontraba en bancarrota. Tan pronto recuperó su obra, la entregó a la otra galería. Regresó con su familia y siguió pintando; sin embargo, el asunto de la galería había afectado de manera considerable sus ingresos. Decidido a estar más cerca de su mercado norteamericano, se mudó con su familia a San Diego, California. Allí tuvo oportunidad de exponer en diversos lugares en La Joya y en Los Angeles.

En 1985, después de cinco años de haber residido en el extranjero, regresó a Monterrey. Durante este tiempo se había mantenido cercano a los círculos artísticos, participando en las bienales y en las exposiciones colectivas del Estado, por lo que desde entonces tuvo la oportunidad de conquistar una posición firme entre los coleccionistas, tanto regiomontanos como extranjeros. Para lograr ésta fue necesario un trabajo constante y una exigencia que no guarda límites. Raúl contempla en su futuro la posibilidad de volver a España, de pintar en esas tierras del Greco, de Goya y de Velázquez, pues sus mujeres son majas contemporáneas, que quizás vinieron de Andalucía o de Sevilla.

Raúl Oscar Martínez se definió desde sus inicios como un pintor figurativo. Sus personajes podrían tener relación con aquellas figuras ficticias que inventábamos para jugar en la infancia, y que de tanto estar cerca, han cobrado vida. Raúl las pinta para que sepan que él no las olvida. Los pinceles de Martínez acarician pincelada tras pincelada los rostros, los ojos, sus bocas y sus mejillas, y después de un delicado proceso durante el cual el artista crea e intercambia sentimientos con los que les infunde vida, carácter y hasta una historia, las figuras quedan totalmente definidas. En un principio sus cuadros eran pequeños, como si el formato exigiera del espectador mantener una relación más cercana. Parecía como si hubieran sido pintados con el fin de reservarlos para él mismo. Ahora el espacio ha

from Monterrey who was studying opera on a fellowship granted by the important industrial group from Monterrey, Grupo Alfa. This friend, on seeing Raúl's work, took him to a modest but very well located gallery. The pleasure was evident on the gallery owner's face when he saw the possibilities in Raúl's work and announced, "I'll keep it all."

Exactly one year after travelling to New York, Raúl received a call from one of the city's gallery owners who had obtained Raúl's number from his representative, and wanted to make an appointment. Raúl believed that his friend had been behind the meeting, so unhesitatingly signed the contract. The results of the signing were his participation in a collective exhibition at the New York Art Fair in January of 1981. In March of the same year, the gallery organized a magna exhibition in its own installations, attended by over five hundred persons. In addition, the galleries in Monterrey began to sell Raúl's work very well.

With the confidence provided by these successes, Raúl became newly interested in returning to Barcelona; he believed he could paint there and send his work to New York. His family made the move back to Spain. Raúl painted constantly and produced enough material for the local galleries. Yet after one year in Barcelona, he began to experience problems with his second gallery in New York: payments arrived with excessive delay. On travelling to New York to investigate the problem, Raúl realized that the gallery was near bankruptcy. As soon as he was able to recover his work, he delivered it at another gallery. He returned to his family and continued painting, yet the gallery's problems had affected his income considerably. In order to be closer to the US market, he moved with his family to San Diego, California, where he had the opportunity to exhibit his work at various locations in La Joya and in Los Angeles.

In 1985, after five years of living abroad, Raúl returned to Monterrey. He had remained close to the state's art circles by participating in its biennial and collective exhibitions, and was able to attain a solid position among both regional and foreign collectors. His reputation has been maintained by constant work and high demand. In the future, Raúl contemplates the possibility of returning to Spain to paint in the lands of El Greco, Goya and Velázquez: the women he depicts are contemporary majas, perhaps natives of Andalusia or Seville.

Raúl Oscar Martínez defined himself from the outset as a figurative painter. His characters could be related to those fictitious figures we invented as childhood playmates—figures whose closeness has brought them to life. Raúl paints them so that they know he has not forgotten them. His brushes caress, stroke after stroke, their faces, eyes, mouths and cheeks, and after a delicate process of exchanging feelings that infuse them with life, personality and even history, the figures remain totally defined. Raúl's paintings were initially small, as if the format required the viewer to maintain a closer relationship. It seemed they had been painted with the objective of reserving the work for the painter. Now the space has grown: Raúl employs life sizes, and his work,

crecido; se manejan tamaños naturales, y las obras dejan de ser íntimas para entregarse y ser compartidas por un foro más amplio, y así, llegan a alcanzar dimensiones universales. Las propias palabras del artista nos invitan a participar de su universo: *"En mi obra siempre está presente la figura humana. Personajes imaginarios que emergen de la mancha, del color, del abismo; imágenes que empiezan a fluir de esta u otra realidad..."*

Me gusta ver a esas mujeres pulcramente arregladas, como para un día domingo; las imagino de pie y en ocasiones en movimiento, dirigiéndose a algún sitio o buscando algún encuentro. Otras se encuentran en actitud reflexiva, invitándonos a desear penetrar en sus pensamientos. Los hombres de las metrópolis, ejecutivos, personajes de gran mundo, se encaminan a sus citas, nos salen al paso, o quizás esperaban que apareciera alguien a su encuentro. Ellos no se imaginan todavía que somos nosotros, los espectadores, quienes iremos a mirarlos para que nos revelen sus misterios y todos sus secretos.

rather than intimate, is ready to be shared with a wider forum in universal dimensions. The artist's words invite us to participate in his universe: "The human figure is always present in my work. Imaginary characters who emerge from the stain, from the color, from the abyss; images that begin to flow from this or another reality..." I like to see these fastidiously groomed women, in their Sunday best; I imagine them standing and occasionally moving, going somewhere or searching for an encounter. Others are in a reflexive pose, inviting us to enter their thoughts. The men of the city, executives, people of a wider world, walk to their appointments, come out to greet us, or perhaps are waiting for someone to appear. They do not imagine that it is we, the viewers, who will observe them to discover their mysteries and secrets.

Raúl Oscar Martínez
Invierno del 96, 1996
Mixta sobre tela, 160 x 185 cm.

DULCE MARÍA NÚÑEZ
PEDRO PÁRAMO, 2001
Mixta , 130 x 110 cm.

Dulce María Núñez

1950

Cuando es necesario, elude lo decorativo,
y no teme a lo grotesco siempre y cuando con ello logre ser fiel a su tema y a su mensaje.
Sus personajes son como son, no como deberían ser.

Lupina Lara Elizondo

Dulce María Núñez nace en la ciudad de México en el año 1950. Su infancia se desarrolló en un ambiente popular y modesto, en donde bailar danzón en las fiestas familiares era algo natural y no una moda adoptada. Durante los años de infancia su mundo se enriqueció con el color de las tradiciones y las costumbres cotidianas, que constituían su forma de vida. En la escuela disfrutaba haciendo trabajos manuales con diamantina y peluche de colores. Más tarde, al recordar aquellas vivencias, se interesó en pintarlas, como para dejar una constancia autobiográfica. Años después se encontró con que este tipo de pintura se había puesto de moda bajo el encabezado de pintura neomexicana. Su padre trabajó como mecánico industrial. Era un hombre sensible que disfrutaba la lectura; particularmente leía a autores rusos, como Dostoyevsky y Tolstoi. El compartió el gusto literario con su hija; ambos leían los artículos que Elena Poniatowska escribía en el periódico *Novedades.* Dulce recuerda que por aquel tiempo, él la llevó al Museo Frida Kahlo, en Coyoacán, cuando la pintora no era tan famosa como lo es en estos días, y comenta que esa visita le dejó una profunda huella. Muy posiblemente, el ver lo popular presentado con tanta reverencia, dignidad y cariño le causó sorpresa. Y no obstante la sensibilidad que su padre le heredó, el punto de vista de él hacia la vida era práctico, por lo que deseaba que su hija estudiara una carrera corta y se preparara para el matrimonio. Así que, por insistencia de su padre, Dulce estudia contabilidad, y ejerce su carrera durante un año. De manera paralela, tomó clases de danza moderna. *"Quería ser bailarina profesional y por ello renuncié al trabajo. Estudié en el Ballet Nacional, con Guillermina Bravo, pero me di cuenta de que había empezado demasiado tarde. Siempre tuve una inclinación hacia lo sensible: la literatura, la música, la danza. Entonces me metí a los talleres libres en San Carlos. De allí nació mi interés por hacer la carrera".*

Dulce María estudió la carrera de Artes Plásticas en la Escuela Nacional de Pintura, Escultura y Grabado La Esmeralda, entre los años 1975 y 1978. En ese entonces había surgido en la escuela un movimiento disidente. Algunos de los profesores y estudiantes salieron y formaron el Centro de Investigación y Experimentación Plástica. Su gusto por el grabado la lleva a unirse a este grupo, entre 1978 y 1980, y a inscribirse en 1981 en el taller de serigrafía del pintor Jan Hendrix. *"El grabado siempre fue mi pasión. Sin embargo, para ello se debe contar con un taller bien montado,*

DULCE MARÍA NÚÑEZ
GÓTICO MEXICANO, 1987
Oleo y collage sobre lámina de cobre y madera, 68.5 x 47.5 cm.
Colección Particular

DULCE MARÍA NÚÑEZ WAS BORN IN MEXICO CITY IN 1950. She lived as a child in a modest setting, where dancing the danzón at family parties was natural, not an adopted fashion. During her early years, her world was enriched by the color of the traditions and daily customs that made up her lifestyle. At school, she enjoyed making handicrafts with glitter and colored fur. On remembering those times later in her life, Dulce María became interested in depicting them on the canvas in the form of an autobiographical record. Years later, she discovered that this type of painting had come into style under the title of neo-Mexican painting. Dulce María's father worked as an industrial mechanic. He was a sensitive man who enjoyed reading, particularly the Russian writers, such as Dostoevski and Tolstoy. He shared his literary tastes

y como no tenía las posibilidades de montarlo, cuando salí del taller empecé a pintar. Me gusta trabajar como la pintura antigua, aplicando temple como base y sobre él aplico óleo". Para Núñez la escuela fue una vivencia que no puede comparar con ninguna otra. Reconoce la calidad de sus maestros y la importancia de adentrarse al medio del arte desde diferentes puntos de vista. Durante este tiempo en que Dulce estudió, a la vez trabajó como dibujante en la Secretaría de Educación Pública, ilustrando libros con láminas de historia y mapas geográficos. No sabemos si esa manera de representación esquemática haya influido en el planteamiento que ella hace en su pintura, al dividir y subdividir la tela en secciones, para de allí estructurar sus ideas.

Sus trabajos han participado en diferentes concursos de pintura y grabado, en los que ha sido merecedora de importantes premios. En 1981 obtiene el Premio de Adquisición en el *Salón de Artes Plásticas, Bienal de Gráfica,* en la Galería del Auditorio Nacional, INBA. A raíz de los terremotos de 1985, decidió irse a radicar a la ciudad de León, Guanajuato; desde allí ha continuado enviando su obra a los concursos. En 1986 obtiene el Premio de Adquisición y el Segundo Lugar en el Primer Concurso Nacional de Acuarela. En 1987 logró una Mención Honorífica en el *Salón Nacional de Artes Plásticas, Sección Pintura,* con el cuadro *Gótico mexicano,* en la Galería del Auditorio Nacional, INBA, y otra Mención Honorífica en la *Tercera Bienal Juguete Arte Objeto,* en el Museo José Luis Cuevas de la ciudad de México. Dentro de sus exposiciones individuales, las más destacadas son las siguientes: *Del corazón al hombre,* en la Casa de la Cultura de Celaya, Guanajuato, y *Gráfica, Pintura y Dibujo,* en la Galería José Clemente Orozco, INBA, en la ciudad de México –sobre la que el pintor Waldemar Sjolander apuntó: "La obra de Dulce María Núñez es una de las mejores que he visto en México"–, ambas en 1982; *Mitos y Realidades,* en la Galería OMR, en 1989; *Parallel Project,* en la ciudad de Nueva York, en 1990; *Obra reciente,* de nuevo en la Galería OMR, y *Retrospectiva,* en el Museo de Arte Contemporáneo de Monterrey, en 1992; *Solos, muros y golpeados,* otra vez en la Galería OMR, en 1994, y la de 1999 en la misma Galería con el tema *La calle.* Su obra ha participado en infinidad de exposiciones colectivas: en el Distrito Federal, Oaxaca y Monterrey, en México; en La Habana, Cuba; en Nueva York y

Washington en los Estados Unidos; y en Grenchen, Suiza, y París, Amsterdam y Madrid, en Europa. Además, su obra participó en las siete subastas anuales que han sido organizadas en el Museo MARCO de Monterrey.

Las primeras obras de Dulce María participaron en la corriente abstracta, y dentro de ésta, Tàpies es uno de los pintores que más admira. Sin embargo, el tiempo que permaneció en ese camino fue muy breve, ya que ese lenguaje se alejaba de la realidad que vivía y que deseaba expresar. Y así ella adecua su estilo a la pintura realista, para incluir en él la voz popular, que incluye la tradición, las costumbres y la ironía. Esto da inicio a su gran producción, que se conoce como "Los mexicanismos". Le agrada el efecto de mezclar elementos textuales con imágenes fotográficas de personajes y eventos populares del periódico, las revistas y la televisión, pues considera que a través de ello puede hacer un buen retrato de un pueblo. Y aunque en cierto momento se cuestionó en ella el empleo de este recurso, en la mayoría de los casos la fotografía constituyó tan sólo una referencia de la que derivó un dibujo y de allí la pintura.

En su obra, el corazón aparece como uno de sus símbolos iconográficos más recurrentes. La pintora confiesa que, para ella, éste representa toda la gama de emociones y sentimientos que puede tener un ser humano. Fue una de las primeras pintoras en representarlo en su trabajo, en la serie de dibujos "Al son del corazón", que realizó en 1982, y posteriormente en la tela, al pintar *Amorcito corazón.* El tema de la religión también es recurrente en su pintura, ya que éste le permite representar el sentimiento

with his daughter, and both read the articles by Elena Poniatowska in the Novedades newspaper. Dulce recalls that her father took her to the Frida Kahlo Museum in Coyoacán, at a time when Kahlo was much less known; she comments that the visit left a profound mark on her personality. Very possibly she was surprised by seeing folk art presented with such dignity and affection. In spite of the father's and daughter's artistic sensitivity, Dulce's father had a practical outlook on life and wanted Dulce to go to vocational school and prepare for marriage. So, on her father's insistence, Dulce studied accounting and worked as an accountant for one year. In parallel form, she took modern dance classes. "I wanted to be a professional dancer, and for that reason I quit work. I studied with the Ballet Nacional, under Guillermina Bravo, but I realized I had started too late. I was always inclined toward art: literature, music, dance. Then I enrolled at the open workshops at San Carlos. That is where I became interested in studying art as a major."

Dulce María studied visual arts at the Escuela Nacional de Pintura, Escultura y Grabado La Esmeralda from 1975 to 1978. Because of the dissident movement that had formed in the school at that time, some of the professors and students left the school and formed the Centro de Investigación y Experimentación Plástica. Dulce's liking of engraving led her to join this group from 1978 to 1980, and to enroll in 1981 in the serigraphy workshop taught by the painter, Jan Hendrix. "Engraving was always my passion. However, you must have a well-installed workshop, and since I was unable to have one, when I left the class, I began to paint. I like to work like old painting, by applying tempera as a base and then oil." For Núñez, school was an experience she could compare with no other. She recognized the quality of her teachers and the importance of approaching art from different points of view. While Dulce was a student, she worked in a drafting job at the Ministry of Public Education, where she illustrated books with historical scenes and geographical maps. Perhaps the schematic representation used for illustrations influenced Dulce's later form of dividing and subdividing the canvas in sections, in order to structure her ideas.

Dulce María Núñez' work has participated in various painting and engraving contests, and has won important prizes. In 1981, she obtained the Premio de Adquisición at the Salón de Artes Plásticas, Bienal de Gráfica, at the INBA Galería del Auditorio Nacional. After the Mexico City earthquakes of 1985, Dulce decided to move to the city of León, Guanajuato, and from there has continued sending her work to contests. In 1986, she won the acquisition prize and second place at the Primer Concurso Nacional de Acuarela (first national

DULCE MARÍA NÚÑEZ
LA NIÑA DE LOS PERROS, 1995
Oleo sobre tela , 110 x 130 cm.

watercolor contest). In 1987, she attained honorable mention at the Salón Nacional de Artes Plásticas, Sección Pintura, with her painting, Gótico mexicano, at the INBA Galería del Auditorio Nacional, and another honorable mention at the Tercera Bienal Juguete Arte Objeto at the Museo José Luis Cuevas in Mexico City. Her most outstanding individual exhibitions include Del corazón al hombre, at the Casa de la Cultura in Celaya, Guanajuato, in 1982, and Gráfica, Pintura y Dibujo, at the Galería José Clemente Orozco, INBA, in Mexico City, also in 1982, which was reviewed by the painter, Waldemar Sjolander— "Dulce María Núñez' work is some of the best I have seen in Mexico"; Mitos y Realidades, at the Galería OMR, in 1989; Parallel Project, in New York City in 1990; Obra reciente, again at the Galería OMR; and Retrospectiva, at the Museo de Arte Contemporáneo of Monterrey, in 1992; Solos, muros y golpeados, at the Galería OMR in 1994, and La calle, at the same gallery in 1999. Her work has participated in numerous collective exhibitions in Mexico in the Federal District, Oaxaca and Monterrey; in Havana, Cuba; New York and Washington, DC in the United States; and in Europe in Grenchen, Switzerland, and Paris, Amsterdam and Madrid. Her work has also taken part in the seven annual auctions organized at the Museo MARCO of Monterrey. Dulce María's first pieces were abstract; within this movement, Tàpies is one of the painters she most admires. The time she remained in abstractionism, however, was very brief, since the language it employs was far from the individual reality she wanted to express. In this manner, Dulce adapted her style to realist painting, in order to include the voice of the people, with their traditions, customs and irony. She began her major production, known as "Los mexicanismos". She likes the effect of mixing textual elements with photographic images of people and popular events from newspapers, magazines and television, and considers them appropriate for presenting a good portrait of the people. And although the use of photography has been questioned in Dulce's work, in most cases it has been simply a reference from which to derive a drawing and from there, a painting.

Hearts appear as one of the most recurring iconographic symbols in Dulce María Núñez' work. She confesses that she finds hearts to represent the entire range of emotions and feelings possible in humans. She was one of the first painters to use hearts in her work in the series of drawings, "Al son del corazón", produced in 1982, and later on canvas for Amorcito corazón. The topic of religion also recurs in Dulce's painting, given that it allows her to represent the spiritual sentiment of the Mexican people—a mixture of Christian tradition and pre-Hispanic rituals. In some pieces (just as in all the topics Dulce handles), we find a certain degree of irony; it should not be interpreted, however, as a desire for irreverence, but as a means for Dulce to refer to her concerns and doubts about religion.

In an interview with Kirking and Sullivan, Dulce María gave her definition of kitsch: "The aesthetics of bad taste, and the aesthetics of wanting to reach something that is

espiritual del pueblo mexicano, que mezcla la tradición cristiana con rituales prehispánicos. En algunos casos encontramos cierta ironía —como sucede en los demás temas que aborda la pintora—, con la que Núñez no pretende ser irreverente, pero sí señalar sus inquietudes y dudas acerca de la religión.

La definición que Dulce María da en la entrevista de Kirking y Sullivan respecto a lo *"Kitsch"* es: *"La estética del mal gusto, y es la estética de querer alcanzar algo como muy elegante, muy bonito, y no alcanzarlo".* Posteriormente en esa entrevista ella afirma que encuentra una equivalencia entre el *"Kitsch"* y la vida cotidiana popular de México. Es por ello que en su trabajo este gusto busca manifestarse a través del recargamiento y la cursilería. Dulce no pretende embellecer la realidad. Cuando es necesario, elude lo decorativo, y no teme a lo grotesco siempre y cuando con ello logre ser fiel a su tema y a su mensaje. Sus personajes son como son, no como deberían ser. Y en este planteamiento de nuestra mexicanidad, ella recurre al empleo de simbolismos. Muchos de ellos son de carácter universal y por ello de fácil comprensión, pero en algunos casos, cabe la posibilidad de que el espectador no esté familiarizado a fondo con la tradición popular o la historia, y entonces puede perderse de la lectura original. No obstante, resulta interesante involucrarse en su obra, como es el caso de *Gótico Mexicano,* 1987, en donde nos encontramos ante un ex-voto, que ella realiza para agradecer su liberación de *"...las garras de una pareja en horrenda oficina".* Posiblemente se refiera al trabajo que desempeñaba como dibujante. En ella hace alusión a la pintura de Hermenegildo Bustos, a las momias de Guanajuato e incluye el símbolo del alacrán que representa el veneno, mostrando al fondo el paisaje de la ciudad.

En su trabajo podemos relacionar a Dulce María con la obra de dos pintoras mexicanas que rinden culto al arte popular: María Izquierdo y Frida Kahlo. Ambas refieren lo popular bajo una visión del México de los años cuarenta, visión que después de cincuenta años se ha visto modificada por la influencia de un mundo globalizado por los medios de comunicación. A diferencia de estas dos pintoras, en la obra de Núñez observamos que el presente siempre hace alusión al pasado, y es que para ella *"en la cultura mexicana el presente es una continuación del pasado",* y es su interés mostrar esto. En sus cuadros las referencias con el pasado están ligadas a dos fuentes: por un lado, los ídolos y dioses prehispánicos, y por el otro, la representación de las imágenes de Cristo y de la Virgen, que nos refieren a la religión católica. Estos elementos refuerzan la realidad del presente, le dan sentido y origen, y es que Dulce María desea explicar con pintura la idiosincrasia del mexicano de hoy, del que trae a Cuauhtémoc en su pasado, pero el que viaja en metro, "cruza al otro lado de espalda mojado", tiene su aparato para escuchar música en CD de larga duración, y se corta el pelo al estilo *"punk"*. Y en este retrato íntimo que Dulce María

DULCE MARÍA NÚÑEZ
PICOS Y GARRAS, 1990
Acrílico sobre tela, 150 x 100.5 cm.
Colección Particular

hace de nosotros como pueblo, también ha abarcado el aspecto social y político, en donde desenmascara la verdad de una sociedad a la que se puede engañar, a la que se puede utilizar y controlar, en la que el asesinato es permitido en aras de permanecer en el poder.

La inquietud expresiva de esta artista mexicana la ha invitado, como a otros creadores contemporáneos, a conocer otras tecnologías con el fin de ver si éstas pueden aportar a sus trabajos. En la actualidad sigue pintando y, a la vez, realiza investigaciones en el terreno de la escultura; otra de sus búsquedas es el arte objeto.

very elegant, very nice, and not reaching it." At a later point in the interview, Dulce affirms that she finds equivalency between kitsch and everyday low-class life in Mexico. For this reason, kitsch tends to be evident in her work through excessive decoration and flashiness. Dulce does not attempt to embellish reality. When necessary, she eludes the decorative, and does not fear the grotesque, provided that through it she can remain loyal to her topic and message. Her personages are shown as they are, not as they should be. And in this depiction of our Mexican identity, Dulce turns to the use of symbolism. Many of the symbols she employs have a universal character and are thus easily understood, but in some cases, the viewer may not be entirely familiar with the popular tradition or history, and as a result, may miss the original interpretation. Becoming involved in Dulce's work, however, does not cease to be of interest. An example is Gótico Mexicano, 1987, an ex-voto that the painter made to give thanks for her liberation from "...the claws of a mate in a horrendous office." Possibly she is referring to the work she did as a draftsman. The painting alludes to the work of Hermenegildo Bustos and the mummies of Guanajuato, and includes the symbol of a scorpion to represent venom, with the city in the background.

We can relate Dulce María's work with that of two other Mexican painters who paid tribute to folk art: María Izquierdo and Frida Kahlo. Both refer to folkways from a viewpoint of Mexico in the 1940's—a viewpoint that after fifty years has been modified by the influence of a world globalized by the media. Contrary to these two painters, Núñez shows that the present always alludes to the past. And she wants to depict the past since "in Mexican culture, the present is a continuation of the past." In Dulce's paintings, references to the past are linked to two sources: on one hand, to pre-Hispanic idols and gods, and on the other, to the representation of the Catholic images of Christ and the Virgin Mary. These elements reinforce the reality of the present by giving it meaning and an origin. Through her painting, Dulce María attempts to explain the idiosyncrasy of today's Mexican, who has Cuauhtémoc in his past, but travels by subway, "crosses the border as a wetback", has a CD player and gets a punk haircut. In this intimate portrait that Dulce María Núñez makes of us as a people, she has also included social and political aspects to unmask the truth of a society that can be deceived, utilized and controlled, and that permits assassination for the sake of remaining in power.

The expressive concern of this Mexican artist has invited her, as well as other contemporary artists, to discover technologies to contribute to her art. At present, Dulce María Núñez continues to paint while researching sculpture, in addition to art objects.

Teresa Olabuenaga
Mi cama, 2002
Oleo sobre madera, 150 x 150 cm.

Teresa Olabuenaga

1958

Sus personajes, que en muchos cuadros son ella misma, aparecen solos y en estado de meditación. En sus piezas, el mensaje expresivo deja su lugar al encanto de la forma, la textura, el ensamble y el color.

Lupina Lara Elizondo

Teresa Olabuenaga nació en la ciudad de México en 1958. Sus padres y sus abuelos eran de origen español, y habían llegado a nuestro país como refugiados de la Guerra Civil. Albergaban la esperanza de que el conflicto se resolviera en pocos meses. Al ver que esto no sucedía, México se convirtió en su nueva patria, la cual los acogió en momentos difíciles y les ofreció progreso y un lugar seguro en donde poder echar raíces. Teresa, al respecto, expresa: *"Yo soy y me siento totalmente mexicana. Esto se observa en mis colores, en mi estética, en mi educación. Pero también encuentro que algunas de las circunstancias de mi pasado familiar han dejado una huella en la formación de quien soy ahora. No se puede vivir ajeno a estas experiencias. De niña escuché con frecuencia acerca de la importancia del ahorro, de no desperdiciar y del hambre, ya que mis padres y mis abuelos vivieron épocas en las que no tuvieron qué comer; pasaron privaciones muy severas. Ahora me doy cuenta de que, aunque yo no las viví, absorbí su punto de vista. Resultó muy interesante la experiencia que tuve al reencontrarme con quienes fueron mis raíces. Esto sucedió en uno de los primeros veranos que viajamos a España, cuando conocí a mi familia de allá. Yo era apenas una adolescente. Saludé a mis tíos y primos, que eran campesinos. Aún recuerdo la sensación que tuve al darles la mano y sentir que éstas eran fuertes y ásperas por el trabajo del campo, pues todavía segaban el trigo con la mano. Hay algo en mí que invita a tener cierta afinidad con esa forma ruda y sencilla de vivir. Es curioso que esta identificación se manifieste, pues yo me he desarrollado en un ambiente totalmente citadino y ciertos rasgos de mi personalidad se inclinan hacia lo barroco; sin embargo, también tengo aspectos muy simples, parecidos a esa sencillez que encontré en aquellos familiares que trabajaban la tierra".*

Estudió en un colegio religioso los primeros años de la primaria, y desde niña, manifestó abiertamente su autodeterminismo ideológico. Exigía que se le permitiera llegar a sus propias conclusiones, no aceptaba las ideas impuestas. Por ello, no le fue muy fácil sobrellevar la estricta disciplina y los rígidos criterios de esa escuela. Con el tiempo, su madre decidió cambiarla al Colegio de la Ciudad de México. En el sistema de esta escuela se invitaba al alumno a participar, a expresarse y a defender sus puntos de vista, y no existían prejuicios, lo cual reforzaba en ellos su seguridad.

Teresa Olabuenaga was born in Mexico City in 1958. Her parents and grandparents were of Spanish origin, and had arrived in Mexico as refugees of the Spanish Civil War. They had hoped that the conflict would be resolved in a few months, but soon saw that no solution was forthcoming. Mexico became their new homeland, sheltering them during difficult times and offering them progress; it was a safe place for putting down roots. Teresa explains: "I am and I feel totally Mexican. This can be seen in my colors, in my aesthetics, in my education. But I also find that some of the circumstances in my family's past have made a mark in forming the person I am now. These experiences cannot be ignored. As a child, I often heard about the importance of saving, about not wasting, about hunger, since my parents and grandparents had lived during times when there was nothing to eat; they had suffered very severe hardships. Now I realize that although I did not know such hardship, I absorbed their point of view. The experience

Su madre, Teresa Martín de Olabuenaga, quien también pinta, comenta una anécdota de un día que asistió a un concurso de pintura que el colegio había organizado con los trabajos de los niños del segundo año, y al detenerse frente a uno de ellos, dijo: "Esto sí es el colmo. No deben de permitir que los papás les hagan los trabajos a los niños. Esto no lo pudo hacer un niño". A lo que la maestra respondió: "Señora, se trata del trabajo de su hija". La madre, que nunca había observado que su hija contaba con esas habilidades, decidió ponerla en cursos especiales de dibujo y de pintura. Las clases le gustaron tanto a Teresa que abandonó el baile y la guitarra. Ella misma se dio cuenta de que tenía cierto entendimiento y facilidad para dibujar. Y así, mientras estudiaba la secundaria y la preparatoria, continuó desarrollándose en los talleres de Fredzia Kessler y de Elisa Cano.

Teresa Olabuenaga no es egresada de ninguna academia artística. Ella eligió y cursó la carrera de Comunicaciones, con la especialidad en cine, en la Universidad Iberoamericana, y se graduó en 1981 con la tesis *Importancia de la simbología del vampiro en el cine.* Su padre, Armando Olabuenaga, además de dedicarse al comercio, imparte la cátedra de Historia del Teatro desde hace veinticinco años, y quizás ello pudo haber despertado el interés de Teresa en el arte escénico. De 1975 a 1980 se preparó en arte dramático y arte escénico con el maestro Dimitrios Sarras, en el Estudio de Actores de México. Al mismo tiempo estudiaba técnicas para la elaboración de obra gráfica en el Molino de Santo Domingo, uno de los mejores talleres en esta especialidad.

Teresa Olabuenaga
Sobre lo eterno y la espina, 1993
Escultura, mixta sobre madera, tela de alambre, periódico, lona, varillas, papel amate, cera, escobeta. 160 x 136 x 55 cm.

Una vez fuera de la universidad, la pintura volvió a ocupar su interés fundamental, por lo que continuó estudiando en distintos talleres particulares. Desde que trabajó en el Molino de Santo Domingo y realizó serigrafías con Ismael Martínez Guardado, despertó su gusto por el grabado y el manejo del papel. En 1984 nuevamente ahondó en el tema del color con la pintora Tere Cito, en el taller de la artista.

En 1987 se le abrió un amplio horizonte, la aplicación del papel amate, el cual descubrió en el estudio de un cercano amigo, Sergio López Orozco. Este formó un grupo de artistas interesados en el tema del amate y viajaron a un pueblo llamado San Pablito, en el estado de Puebla, y que colinda con el estado de Veracruz. En ese lugar crece en abundancia un ficus,

TERESA OLABUENAGA
EL DESCUBRIRSE UNO MISMO
ES ENCONTRAR DOS CAMINOS, 2001
Mixta sobre papel, óleo, arena, tinta, fotografía, pétalos de rosas, cera y lápiz graso. 60 x 80 cm.

que forma parte de la familia de las moráceas, la planta que da moras, de cuya corteza se obtiene el papel amate. Teresa explica que para fabricarlo se parte de la corteza; ésta se hierve con cal y cenizas, se enjuaga bien, después se procede a machacarla a golpes para integrar la fibra, y posteriormente se pone a secar. Existen familias de árboles de moras y cada una tiene la corteza de un tono distinto, lo que explica las diferentes gamas de colores que encontramos en los códices de las antiguas culturas prehispánicas.

Teresa trabajó más de dos años con este material hasta que un día, por azares del destino, logró ir a Japón a la Conferencia Internacional de Papel, que se celebraba en 1989 en la ciudad de Ibaraki. Apenas llegó e inmediatamente buscó la manera de establecer contacto con maestros de arte japoneses para enriquecer su estancia; ésta se prolongó por tres meses. Permaneció dos semanas con Seiki Kikuchi y Michiharu Kikuchi, integrantes de una familia que ha destacado por varias generaciones en la producción de papel de muy alta calidad para el ramo artístico. Ellos tienen una fábrica en la ciudad de Ibaraki en la que Teresa aprendió las distintas técnicas empleadas. Después de asistir a la conferencia, tuvo la extraordinaria oportunidad de conocer la técnica de fabricación del shifu, a través de una de las más connotadas oficiantes de este arte. Su maestra, Sadako Sakurai, trabaja de tal forma que ha sido elegida para elaborar los kimonos del emperador. Mediante esta técnica se fabrica uno de los textiles más caros en el mundo. El material se elabora mezclando en una de las tramas, ya sea hilo de algodón o de seda, y en la otra, hilo de papel. Los shifus más valiosos son los que están realizados con hilo de seda. De esta

of discovering my roots was very interesting. It happened during one of the first summers we traveled to Spain, when I met my family there. I was barely a teenager. I greeted my aunts and uncles and cousins, who were peasants. I still remember the sensation of shaking their hands and feeling their hands strong and rough from fieldwork, since they still threshed wheat by hand. There is something in me that encourages a certain affinity with that hard, simple lifestyle. It is strange that this identification is obvious, because I grew up in a totally urban atmosphere and certain aspects of my personality tend towards the baroque; however, I also have very simple aspects similar to that simplicity I found in my relatives who worked the land."

Teresa attended a Catholic school in her early primary years, and soon openly manifested her ideological independence. She demanded she be allowed to reach her own conclusions, and would not accept set ideas; she did not find it easy to adapt to the school's strict discipline and rigid criteria. Later in time, her mother decided to transfer Teresa to the Colegio de la Ciudad de México. The school's confidence-boosting system invited students to participate, to express themselves and to defend their points of view, free from prejudices.

Teresa's mother, Teresa Martín de Olabuenaga, also a painter, tells about attending a painting contest the school had organized for the second graders. She paused to look at one of the pieces, exclaiming, "This is the last straw. You shouldn't allow parents to do the work for their children! This piece could not have been done by a child." The teacher responded, "Mrs. Olabuenaga, this is your daughter's work." Having been unaware of her daughter's skills, Teresa's mother then decided to send her to special drawing and painting classes—which Teresa liked so much that she quit her dance and guitar classes. She realized that drawing was easy for her. During secondary and preparatory school, Teresa continued studying in the workshops of Fredzia Kessler and Elisa Cano.

Teresa Olabuenaga is not a graduate of an art academy. She selected and finished a major in Communication, with a specialty in cinema, at the Universidad Iberoamericana, and received her degree in 1981, with a thesis entitled, Importancia de la simbología del vampiro en el cine *(The Importance of Vampire Symbology in Cinema). Her father, Armando Olabuenaga, in addition to running his business, has been a professor in the History of Theater for the past twenty-five years, and may have*

stimulated Teresa's interest in the scenic arts. From 1975 to 1980, she studied dramatic and scenic arts with Dimitrios Sarras at the Estudio de Actores de México. At the same time, she studied graphic techniques at the Molino de Santo Domingo, a notable workshop in the specialty.
Once out of the university, painting came to represent Teresa's fundamental interest, and she continued studying in various private workshops. Her work at the Molino de Santo Domingo and the serigraphs she produced with Ismael Martínez Guardado, aroused her interest in engraving and working with paper. In 1984, she explored the topic of color with the painter, Tere Cito, in the artist's workshop.
In 1987, new horizons opened for Teresa with the discovery of amate paper in the studio of Sergio López Orozco, a close friend. Sergio organized a group of artists interested in amate to visit the village of San Pablito, in the state of Puebla near Veracruz. Growing abundantly in the area is the ficus tree, a member of the fig family and the source of bark for making amate paper. Teresa tells how the bark is cut, boiled with lime and ash, rinsed thoroughly, pounded to integrate the fiber and then set out to dry to fabricate amate. The different tones of bark in the moraceae family explain the range of colors found in the codices of the ancient pre-Hispanic cultures.
Teresa worked with amate paper for over two years, until destiny presented her with a trip to Japan to the 1989 International Paper Conference in the city of Ibaraki. As soon as Teresa arrived at the conference, she established contact with Japanese artists in order to enrich her three-month stay. She remained two weeks with Seiki Kikuchi and Michiharu Kikuchi, members of a family that has been well-known for several generations in the production of very high-quality art paper. The family owns a factory in the city of Ibaraki, where Teresa learned the various techniques used. After attending the conference, she had the extraordinary opportunity to learn the technique for making shifu from one of the most famous practitioners of the craft: Sadako Sakurai, whose work has earned her the privilege of producing the emperor's kimonos. The technique used to manufacture shifu, one of the world's most expensive textile products, consists of weaving either cotton or silk thread and paper thread. The most valuable shifus use silk thread. Teresa comments on the experience: "I identified with the customs of the Japanese. I admired their sense of respect, their discipline at work. I was surprised to learn that up until recently, art in Japan was produced by guilds, and the participants worked more like craftsmen than like artists as we know them in the West. This concept has been copied recently and outstanding painters have appeared."
In 1991, Teresa traveled to San José, Costa Rica, to interview experts in the preparation of paper based on oriental techniques, with the use of tropical fibers. She made contact with Lilian Bell, known for her advanced use of paper for art objects and in three

experiencia, comenta: *"Me identifiqué con las costumbres de los japoneses. Admiré su sentido de respeto, su disciplina de trabajo. Me llamó la atención el darme cuenta de que hasta hace muy poco tiempo el arte en Japón fue una actividad que se desarrolló en forma gremial y los participantes trabajaban como artesanos más que como artistas, como sucede en occidente. Recientemente se ha copiado este concepto y han aparecido pintores destacados".*

En 1991 viajó a San José de Costa Rica para entrevistarse con expertos en la elaboración del papel que trabajan con técnicas orientales, utilizando fibras tropicales. Allí entró en contacto con Lilian Bell, una de las personas más avanzadas en la aplicación del papel en el arte objeto y la tercera dimensión; con ella aprendió a manejar las esculturas en papel. Teresa comenta entusiasmada: *"Este fue el punto medular que trajo consigo el elemento integrador de todos los conocimientos que había acumulado hasta ese momento. El dibujo, la pintura, la escultura y el manejo del collage se enlazaron alrededor de las creaciones de papel hecho a mano".* Después de todo un proceso en el que hubo que resolver muchos aspectos técnicos, logró configurar sus primeras esculturas. Se vio involucrada en la necesidad de desarrollar armazones que les dieran el peso y la resistencia necesarios, y al poco tiempo aparecieron borregos, rostros erguidos sobre pedestales geométricos, torsos con alas, y muchas otras figuras más. Estaba tan contenta con estos elementos que conformaban su nueva creación artística, que confiesa que destruyó más de cincuenta piezas que le habían servido de modelo y ensayo.

En 1992, con motivo de la Feria del Libro celebrada en la ciudad de Frankfurt, Alemania, y cuyo tema central fue México, la librería Hugendubel, la más grande de ese país, patrocinó distintos eventos, y seleccionó la obra de Teresa Olabuenaga para ser exhibida en su local comercial. El señor Hugendubel quedó tan sorprendido con estas piezas que compró una de ellas para su acervo personal.

Actualmente ella trabaja en su estudio, en la ciudad de México, y da clases particulares sobre el discurso estético del arte contemporáneo. No podemos dejar de mencionar su sobresaliente carrera docente en la Universidad Anáhuac de la ciudad de México, donde imparte las cátedras de: Pensamiento creativo, Semiótica de las imágenes cinematográficas y Estrategia de análisis, en los niveles de Posgrado y Maestría de la Universidad. A nivel internacional, en noviembre de 2001 impartió la materia de Nuestra esthetica oculta, en la Universidad Tecnológica Equinoccial, en Ecuador.

En Teresa Olabuenaga las ideas creativas surgen una detrás de otra, como si las imágenes estuvieran en su interior, esperando ser utilizadas.

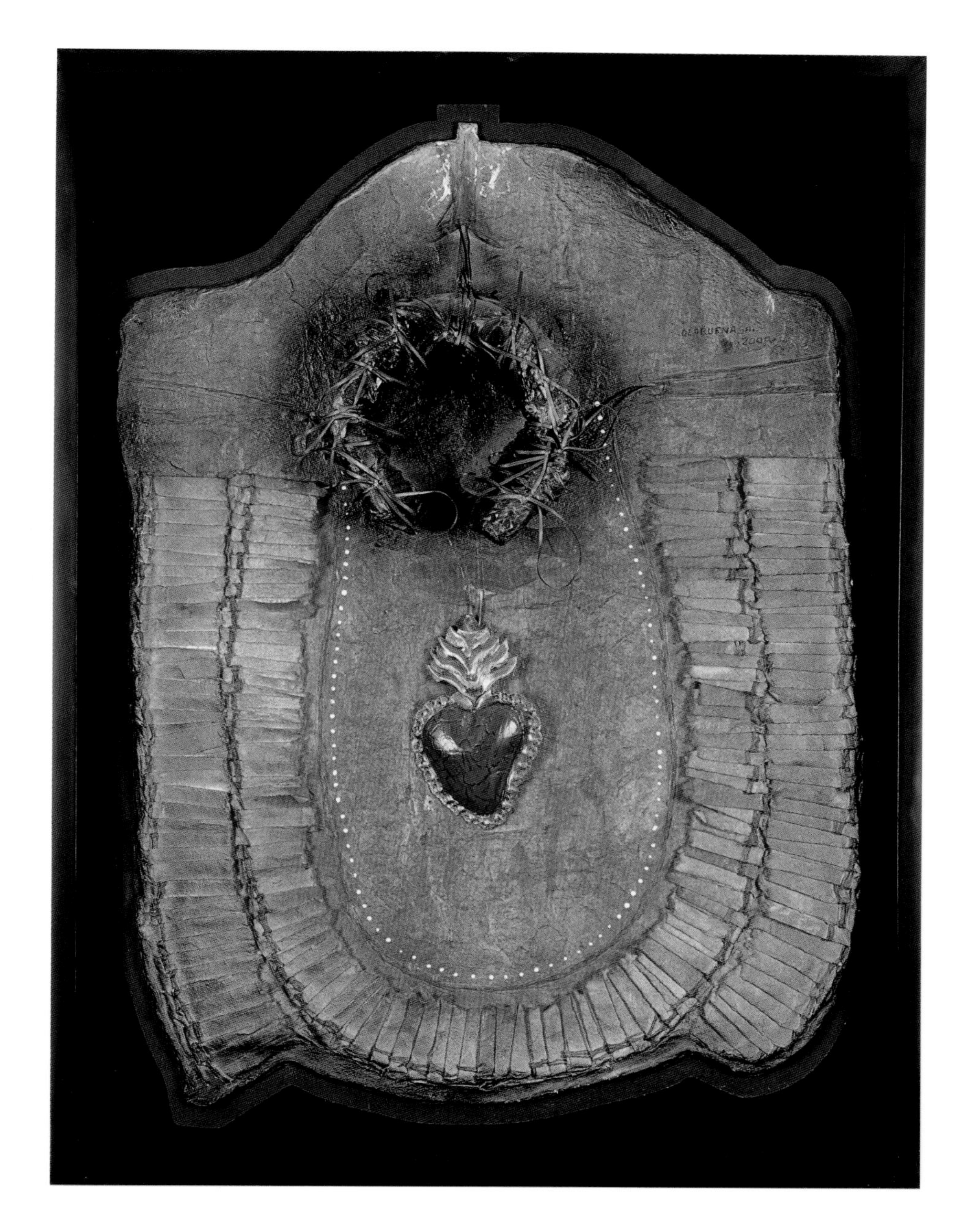

TERESA OLABUENAGA
MI CORAZÓN CONSTRUYÓ TU NIDO, 2000
Papel hecho a mano, mixta sobre amate, periódico quemado, listón de raso, cera, corazón de lámina, tinte natural. 80 x 61 cm.

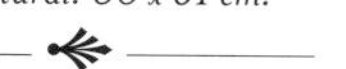

En sus dibujos, pinturas y collages, las figuras se asoman como si lo hicieran desde una ventana; se hacen presentes de manera casual y velada. Ellas no pretenden ser el tema central de sus cuadros, pero nunca están ausentes, como si el mundo material sólo tuviera razón de ser para los fines que ellas mismas le dan. Sus personajes, que en muchos cuadros son ella misma, aparecen solos y en estado de meditación. En sus piezas, el mensaje expresivo deja su lugar al encanto de la forma, la textura, el ensamble y el color. Los trabajos escultóricos tuvieron repercusiones en la pintura que Teresa ha venido realizando en los últimos años. En ella aparecen elementos flotados, integrados a la tela, contagiándola de un carácter tridimensional. Sobresale en la artista su espíritu emprendedor, su pasión, entrega y dedicación; su trabajo es un reto constante, una búsqueda interminable para unir sus sentimientos a su propia invención.

dimensions. As Teresa entahusiastically comments, she learned to make paper sculptures from Lilian: "This was the central point in integrating all the knowledge I had accumulated up to that moment. Drawing, painting, sculpture and collage were interlaced around handmade paper creations." After a complicated process requiring the solution of many technical aspects, Teresa was able to produce her first sculptures. She became involved in the need to develop frames that would provide the necessary weight and resistance, and soon was producing sheep, faces standing on geometric pedestals, winged torsos, and many other figures. She was so happy with the elements of her new artistic creation, that she confesses having destroyed more than fifty pieces that had served as models and tests.

In 1992, the work of Teresa Olabuenaga was selected for exhibition by the Hugendubel bookstore, one of the largest in Germany, for the Frankfurt book fair. (The fair's central theme was Mexico, and the bookstore sponsored several events.) Mr. Hugendubel was so pleased by the pieces that he bought one for his personal collection.

At present, Teresa works in her studio in Mexico City, and gives private classes on the aesthetic discourse of contemporary art. She has had a noteworthy career as a professor in the Universidad Anáhuac of Mexico City, where she teaches postgraduate courses in creative thinking, the semiotics of cinematographic images, and the strategy of analysis. At the international level, Teresa offered a course in November of 2001, entitled "Our Occult Aesthetic", at the Universidad Tecnológica Equinoccial in Ecuador.

In Teresa Olabuenaga, creative ideas are formed one after another, as if the images were inside her, waiting to be used. The figures in her drawings, paintings and collages appear as if peeking through a window; they make themselves present in a casual, hidden manner. They do not attempt to be the central topic of Teresa's paintings, but are never absent, as if the material world existed only for their reasons. The characters Teresa presents, often herself, are alone and in a state of meditation. In her pieces, the expressive message cedes to the enchantment of form, texture, composition and color. Sculpture has had repercussions in Teresa's recent paintings—in which elements float, integrated in the canvas, transmitting their three dimensional character. Outstanding in Teresa Olabuenaga are her enterprising spirit, passion, devotion and dedication; her work is a constant challenge, an interminable search for uniting her feelings with her own inventions.

Guillermo Olguín
Circo en Budapest, 1993
Gouache sobre papel, 26 x 36 cm.

GUILLERMO OLGUÍN

1969

Tiene el don sensible de penetrar en la esencia de los objetos, de los seres y sus circunstancias. Su intelecto le permite entenderlos, y con una mezcla de razón y sentimiento logra preparar su obra, tan particularmente suya y tan franca.

LUPINA LARA ELIZONDO

GUILLERMO OLGUÍN MITCHELL NACIÓ EN LA CIUDAD DE MÉXICO EN EL AÑO DE 1969, PERO COMO su abuelo paterno era oaxaqueño, originario del pueblo de Ocotlán, a los dos años su familia se trasladó a la ciudad de Oaxaca, en donde vivió hasta los quince años. En el pueblo de San Felipe, vecino a la ciudad de Oaxaca, estudió la primaria y la secundaria. Su padre también era pintor, y el propósito que tenía al regresar a Oaxaca era el de abrir una galería de arte. Esta fue la primera galería que se abría en esa ciudad, y a pesar del apoyo del maestro Rufino Tamayo, de Rodolfo Nieto y de Francisco Toledo, amigos cercanos de su padre, no tuvo el éxito esperado, ya que la galería se adelantó por mucho al tiempo en que da inicio el auge artístico de Oaxaca. El proyecto de su padre tomó otro curso, volviéndose un importante corredor de arte en los Estados Unidos de las obras de estos tres artistas que acabamos de mencionar. Guillermo recuerda que cuando su padre regresaba de viaje, siempre lo motivaba a pintar, y habiendo sido pintor, lo corregía y le daba valiosos consejos que más tarde se reflejaron en sus obras.

Como su madre es de origen norteamericano, a los dieciséis años Guillermo se fue a estudiar el equivalente del bachillerato a los Estados Unidos. Al concluir los estudios básicos, ingresó a una escuela de estudios superiores, en donde se podían tomar cursos aislados antes de iniciar la carrera. El deseaba estudiar cine, pero en esa escuela únicamente se enseñaba videocine, por lo que tan sólo permaneció seis meses. Posteriormente decide entrar a la carrera de Relaciones Internacionales, y la estudia durante un año. Durante ese tiempo, el dibujo siempre estuvo presente, pues en sus ratos libres se ponía a dibujar, logrando hacer trabajos de muy buena calidad. Cuando su padre observaba sus dibujos, con su aguda experiencia en el tema, le aconsejaba inscribirse en una escuela de pintura. Entre los años 88 y 89, Guillermo viaja a Francia, en donde toma un curso de fotografía en la ciudad de Toulouse. A su regreso a los Estados Unidos, un amigo que pudo observar sus dibujos le recomienda ir al Central Community College, en Seattle, Washington; tomó el consejo, y se inscribió en los cursos de pintura y animación por computadora.

Posteriormente, con una perspectiva más amplia, Olguín toma la decisión de ingresar a la carrera de artes plásticas, y con su nacionalidad americana y un préstamo, en el año 1991 logra inscribirse en una universidad privada de Seattle, la Cornish School of Arts. En esta ocasión, se

Guillermo Olguín Mitchell was born in Mexico City in 1969. His paternal grandfather was from Ocotlán, Oaxaca, and when Guillermo was two years old, the family moved back to Oaxaca; they lived there until he was fifteen. In the town of San Felipe, next to the capital city of Oaxaca, Guillermo attended primary and secondary school. His father was a painter, and his purpose in returning to Oaxaca had been to open an art gallery. The gallery was the first to open in the city, and in spite of support by Rufino Tamayo, Rodolfo Nieto and Francisco Toledo—all close friends of Guillermo's father—the gallery was not successful. It was far ahead of the art boom in Oaxaca. The business took another turn, and became an important dealer of the three artists' work in the United States. Guillermo remembers that when his father would return home from traveling, he would always motivate his son to paint, and as a painter, he would correct his work and give him valuable advice later to be reflected in his production. The son of an American mother, Guillermo went to the United States at age sixteen to attend high school. After graduating, he enrolled in a technical school to take courses before starting college. He wanted to study cinema, but since only videotaping was taught at the school, Guillermo left after six months. He later decided to major in International Relations, which he studied for one year. During that time, drawing was always present in Guillermo's life: in his free time, he drew, and produced work of very good quality. When his father saw his drawings, he advised him, based on his wide experience in art, to enroll in a painting school. From 1988 to 1989,

siente motivado al haber encontrado su camino, y a la vez, con la posibilidad de recibir una preparación de muy alto nivel. En la escuela se acercó a una maestra con quien estudió durante tres meses la técnica del grabado, además de sus otras asignaturas. Al preguntarle a Olguín sobre cuál creía había sido la mayor aportación que le proporcionaron estos estudios, comenta: *"Fue una introducción muy fuerte a la pintura norteamericana, la cual se mezcló con la carga creativa que yo guardaba de los artistas oaxaqueños, como Nieto, Toledo y Tamayo. La universidad era totalmente experimental; se mantenía alejada de cualquier influencia académica".*

En la universidad conoció a una estudiante de Economía, de origen franco-húngaro, y no obstante la corta edad que ambos tenían, deciden contraer matrimonio. Al poco tiempo viajan a Oaxaca, con el fin de que ahí naciera su hija. Una vez que la madre y la niña estuvieron en condiciones de viajar, la pareja decide continuar estudiando en Hungría. Ambos logran obtener una beca, con la cual ingresan a estudios de posgrado, ella en Economía y él en la Academia de Arte de Budapest. La experiencia estudiantil de Olguín en un país de Europa del Este, fue totalmente diferente a la de la universidad norteamericana, ya que a pesar del prematuro interés de Hungría por apartarse del bloque soviético en 1956, bajo el mando de Imre Nagy, fue el país que tardó más en ser seducido por los encantos del capitalismo. Olguín comenta respecto a su experiencia en la Academia: *"La escuela de pintura de Hungría era muy tradicional. Se regía por un fuerte rigor académico. La mayoría de los estudiantes eran servios, rumanos, búlgaros y checos. Su enfoque estaba más relacionado con lo que estaba sucediendo en Alemania, directamente ligado con el expresionismo y el neoexpresionismo".* Guillermo establece una relación con el director de la Escuela, quien le había ayudado a obtener su beca, y trata de compartir con él la visión de la plástica oaxaqueña, situación ciertamente difícil de entender para alguien que ha tenido una formación tan encasillada. Estas diferencias provocaron ciertos roces entre ellos, aunque finalmente la relación fue enriquecedora para ambos. El director, de alguna manera, llega a comprender la trayectoria formativa de Olguín, con lo que le concede ciertas consideraciones especiales, exigiéndole asistir tan sólo a algunas de las clases, y por otro lado, también le consigue un taller en el que Guillermo pudo trabajar con bastante libertad.

Guillermo Olguín
Fiesta para un enano muerto
Oleo y cera sobre lona, 200 x 200 cm.

Guillermo Olguín
De la serie en India
Cera sobre papel, 40 x 60 cm.

Desde su última visita a Oaxaca, Olguín había establecido contacto con la recién formada Galería Quetzalli. El les mandaba sus dibujos, y cuando se vendía su obra, le enviaban su dinero a Budapest. Esto le permitió ahorrar, y como transportarse desde aquellos países era muy económico, Olguín emprende un viaje a Egipto. A su regreso, además de su predilección por los temas húngaros, los cuales lo habían conmovido enormemente e influenciado gran parte de la obra que realizó en esa época, Olguín empieza a pintar sobre la vida, las costumbres y la ideología egipcia. Con todo este material, en 1996 preparó una interesante exposición, titulada *Viajes por Egipto,* la cual fue presentada en la Embajada de México en Hungría, en coordinación con la Academia de Bellas Artes de Budapest. Esta tuvo gran éxito, y no obstante su particular estilo, tan ajeno a las corrientes que prevalecían en el momento, la exposición contó con el reconocimiento del director de la Academia. Olguín nos comenta: *"Quedé muy satisfecho de ese trabajo y, en general, de toda la experiencia en Hungría. Y como después de un año y medio de estar allá se terminó mi beca, me regresé con mi hija, que entonces tenía dos años y medio, a Oaxaca. Mi esposa se quedó para concluir sus estudios".*

Viajar se volvió para Guillermo Olguín una inquietud primordial. Ese sorpresivo impacto que causa el conocer por primera vez un lugar, entrar en contacto con otro pasado cultural y experimentar las costumbres e ideas de nuevas personas, se ha vuelto una fuente de inspiración para su pintura. La cotidianidad y lo rutinario no comulgan bien con su espíritu ni con su trabajo. Así que, al poco tiempo de haber regresado de Europa, realiza un viaje a los pueblos negros de la costa de Guerrero y Oaxaca, permaneciendo allí seis meses. Estos son lugares en donde se asentaron pobladores de raza negra, y de alguna manera conservan ciertas características propias de la raza y de sus orígenes africanos. Olguín logró

Guillermo traveled to France and took a photography course in the city of Toulouse. On returning to the United States, a friend who saw his work recommended the Central Community College, in Seattle, Washington; Guillermo followed the friend's advice and enrolled in painting and computer animation.
At a later time, and with a broader perspective, Olguín made the decision to study fine arts. Using his US nationality and a loan, he enrolled in 1991 in the Cornish School of Arts, a private university in Seattle. He felt motivated by having found his way and by the possibility of receiving very high-quality training. While at the school, he approached a teacher to study engraving techniques for three months, in addition to his other subjects. When asked to describe what he gained from these studies, Olguín coments: "It was a very strong introduction to North American painting, which mixed with the creative ideas I had kept from the artists in Oaxaca, like Nieto, Toledo and Tamayo. The university was totally experimental; it remained distanced from any academic influence."
At the university, Guillermo met an Economics student of French-Hungarian origin, and in spite of their young age, they decided to marry. Not long afterwards, they traveled to Oaxaca in order for their daughter to be born there. As soon as the mother and baby were able to travel, the couple decided to continue their studies in Hungary. Both obtained scholarships for post-graduate work: she in Economics and he at the Art Academy of Budapest. Olguín's experiences as a student in Eastern Europe were totally different from his previous university life in the United States; Hungary was one of the last nations to be attracted by the enchantments of capitalism, in spite of its premature interest to leave the Soviet block in 1956, under the leadership of Imre Nagy. Olguín comments on his experience in the Academy: "The painting school in Hungary was very traditional. It was governed with strong academic rigor. Most of the students were Serbian, Romanian, Bulgarian and Czechoslovakian. Their focus was related more to what was happening in Germany, directly linked to Expressionism and Neo-Expressionism."
Guillermo established a relationship with the director of the school, who had helped him obtain the scholarship, and tried to share with him the vision of Oaxacan art—certainly a difficult task for a person with such rigid training. Their differences provoked a degree of friction, although the relationship was ultimately enriching for both. The director came to comprehend Olguín's educational trajectory and conceded him special considerations: he required he attend only some of the classes, and he obtained a workshop for Guillermo where he could work quite freely.
During his previous stay in Oaxaca, Olguín had established contact with the newly opened Galería Quetzalli. He would send the gallery his drawings, and receive the money in Budapest if a sale were made. His saved earnings, along with the inexpensive transportation available from Hungary, permitted him to travel to Egypt. On returning to Budapest, in addition to his preference for Hungarian topics—which had enormously moved him and influenced a large part of his work during the period—Olguín began to paint Egyptian life, customs and ideology. In 1996, he used this material to prepare an interesting exhibition,

Viajes por Egipto, that was presented at the Mexican Embassy in Hungary in coordination with the Fine Arts Academy of Budapest. The exhibit was highly successful, and in spite of its unique style, far from the prevailing currents of the moment, it was recognized by the director of the Academy. Olguín comments: "I was very satisfied with that work, and in general, with the entire experience in Hungary. And since my scholarship concluded after one year and a half, I returned to Oaxaca with my daughter, who was then two and one-half years old. My wife stayed to finish her studies."
Traveling became a primordial interest for Guillermo Olguín. The surprising impact of seeing a place for the first time, making contact with another cultural past and experiencing the customs and ideas of unfamiliar persons, has been a source of inspiration for his painting. Daily life and routine do not sit well with his spirit or with his work: as a result, soon after returning from Europe, Olguín made a six-month journey through the black towns on the coast of Guerrero and Oaxaca that still conserve certain characteristics of their original African settlers. Although an outsider, Olguín was able to cross the barrier and penetrate the flavor and spirit of these towns, and used the content of his interaction to prepare an exhibition in 1997 for the Galería Quetzalli, to express his vital experience.
Soon afterwards, Olguín obtained a grant to study for four months in Finland. He had the wonderful experience of listening to music by the Finnish composer, Jean Sibelius, and walking through the imposing pine forests that cover the majority of that Scandinavian country. With characteristic sensitivity, Olguín participated in the composer's inspiration by reliving the creative force of his music in a natural setting.
In Finland, Olguín saw a Vietnamese film that stirred his curiosity to visit Vietnam. However, a modification in his traveling plans caused him to take a trip to India instead. In 1998, he decided to follow the silk route, which, as he explains, began in Kabul, continued through Pakistan, entered India through the northeast and passed through Banaras before ending in Calcutta. Since it was then impossible to enter Afghanistan, Olguín began his journey on the border between India and Pakistan. His trip became a time of contacts, of experiences and of inner transformation. His painting after the journey, rather than attempting to describe a setting, was more interested in representing the "feeling" of the country—the attitudes, emotions, ideas, inheritance and particular circumstances of the people of India. Olguín was able—as in the case of the composers—to transmit through his drawings and canvases what occasionally cannot be described in words. The immediate scope of his work, which employs very few elements, is the totality of India: its magnificence and poverty; its music, simultaneously delightful and tiresome; its dance; the religious rites of the mystical yet polluted Ganges River; the crowds, the misery, the country, the cities, the monuments and temples; the monkeys and freely ambulating cows; the elephants; the ornate art; and the women who, under the softness of their veils, promise the infinite while prohibited instant of love—the instant in which the goddess of fertility struggles against the non-rational that prohibits, limits and annihilates, due to its inability to guide life through reason.
Over a one-year span, and with a palette of brown, red, copper, mustard and orange tones, Olguín's trip to India was transformed into the images of more than fifty pieces, including oils, encaustics, ink drawings and collages. All form part of the series he has entitled "Héroes y Dioses", and were shown at an important exhibition

traspasar la frontera de ser un extranjero, de no pertenecer al grupo, y así, logró adentrarse en el sabor y espíritu de esos pueblos. Con el contenido de esta convivencia preparó en 1997 una interesante exposición en la Galería Quetzalli, en la que logra expresar aquella vital experiencia.

Al poco tiempo, obtiene una beca para ir a estudiar grabado por cuatro meses a Finlandia. En ese lugar tuvo una vivencia singular al escuchar la música del compositor finlandés Johan Sibelius y caminar por los imponentes bosques de coníferas que dominan la mayor parte del territorio de ese país escandinavo. Con la sensibilidad que le caracteriza, logró adentrarse en la inspiración del compositor, reviviendo ante ese espacio natural la fuerza creativa de su música.

En Finlandia vio una película vietnamita, la cual despierta su curiosidad por visitar ese país. Sin embargo el proyecto da un giro, y en lugar de ir a Vietnam, en 1998 emprende un viaje a la India, siguiendo la "ruta de la seda" que, como nos explica, empezaba en Kabúl, continuaba en Paquistán, se adentraba por el noreste de la India bajando a Benares, y terminaba en Calcuta. En aquellos días era imposible llegar a territorio afgano, por lo que empieza su viaje justo en la frontera de la India con Paquistán. Este se vuelve un viaje de contactos, de vivencias y de transformación interior. La pintura posterior a este viaje buscará, más que relatar, captar una atmósfera vivencial, o dicho en otras palabras, plasmar el *'feeling'* del país, integrado por actitudes, emociones, ideas, herencias y las particulares circunstancias en que viven los habitantes de la India. Olguín logra, como en el caso de los compositores, comunicarnos en sus dibujos y en sus telas lo que en ocasiones no puede decirse en palabras. En estos trabajos abarca, como de golpe y con muy pocos elementos, el total de la India: su magnificencia y su pobreza; su música, que puede deleitar y hastiar al mismo tiempo; la danza; los rituales religiosos presenciados en el río Ganges, místico y a la vez contaminado; las multitudes, la miseria, el campo, las ciudades, los monumentos, los templos; los monos y las vacas que deambulan por doquier en libertad; los elefantes; su arte recargado, y sus mujeres, que bajo la suavidad de sus velos prometen el infinito y a la vez prohibido instante del amor, instante en que la diosa de la fertilidad lucha en contra de ese no razonamiento que prohíbe, limita y aniquila, al no poder guiar la vida por el camino de la razón.

A lo largo de un año y bajo una paleta que se dirige hacia los tonos cafés, rojos, cobres, mostazas y anaranjados, el viaje a la India se fue transformando en imágenes que han integrado más de cincuenta obras, entre óleos, encáusticas, tintas y collages. Todas ellas forman parte de la serie que Olguín ha titulado "Héroes y Dioses". Estos trabajos se presentaron en una importante exposición en la Galería Quetzalli, y formaron parte de un interesante "libro de viaje", que se editó bajo el mismo título de la exposición y que fue realizado en Oaxaca por un grupo de amigos.

En el caso de Olguín, una manera en que logra encauzar su creatividad es a través de proyectos. Y así, después de la catarsis de su viaje a la India, surge un período de relajamiento y de búsqueda que se ve interrumpido por un proyecto que surge de improviso a principios de 2002 y que se refiere al mundo de las *geishas*. Esta es una temática intensa que el artista logra desahogar en breve tiempo, empleando laca automotiva en sus cuadros de gran formato.

Guillermo Olguín tiene el don sensible de penetrar en la esencia de los objetos, de los seres y sus circunstancias. Su intelecto le permite entenderlos, y con una mezcla de razón y sentimiento, aunado a un oficio que se le da de manera espontánea y que obedece completamente a su estilo de expresión, logra preparar su obra, tan particularmente suya y tan franca. La inquietud de hacer cine sigue vigente en él, como también sigue vigente la búsqueda del próximo viaje, del próximo encuentro con algún nuevo mundo, con alguna nueva cultura que plantee una forma diferente de vivir y que motivará de nuevo su deseo de pintar. Para Olguín: *"Pintar es un acto que se nutre de afuera hacia adentro, pero que surge de adentro hacia fuera".*

in the Galería Quetzalli. They were also included in an interesting "travel book" that was published under the same title by a group of friends in Oaxaca.
One of the channels of Olguín's creativity is projects. For example, the period of relaxation and search that followed the catharsis of his trip to India, was interrupted by an unforeseen project in early 2002, related to the world of geishas. He was able to exhaust this intense topic in a brief time period through the use of automotive paint on large formats.
Guillermo Olguín has the sensitive talent of penetrating the essence of objects, of people and of their circumstances. His intellect permits comprehension, and with a mixture of reason and sentiment, added to a spontaneous craft that completely obeys the artist's expressive style, Olguín prepares his work, unique and frank. His interest in making movies is still alive, as is his search for the next trip, the upcoming encounter with some new world, with some new culture that will suggest a different way of life and newly motivate his desire to paint. For Olguín: "Painting is an act that is nourished from the outside in, but that grows from the inside out."

Guillermo Olguín
China Town Girl, 1992
Gouache sobre papel, 31 x 41 cm.

Guillermo Pacheco
Catarsis de los elementos, 2000
Oleo sobre tela, 200 x 240 cm.

Guillermo Pacheco

1971

La resolución de su trabajo, en algunas ocasiones, se logra de manera espontánea; se resuelve directamente en la tela. En ese amplio espacio van quedando plasmadas, sin mayores ensayos, imágenes sueltas que están impregnadas de visión e ímpetu.

Lupina Lara Elizondo

Guillermo Pacheco nació en la ciudad de Culiacán, Sinaloa, en 1971. Su padre, habiendo nacido en el pueblo de Tlacolulita, en la zona del Istmo de Tehuantepec, en los años cincuenta había emigrado hacia el norte en busca de oportunidades. La infancia de Guillermo se desarrolló entre esas dos culturas: una muy enfocada a la agricultura y a la industria agrícola, y la otra, llena de magia, costumbres y tradiciones. No obstante la distancia entre estos dos estados, con frecuencia la familia emprendía viajes en coche a Oaxaca, en los que tardaban hasta tres días en llegar. En uno de esos recorridos, sin saber qué cosa era una galería, Guillermo entró en una que se encontraba en Juchitán. Allí recuerda haber visto unos cuadros que le llamaron mucho la atención. Piensa que pudieron haber sido de Francisco Toledo, pero en ese entonces no sabía nada de pintura ni de pintores. En aquellas visitas también se sentía atraído por las exuberantes vistas, en las que se apreciaban cañadas cubiertas de plantas, árboles frondosos y refrescantes ríos. Todo ello reunía un rico panorama que contrastaba enormemente con el paisaje de Sinaloa.

Recordando la primera ocasión, en 1984, en que su padre ofreció una mayordomía al pueblo, Guillermo comenta: *"Una mayordomía es una fiesta que se ofrece al pueblo, y se dedica a la Virgen de la Asunción. En ella hay un mayordomo, que es quien ofrece la fiesta; por decirlo en otras palabras, es el anfitrión de la fiesta. En ella hay bailes y hay costumbres prehispánicas. Todo el pueblo participa en la fiesta; unos en la cocina y otros en la música. Es una fiesta muy bonita. Es una costumbre que no pertenece al Istmo, pero que de cierta manera sí tiene que ver con él, ya que emplea su ropa y su música. En ella hay una mezcla entre lo prehispánico y lo colonial. Se traen las marmotas o monotas, que se hacen con una esfera de carrizo con manta y se usan para bailar. Estas se llevan a pintar, y recuerdo esa ocasión, cuando mi padre me llevó a que la pintaran. Me quedé viendo cómo lo hacían, con un gran deseo de pintar yo también. En ese viaje llegué a pensar que me quería quedar en Oaxaca, pero por mi edad eso era imposible en ese momento".*

Esas experiencias avivaron en Guillermo la inquietud de estudiar pintura, y al regresar a Culiacán tuvo problemas en la escuela, pues prestaba poca atención en las clases porque se las pasaba dibujando. Los maestros, al observar su facilidad para el dibujo, proponían a sus padres que lo inscribieran en una escuela de pintura; sin embargo, en ese tiempo lo que ellos deseaban

Guillermo Pacheco was born in the city of Culiacán, Sinaloa, in 1971. His father, originally from the town of Tlacolulita on the Isthmus of Tehuantepec, had emigrated in the 1950's to northern Mexico in search of opportunities. Guillermo's childhood was spent between two cultures: one very focused on agriculture and the agricultural industry, and the other, filled with magic, customs and traditions. In spite of the distance between the two states, the family often made the three-day trip by car from Sinaloa to Oaxaca. On one of those trips, Guillermo entered an art gallery in Juchitán. He was completely unfamiliar with the concept of galleries and knew nothing about painting or painters, but remembers having seen some paintings at the gallery that greatly attracted his attention. He believes they could have been by Francisco Toledo. On his visits to Oaxaca he was attracted by the exuberant views of ravines with plants, shade trees and cool rivers—a rich panorama that contrasted enormously with the landscapes of Sinaloa. Guillermo remembers the first occasion, in 1984, that his father sponsored a mayordomía: "A mayordomía is a fiesta offered to the town, and it is dedicated to the Virgin of the Assumption. There is a mayordomo ('steward') who gives the party; in other words, he is the fiesta's host. There are dances and other pre-Hispanic customs. The whole town participates in the fiesta; some in the kitchen and others with the music. It is a very nice party. It is a custom that does not pertain to the Isthmus, but in a certain manner has to do with it, since it uses the region's clothes and music. There is a mixture of the pre-Hispanic and the colonial. Marmotas or monotas are brought in; they are made from a reed sphere with cheap cotton cloth and they are used for dancing. They are taken away to have painted, and I remember when my father took me to see them painted. I watched how it was done, and I really wanted to paint, too. On that trip, it occurred to me that I would have liked to stay in Oaxaca, but because of my age, it was impossible then." These experiences awakened in Guillermo the desire to study painting. When he returned to Culiacán, he had problems at school due to his lack of attention in class and the excessive time he spent drawing. His teachers, noticing his talent, suggested to his parents that they enroll him in a painting school, but his parents wanted him to conclude his regular studies. Guillermo, meanwhile, had already decided he wanted to be a painter, so he dropped out of preparatory school and enrolled on his own in the Escuela de Artes Plásticas of the Universidad Autónoma de Sinaloa. He studied there from 1988 until 1993. He comments on the experience: "The Escuela de Artes Plásticas of Sinaloa is very well structured. It has a very good plan of studies; it covers theory and technique. We learned all the painting techniques, including murals, and the final year we had an experimental workshop. That is where I began to experiment with sand." Once he had received his degree, he studied photography and engraving at the university. After his student years, Guillermo worked in graphic design at the Centro de Ciencias de Sinaloa, but his true desire was to paint. Therefore, in 1993, after presenting his first individual exhibition in the city of Culiacán, Entre naturaleza, he decided to move to his

era que terminara sus estudios. Guillermo ya había decidido que quería ser pintor, y por eso abandonó la preparatoria y se inscribió por su cuenta en la Escuela de Artes Plásticas de la Universidad Autónoma de Sinaloa, en donde estudió de 1988 hasta 1993. Y sobre ello, comenta: *"La Escuela de Artes Plásticas de Sinaloa está muy bien estructurada, tiene un muy buen plan de estudios; abarca teoría y técnica. Aprendíamos todas las técnicas de la pintura, incluyendo el muralismo, y en el último año teníamos un taller experimental. Allí fue donde empecé a experimentar con arenas".* Una vez concluida su carrera, estudia fotografía y grabado en la Universidad.

Al finalizar esos estudios, Guillermo trabajó en el Centro de Ciencias de Sinaloa haciendo diseño gráfico, pero eso no era lo que deseaba, lo que quería era pintar. Por ello, en el año 1993, después de presentar su primera exposición individual en la ciudad de Culiacán, *Entre naturaleza,* decide ir a Oaxaca, a pintar al pueblo de su padre. El pueblo era demasiado pequeño para un joven inquieto y por tal motivo se va a vivir a Juchitán. Pero allí le volvió a parecer lo mismo y acabó por emigrar a la ciudad de Oaxaca, sin tener idea del gran movimiento artístico que estaba teniendo lugar en la ciudad. Con el apoyo del director de Artes Plásticas, ingresó a la Universidad Autónoma de Oaxaca, en donde conoce al maestro Shinzaburo Takeda, quien lo apoya y anima a seguir estudiando. Guillermo lo recuerda con estas palabras: *"Casi todos los alumnos que estábamos en la universidad teníamos serios problemas económicos. El maestro Takeda me tendió mucho la mano. Bueno, así era con todos los alumnos. Entre nuestros trabajos seleccionaba los mejores cuadros para llevarlos a participar en las exposiciones en Japón, y le daba mucho gusto entregarnos nuestro dinero cuando se vendía algún cuadro. De allá traía materiales: tintas muy finas y papeles hechos a mano, y nos los regalaba para trabajar".* En 1994 Guillermo estudió pintura en el Taller de Artes Plásticas Rufino Tamayo, y al año siguiente grabado, en el taller de Raúl Soruco.

En aquellas épocas de estudiantes, los jóvenes pintores lograban subsistir de mil maneras. Guillermo recuerda que pintaba sobre cualquier material: cartón, papel de estraza, cartoncillo, y para no desperdiciarlo, pintaba por los dos lados. También recuerda haber vendido un cuadro a la dueña de una pastelería, y ella se lo pagó con pasteles y a plazos. En esos días conoció a un amigo que tenía un negocio de comida, y cuando no tenía para comer, le ayudaba en lo que fuera a cambio de unas sabrosas "molotas", tan típicas en la comida de Oaxaca. Su gran estímulo era poder pintar. Durante un tiempo trabajó en Monte Albán, haciendo planos estatigráficos con el antropólogo Marcos Winter. Era un equipo de cuatro jóvenes, y aunque la paga no era muy buena, les ofrecían un taller grande

GUILLERMO PACHECO
CÓDICE MICTLÁN (SERIE TZOMPANTLI), 2000
Oleo sobre tela, 145 x 200 cm.

para trabajar, en donde también podían vivir. Diariamente se iban caminando desde el mercado de abastos hasta Monte Albán: más de quince kilómetros. Guillermo también colaboró en el proyecto de los museos comunitarios, que buscaba crear museos locales en las zonas en donde se habían encontrado vestigios prehispánicos: *"Estos proyectos recibían apoyo del gobierno y de una institución extranjera. Se enviaba un arqueólogo, un museógrafo y un pintor a la zona, y trabajábamos con las personas de la misma comunidad en el desarrollo de estos pequeños museos".* Cuando surgió el proyecto de la restauración del ex-Convento de Santo Domingo, en Oaxaca, lo contratan para hacer los dibujos de la alfarería prehispánica y para pintar las cenefas y hacer algunas restauraciones. Con el dinero que obtuvo de trabajar en Santo Domingo, Guillermo compró materiales y preparó algunas cuadros, los cuales llevó a vender a una galería en Oaxaca; éstos se vendieron con bastante facilidad.

La pintura de Guillermo Pacheco está ligada principalmente a la naturaleza, y en particular, al paisaje. Sus telas evocan un paisaje íntimo, más que un paisaje abierto. En ese espacio cerrado encontramos elementos aislados que forman parte de la iconografía de la naturaleza. Sobre ello, Pacheco comenta: *"El elemento más fuerte en mi trabajo han sido los*

father's hometown in Oaxaca to paint. The town was too small for an energetic young man, and Guillermo moved to Juchitán. But he once again found the place too limited for his liking and emigrated to the city of Oaxaca, unaware of the important art movement that was taking place in the city. With the support of the director of Artes Plásticas, he entered the Universidad Autónoma de Oaxaca; there he met Maestro Shinzaburo Takeda, who encouraged him to continue with his studies. Guillermo remembers Maestro Takeda with these words: "Almost all of us who were students at the university had serious economic problems. Maestro Takeda helped me out a lot. He was like that with all the students. He chose our best paintings to take to Japan to participate in exhibitions, and it pleased him to give us our money when a painting was sold. He brought back materials: very fine inks and handmade paper, and he would give them to us for our work." In 1994, Guillermo studied painting at the Taller de Artes Plásticas Rufino Tamayo, and the following year, engraving at Raúl Soruco's workshop.
At that time, young painters in school survived in a thousand ways. Guillermo recalls having painted on

Guillermo Pacheco
Alebrije en rojo, 1997
Oleo y encaústica sobre tela, 161 x 215 cm.

any material: cardboard, butcher paper and paper-board—and to avoid waste, he painted on both sides. He also remembers having sold a painting to the owner of a bakery, who paid him with cakes over a period of time. During that time, Guillermo made a friend who had a restaurant, and when he was short on food, he would help the friend in the business in exchange for a few tasty molotas, a typical dish from Oaxaca. His main stimulus in life was being able to paint. For a time he worked at Monte Albán, making stratigraphic drawings with the anthropologist, Marcos Winter. He was part of a team of four young men, and although the pay was low, they had the use of a large workshop where they could also live. Every day they would walk from the wholesale market to Monte Albán: a distance of more than fifteen kilometers. Guillermo also worked on the community museum projects that created local museums in zones where pre-Hispanic ruins had been discovered: "These projects received support from the government and from a foreign institution. An archaeologist, a museum specialist and a painter were sent to the zone, and we would work with the people from the community to develop these small museums." When the restoration project of the ex-Convento de Santo Domingo was begun in Oaxaca, Guillermo was hired to make drawings of pre-Hispanic pottery, to paint ornamental friezes and to carry out other restoration work. With the money he earned from the Santo Domingo project, Guillermo bought materials and completed paintings that he delivered to a gallery in Oaxaca, where they were easily sold.
Guillermo Pacheco's painting is linked primarily with nature, and in particular, with the landscape. His canvases evoke intimate rather than open landscapes. In closed spaces we find isolated elements that form part of the iconography of nature. Pacheco comments: "The strongest element in my work has been trees. It is a form that I like. Trees represent life, and that is why I paint them. There is a story from my childhood that I remember with emotion: when we were small, my father bought a lot and gave us a plum tree to plant. He told us that it was for the future. Since then, I have associated life and the future with trees. I paint them with nostalgia, and at the same time, with great happiness."
The trees that appear in Pacheco's work are definitely the reflection of a synthesized landscape—a landscape seen in its most simple detail, a version where the great forest is represented by only a few of its elements. It is a landscape that Pacheco has brought near to us; we can approach it, and because of the large dimensions of the format, we can even pretend to enter and inhabit it by means of our eyesight and imagination.
The resolution of Pacheco's work, on some occasions, is achieved spontaneously: it is resolved directly on the canvas. Depicted on that ample space are separate images, painted unhesitatingly and impregnated with vision and impetus. The painter is producing work of pure creation.

árboles. Es una figura que me agrada. Los árboles representan vida, y por eso los pinto. Hay una anécdota de mi infancia que recuerdo con emoción: cuando éramos chicos, mi padre compró un terreno y nos dio un ciruelo para que lo plantáramos. Nos dijo que eso era para el futuro. Desde entonces he ligado la vida y el futuro a los árboles. Los pinto con nostalgia y a la vez con una gran alegría".

Los árboles que aparecen en su obra son, en definitiva, el reflejo de un paisaje sintetizado, de un paisaje visto en su más simple detalle, en una versión donde la gran selva está representada por tan sólo algunos de sus elementos. Es un paisaje que Pacheco nos ha acercado, al que podemos acceder, y que por las grandes dimensiones de su formato, hasta podemos pretender entrar en él y habitarlo, con la mirada y con la imaginación.

La resolución de su trabajo, en algunas ocasiones, se logra de manera espontánea; se resuelve directamente en la tela. En ese amplio espacio van quedando plasmadas, sin mayores ensayos, imágenes sueltas que están impregnadas de visión e ímpetu. El pintor se encuentra ejecutando un trabajo de creación pura. Allí, sobre la tela previamente preparada, se establece un manchado que propone atmósferas. Posteriormente y mediante un definido dibujo, se realizan trazos esquemáticos que van delimitando la composición. Una vez resuelto el acomodo del espacio, el artista trabaja con sueltas y amplias pinceladas, las cuales van delineando las siluetas. De aquí viene un proceso de fino detalle, la etapa en que se balancea el espacio, el color y la forma. En todos estos procesos el color juega un papel determinante, ya que éste, en el caso de la obra de Pacheco, es un elemento que tiene el mismo peso que la forma. Y así, forma y color se unen para crear un poema visible. Y es el color, además de todo, lo que infunde emotividad a la atmósfera. Son cuadros muy espontáneos en los que las ideas han estado a flor de piel, de manera muy clara, listas para ser pintadas.

En otros casos nos encontramos ante la creación de una pintura más reposada, una pintura que recurre a referencias previas que encuentran eco con resoluciones nuevas. Y con el afán de dar cauce a ese caudal de motivaciones e inquietudes que de improviso lo impulsa a crear, Pacheco recurre a hacer ensayos y apuntes sobre papel. Estos son trabajos previos al gran óleo, son bosquejos que el pintor va acumulando en un cuaderno de trabajo, en el que se aprecian trazos rápidos de formas y color; ellos dan soltura a la mano y a las ideas.

A la fecha su obra ha participado en más de treinta exposiciones colectivas, y en diferentes exposiciones individuales en la ciudad de México, Oaxaca y Culiacán. Su pintura, más que narrar, pretende evocar; pretende colorear, armonizar y embellecer. Pretende reunir figuras y paisaje en un conjunto armónico sobre la tela, y unirlos mediante los espacios y el color. Con todo esto Pacheco nos ofrece un poema de la naturaleza, nos ofrece una poesía que se hace visible y nos deleita con sus vibrantes colores.

Guillermo Pacheco es un artista de grandes dotes artísticas. Su juventud y su ímpetu creativo deberán apelar a su inteligencia, a fin de que ese gran potencial creativo florezca y se enriquezca con su misma ejecución, manteniendo siempre una visión auténtica y escuchándose a sí mismo antes que a los mandatos del mercado o de las modas. Este es su gran reto y él está consciente de ello.

There, on a previously prepared canvas, color is applied to propose settings. Then, through definite drawing, schematic lines delimit the composition. Once the arrangement of space has been resolved, the artist works with loose, broad brushstrokes that outline the silhouettes. A process of fine detail follows, the stage in which space, color and form are balanced. In all these steps, color plays a determining role: in Pacheco's work, color is an element that has the same weight as form. In this manner, form and color unite to create a visible poem. And it is color, after all, that injects emotion into the setting. They are spontaneous paintings in which the ideas have been clearly evident, ready to be painted.
Some of Pacheco's other work presents us with more relaxed painting—painting that turns to previous references echoed in new solutions. In an attempt to direct the flow of the motivation and interests that suddenly impel him to create, Pacheco makes sketches on paper. He accumulates this preliminary work—rapid strokes of forms and color—in a notebook prior to producing a large oil painting; his sketches provide agility to his hand and his ideas.
To the present, Pacheco's work has participated in more than thirty collective exhibitions and in individual exhibitions in Mexico City, Oaxaca and Culiacán. His painting, more than presenting a narrative, attempts to evoke, color, harmonize and beautify. Through his work, Pacheco offers us a poem of nature—poetry that becomes visible and delights us with its vibrant colors.
Guillermo Pacheco is an artist with great artistic talents. His youth and creative impetus must appeal to his intelligence, allowing his great creative potential to flourish and become enriched through practice; he must maintain at all times an authentic viewpoint and listen to himself rather than to the mandates of the market or fashion. This is Pacheco's greatest challenge, of which he is well aware.

GUILLERMO PACHECO
EL JARDÍN DE LAS DELICIAS, 2000
(Díptico) Oleo sobre tela, 100 x 300 cm.

Roberto Parodi
Tronco derribado, 1996
(Díptico) Oleo sobre lino, 300 x 210 cm.
Colección del autor

Roberto Parodi

1957

La obra de Parodi es equilibrada, y al igual que en su técnica, no admite facilismos e improvisaciones. En su contenido no se queda en el mensaje superficial, viaja a la intimidad de su entendimiento, compartiéndonos sus motivos y reflexiones.

Lupina Lara Elizondo

Roberto Parodi nació en la ciudad de México en el año 1957. Durante diferentes etapas de su niñez y adolescencia vivió en la ciudad de Hermosillo, pues su familia es originaria del estado de Sonora. El vivir en las dos ciudades le permitió admirar el paisaje del desierto y disfrutar la vida artística y cultural de la ciudad. *"Tuve la fortuna de que mi familia se dedicaba a las artes. Mi padre pinta profesionalmente, y a mi madre siempre le han interesado la pintura y el arte. También tengo un tío, Alejandro Parodi, que se dedicaba al cine, y él me encauzó hacia muchas cosas: la literatura, el medio del cine, la fotografía... Me ayudó mucho. Mi abuela fue escritora, y otra tía también escribía. Por eso, no tuve problemas vocacionales ni de falta de apoyo familiar. En México, mi padre se dedicaba a la caricatura política, a hacer retrato y a escribir textos. Conviví con él, con su pintura y sus amigos pintores. Por eso, a los siete años, de alguna manera yo sabía que iba a ser pintor. A los once años conocí a José Luis Cuevas, a través de mi tío Alejandro, que tenía una amistad cercana con él. Eso también fue muy importante. A los dieciséis años, ingresé a estudiar a La Esmeralda y a San Carlos. Estudié en el taller de Luis Nishizawa".* Roberto pertenece a una generación de artistas en la que muchos han logrado destacar como pintores profesionales, como: Georgina Quintana, Sergio Hernández, Germán Venegas y Luciano Spanó.

Después de tres años y medio, Roberto deja los estudios y viaja a España, pues intuía que muchas de las respuestas a sus preguntas quedarían resueltas en el estudio del gran arte. Sus maestros lo alentaron a emprender el viaje. Junto con su novia, se instaló en Barcelona durante dos años. *"Esa fue una de las más grandes experiencias de mi vida. Pude ver directamente la gran pintura española, italiana y flamenca. Tenía un estudio en donde hacía mi obra, en pequeño formato, pues no tenía las posibilidades de trabajar el gran formato. En esos días la Fundación Joan Miró se interesó en mi trabajo. También tuve la oportunidad de conocer a Antoni Tàpies. Allá tuve un encuentro muy emotivo, y muy importante para mí, con Rufino Tamayo".*

A su regreso su obra empezó a crecer plásticamente y, por consiguiente, empezó a exponer y a participar en concursos de pintura. En 1980 obtuvo Mención Honorífica en el Concurso Internacional de Poesía y Dibujo con el tema de La Danza, UNAM. En 1984 volvió a obtener Mención Honorífica, en el *IV Encuentro Nacional de Arte Joven*, INBA; en 1987 recibió otra Mención Honorífica, en el *Salón Nacional de Artes Plásticas*, INBA; en 1988 obtuvo Tercer Lugar, en la *IV*

ROBERTO PARODI
BODEGÓN A LA MANERA ANTIGUA, 1996
Oleo sobre lino, 95 x 136 cm.

ROBERTO PARODI WAS BORN IN MEXICO CITY IN 1957. During several stages of his childhood and adolescence, he lived in the city of Hermosillo since his family is originally from the state of Sonora. Living in the two cities allowed him to admire the desert landscape of Sonora and enjoy the cultural life of Mexico City. "I was fortunate that my family was dedicated to art. My father is a professional painter, and my mother has always been interested in painting and art. I also have an uncle, Alejandro Parodi, who worked in the movies, and he guided me towards many things: literature, cinema, photography... He helped me a lot. My grandmother was a writer and one of my aunts also wrote. For that reason, I had no vocational problems or lack of family support. In Mexico City, my father worked drawing political cartoons, doing portraits and writing texts. I spent time with him, with his paintings and with his painter friends. So, when I was seven years old, I somehow knew I would be a painter. When I was eleven, I met José Luis Cuevas through my Uncle Alejandro, who was a close friend of his. That was also very important. When I was sixteen, I started studying at La Esmeralda and San Carlos. I studied in Luis Nishizawa's workshop. "Roberto belongs to a generation of artists that boasts many professional painters, including Georgina Quintana, Sergio Hernández, Germán Venegas and Luciano Spanó.

After three and one-half years, Roberto left his studies to travel to Spain. He believed that many of his questions would be answered by studying famous art, and his teachers encouraged him to take the trip. Along with his girlfriend, he lived in Barcelona for two years. "It was one of the greatest experiences in my life. I was able to see firsthand the great Spanish, Italian and Flemish painting. I had a studio where I worked on small formats, since I was not able to do large formats. During that time, the Fundación Joan Miró became interested in my work. I also had the opportunity to meet Antoni Tàpies. I had a very emotional encounter there, which was very important for me, with Rufino Tamayo."

After Roberto returned to Mexico, his work began to grow visually, and as a consequence, was exhibited and participated in painting contests. In 1980, he obtained honorable mention at the Concurso Internacional de Poesía y Dibujo with the topic, La Danza, UNAM. In 1984, he again won honorable mention at the IV Encuentro Nacional de Arte Joven, INBA; in 1987, he won another honorable mention at the Salón Nacional de Artes Plásticas, INBA; in 1988, he won third place at the IV Bienal de Pintura Rufino Tamayo, in Oaxaca, and in 1989, honorable mention in Dante y La Divina Comedia, at the Auditorio Nacional, INBA. These prizes encouraged his artwork, and as a result, we find outstanding, parallel individual exhibitions, such as that presented at the Taller de Artes Plásticas Rufino

Bienal de Pintura Rufino Tamayo, en Oaxaca, y en 1989 logró Mención Honorífica, en *Dante y La Divina Comedia*, Auditorio Nacional, INBA. Estos premios entusiasmaron su quehacer artístico, por lo que de manera paralela encontramos destacadas exposiciones individuales, como la que presentó en el Taller de Artes Plásticas Rufino Tamayo, Oaxaca, en 1986; la de la Galería de Arte Contemporáneo de la ciudad de México, en 1987; *Parajes del silencio,* en el Museo de Arte Moderno, INBA, en 1990; *Rostros y espectros*, en el Museo de Arte Moderno, INBA; en el Instituto de Cultura Sonorense, en Hermosillo, y en el Centro Cultural Genaro Estrada de Culiacán; en Sonora, en 1993; *Expresiones y reflexiones,* en el Museo del Palacio de Bellas Artes, INBA, en 1996; *Objetos de bodega,* en la Galería Praxis, en 1997, y *Transgressions,* en la Feria Internacional de Arte Moderno y Contemporáneo de 1999, en París, Francia.

La obra de Roberto Parodi se muestra ante nosotros con un lenguaje moderno, que corresponde a las inquietudes de la época en que le ha tocado vivir. A raíz de su estancia en España, su aprecio por la pintura–pintura, como dice él, lo lleva a realizar profundas investigaciones acerca de las técnicas involucradas en la pintura antigua. Se ha adentrado en el cuatrocientos y el Renacimiento italiano, en la pintura flamenca y los artistas del ochocientos, continuando hasta los impresionistas y el arte cubista de Picasso. También ha estudiado a fondo la obra de José Clemente Orozco. Sus estudios en un principio fueron de carácter formal, provocando en él reflexiones que fueron filtrándose en su trabajo. Sin embargo, en su pintura podemos advertir dos etapas bien marcadas, las cuales se separan justamente con la obra que ejecutó Parodi en 1992: *Copia–estudio del bodegón de Zurbarán.* En esta pieza, el pintor va en busca de los procedimientos que el pintor español empleó para establecer un fondo que no sólo diera profundidad, sino también atmósfera y luz. *"Me interesó adentrarme en una cuestión técnica de los materiales. Me interesaron los materiales de la pintura del siglo de oro español: de Velázquez, Zurbarán, etcétera. Estudio esto obsesivamente: las texturas, el temple, el método, el dibujo... Eso me hace trabajar durante algunos años, y empiezo a obtener resultados. Es muy enriquecedor. Por eso no me arrepiento de haber pagado una cuota por ese aprendizaje, ya que en muchos lugares esa enseñanza se ha perdido, excepto en el caso de las clases de Nishizawa, que ha sido un estudioso, y maestro durante muchos años. Preguntarme cómo pintaban los pintores del siglo XVII... Era una gran pretensión querer enfrentarse a ese problema. Pero esa es la pintura. Y, aunque siento que he avanzado, he aceptado que hay muchas cosas que no vamos a poder saber".* A lo largo de este trabajo Roberto logró adentrarse en la atmósfera de la pintura clásica.

Anteriormente a esta pieza, en lo que clasificaríamos como la primera etapa de la obra de Parodi, encontramos una temática que recurre al paisaje expresionista, en el cual representa la problemática de la contaminación de las grandes ciudades y la amenaza de una guerra nuclear. *"El tema me preocupó*

Tamayo, Oaxaca, in 1986; that of the Galería de Arte Contemporáneo of Mexico City in 1987; Parajes del silencio, in the Museo de Arte Moderno, INBA, in 1990; Rostros y espectros, in the Museo de Arte Moderno, INBA; in the Instituto de Cultura Sonorense, in Hermosillo, and at the Centro Cultural Genaro Estrada of Culiacán; in Sonora, in 1993; Expresiones y Reflexiones, at the Museo del Palacio de Bellas Artes, INBA, in 1996; Objetos de bodega, at the Galería Praxis in 1997; and Transgressions, at the International Fair of Modern and Contemporary Art of 1999, in Paris, France.

Roberto Parodi's work appears before us in a modern language that corresponds to the concerns of his era. Because of his stay in Spain, his appreciation of painting has led him to carry out research on the techniques involved in ancient painting. He has delved into the 1400's and the Italian Renaissance, Flemish painting and the artists of the 1800's, continuing up to the impressionists and the cubist art of Picasso. He has also studied profoundly the work of José Clemente Orozco. Roberto's initial studies were of a formal nature, and provoked reflections that filtered into his work. There are two well-marked stages in his production, separated by a piece he produced in 1992: Copia—estudio del bodegón de Zurbarán. In this painting, Parodi is searching for the procedures Spanish painters utilized to establish a background that not only provided depth, but also atmosphere and light. "I was interested in studying a technical aspect of materials. I was interested in the painting materials of Spain's golden century: Velázquez, Zurbarán, etc. I study this obsessively: the textures, the tempera, the method, the drawing... That makes me work for a few years, and I begin to obtain results. It is very enriching. That is why I am not sorry I paid a fee for this learning, since in many places it has been lost, except in the case of Nishizawa's classes. He has been a scholar and teacher for many years. Asking me how the painters of the 17th century painted... It was very pretentious to want to confront that problem. But that is painting. And even though I feel I have advanced, I have accepted that there are many things we are not going to be able to know." During this project, Roberto was able to enter the atmosphere of classic painting.

In what we shall classify as Parodi's first stage of painting—before Copia—estudio del bodegón de Zurbarán—we find topics that turn to expressionist landscapes, which represent the problems of the pollution of the large cities and the threat of nuclear war. "The topic concerned me when I was in Europe and I saw a map with the NATO missiles. They are in Spain." Parodi's desolate landscapes are a product of destruction

ROBERTO PARODI
EDIFICIOS ROJOS, 1999
Oleo sobre lino, 180 x 130 cm.
Colección Particular

since, as he explains, he came to visualize the missiles' explosion. It is possible that his paintings also collect memories of the terrible Mexico City earthquake of 1985. The space he depicts is metaphysical, and simply refers us to a spot in space—nowhere. Parodi worked on this piece with a brush and spatula, and a varied palette mixed with blacks, resulting in grays with sparks of direct colors, such as red, blue, yellow and white. The exhibition, Parajes del silencio, showed these pieces and obtained extraordinary comments from the critics, including José Luis Cuevas: "We all know. Parodi is a firm figure in Mexico's art. Evidence is found in the exhibition of his recent work, landscapes and figures, in the Museo de Arte Moderno."

Parodi's work during the second stage of his painting continued to develop under the influence of the German expressionism of the early 20th century. All the findings of his research were incorporated into this work, which has interesting content and extremely rich visual effects, such as the piece presented in the exhibition, Expresiones y reflexiones, in the Palacio de Bellas Artes. The second research project in which Parodi became involved was a study on color. He has been working on this project for seven years. "After studying color, understanding something about the mechanism of color and being able to handle it, I cannot say that it belongs to me. There is something inside that decides if you are going to paint with a lot of color or just a little. Let's say it is a modulation that marks our feelings and our perception of the world. Color is something that has to do with a state that occurs in the piece. But I have no doubt about how to handle color. And in the technical aspect, I feel the same freedom." There are an infinite number of works that refer us to this most recent study, including: Sustento, painted in 1995, and Autorretrato, in 1996. However, the knowledge Parodi has acquired continues to manifest itself and enrich all his work; it is knowledge that will always accompany his production.

Almost parallel to the grand exhibition at the Palacio de Bellas Artes, Parodi held a superb showing entitled Objetos de Bodega; the two exhibitions were thematically separate although united in the application of their technical findings. While one overflowed with freedom and space, the other was intimate and meticulous. That road of research and expression led Parodi to the conception of work that would participate in Paris at the International Art Fair: Transgresiones. Here Parodi reorders chaos and matter, after the great disaster, after the great planetary transgressions. He suggests a calm that permits, in the first place, observing and relocating space and matter, while rescuing the awareness of time. This is the case of Edificios rojos and Volver a empezar. But this work also refers us to the rebuilding of ideas, such as those suggested in El poder de la mente and Arte y Tecnología. Parodi's work is balanced, and just as his technique, admits no short cuts or improvisation. Its content does not remain at the level of the superficial message, but travels to the intimacy of its understanding and shares with us its motives and reflections.

cuando estuve en Europa, al ver un mapa de los misiles del pacto de la OTAN. Están en España". Así, nos encontramos ante paisajes desolados producto de la destrucción, ya que como menciona, llegó un momento en que visualizó el estallido de los misiles. Es posible que sus cuadros también recojan recuerdos del gran terremoto de la ciudad de México de 1985. El espacio es metafísico, pues simplemente nos refiere a un lugar en el espacio, pero a la vez, a ninguno. Parodi trabajó esta obra con pincel y espátula, con una paleta variada que se mezcla con negros, provocando colores pardos en los que destellan colores directos, como son los rojos, azules, amarillos y blancos. La exposición *Parajes del silencio* reunió estos trabajos, y obtuvo extraordinarios comentarios de la crítica, como el de José Luis Cuevas, quien se refiere a él con estas palabras: "Todos lo sabemos. Parodi es una figura firme en el arte de México. La exposición de sus trabajos recientes, paisajes y figuras, en el Museo de Arte Moderno, así lo evidencian".

La obra correspondiente a su segunda etapa continuó desenvolviéndose bajo la influencia del expresionismo alemán de principios del siglo XX. Sin embargo, todos los hallazgos que sus investigaciones le iban proporcionando se fueron mezclando con esta obra, de interesante contenido y sumamente rica en sus planteamientos plásticos, como es el caso de la obra que presentó en la exposición *Expresiones y reflexiones* en el Palacio de Bellas Artes. La segunda investigación en la que Parodi se comprometió, fue un estudio del color. En ello ha venido trabajando durante los últimos siete años. *"Después de estudiar el color, de entender algo del mecanismo del color y de poder manejarlo, no puedo decir que me pertenece. Pues hay algo interior que decide si uno va a pintar con mucho color o con poco color. Es una modulación, digamos, que marca nuestro sentimiento y nuestra percepción del mundo. El color es algo que tiene que ver con un estado que se va dando en la obra. Pero ya no tengo la duda de cómo manejar el color. Y, en el aspecto técnico, me siento con la misma libertad".* Existen infinidad de obras que nos refieren a este último estudio, entre las que sobresalen: *Sustento,* pintada en 1995, y *Autorretrato,* realizado en 1996. Sin embargo, el conocimiento adquirido continúa manifestándose y enriqueciendo toda su pintura; es un saber que siempre acompañará su trabajo.

De manera casi paralela a su gran exposición en el Palacio de Bellas Artes, Parodi expuso una soberbia exposición, con el título *Objetos de bodega;* ambas se desligaban temáticamente, aunque se mantenían unidas en la aplicación de sus hallazgos técnicos. Mientras una desbordaba libertad y espacio, la otra desbordaba intimidad y minuciosidad. En ese camino de investigación y expresión, Parodi llegó a la concepción de la obra que participaría en París, en la gran Feria Internacional de Arte, a la cual tituló *Transgresiones.* Aquí Parodi reordena el caos y la materia, después del gran desastre, después de la gran transgresión planetaria. Plantea una calma que permite, en primer lugar, observar y reubicar el espacio y la materia, rescatando a la vez la conciencia del tiempo. Este es el caso de *Edificios rojos* y *Volver a empezar.* Pero esta obra

Roberto Parodi
Vover a empezar, 1999
Oleo sobre lino, 135 x 184 cm.
Colección Particular

también nos refiere a la reconstrucción de las ideas, como lo plantea en *El poder de la mente* y en *Arte y tecnología*. La obra de Parodi es equilibrada, y al igual que en su técnica, no admite facilismos e improvisaciones. En su contenido no se queda en el mensaje superficial, viaja a la intimidad de su entendimiento, compartiéndonos sus motivos y reflexiones.

Roberto Parodi ha querido demostrar que es a través del conocimiento como se puede avanzar en el arte. Por ello, y sin consideraciones de ninguna índole, decidió indagar en la ciencia y en la técnica para hacer un trabajo que se sostuviera únicamente con el dibujo y el color. Su búsqueda de la calidad se ha convertido en un motivo existencial, al cual ha sido fiel. Y ahora, consciente del equilibrio entre el saber y el hacer, decide volcarse en el lienzo. *"Ahora que he terminado mis investigaciones, estoy muy entusiasmado con producir, pues considero que el conocimiento tiene que ser así, exigente del hacer, para que la pintura vaya fluyendo, y la única forma es trabajando".*

Roberto Parodi es, hoy por hoy, uno de los más destacados exponentes de la pintura mexicana. Tuvo el privilegio de concebir la gran pintura y de ubicarse en ella. Su obra muestra el equilibrio de la modernidad y la tradición. Nos ha reivindicado que modernidad no es sinónimo de lo fácil, de lo aparentemente brillante.

Roberto Parodi has wanted to demonstrate that it is through knowledge that progress can be made in art. For this reason, and without considerations of any nature, he decided to investigate science and technique in order to produce work that would be sustained solely by drawing and color. His search for quality has become an existential motive to which he has been loyal. And now, conscious of the balance between knowing and doing, he has decided to speak on the canvas. "Now that I have finished my research, I am very enthusiastic about producing. I believe that knowledge has to be like that, demanding about doing, so that the painting can flow. And the only way is by working." Today, Roberto Parodi is one of the most outstanding expounders of Mexican painting. He has had the privilege of conceiving great painting and locating himself in it. His work shows the equilibrium of modernity and tradition. He has proven to us that modernity is not a symbol of ease or apparent brilliance.

Rosendo Pérez Pinacho
Manzanas, 1998
Mixta sobre tela, 150 x 150 cm.
Colección Particular

Rosendo Pérez Pinacho

1972

El contacto con la naturaleza lo llevó a incluir en su pintura el concepto de vida y muerte; los árboles representaron la vida y los esqueletos la muerte.

Lupina Lara Elizondo

Rosendo Pérez Pinacho nació en el municipio de Candelaria Loxicha, Pochutla, en el estado de Oaxaca, el año 1972. Su padre es don Francisco Pérez, y desde hace muchos años, ejerce el oficio de tablajero; se dedica a la compra y venta de carne. Por otro lado, su madre, doña Guadalupe Pinacho, se ha dedicado a las labores del hogar, y también a apoyar a su esposo en su negocio. Desde muy pequeño, su padre lo despertaba a media noche, o lo mandaba buscar por la tarde para que lo acompañara a ir a comprar ganado. Con elocuente narrativa, Rosendo describe aquellas experiencias: *"Salíamos como a la una de la mañana, y nos íbamos a pie o en caballo a los ranchos de ganado. Algunos se encontraban cerca, pero para llegar a otros era necesario atravesar otros pueblos. En ocasiones traíamos reses o puercos vivos, y en otras íbamos a comprar reses salvajes; a ésas nosotros teníamos que ir a cazarlas. Les poníamos unas trampas con maíz que esparcíamos en la tierra y colgábamos lazos entre la hierba para cuando vinieran a comer el maíz; allí las atrapábamos con las cuerdas. Un día, una res llegó y quedó atrapada de los cuernos. Era sorprendente el esfuerzo que hacía para salir de allí. Mi padre decidió matarla, antes de que se descompusiera la carne. Allí mismo la destazamos. Colocamos una pierna en una cesta en cada lado de una mula y las costillas en otra, y así nos la llevamos de regreso. Era una experiencia muy fuerte, tanto por el trabajo que implicaba como por estar en contacto tan cercano a lo que es la muerte".*

Experiencias como ésa llenaron su infancia de emoción, al igual que aquellos días en que iba a pescar con sus amigos al salir de la escuela: *"En la escuela nos poníamos de acuerdo tres o cuatro niños para ir a chacalear, pues chacales se les llama a los langostinos y por eso decíamos que era ir a chacalear. Pescábamos trucha, langostino y langosta de agua dulce. A veces nos comíamos parte de lo que habíamos pescado".* Fueron experiencias maravillosas que dejaron alegría, color y emoción en su vida. Ellas están guardadas, y al revivirlas, siguen alimentando su vida de júbilo, de una alegría plena que en su memoria jamás se va a agotar.

Rosendo entró por primera vez en contacto con la pintura en una libreta en la que su madre llevaba las cuentas de las ventas de la carne. En ella su madre acostumbraba hacer dibujos de diferentes temas y, a veces, hacía apuntes de flores. Un día, por casualidad, Rosendo miró los dibujos y sintió el deseo de dibujar junto a ellos. Se le ocurrió agregar aves a las flores y siguió con otras cosas. Se sintió entusiasmado y satisfecho de lo que había hecho, y dibujar se convirtió para él en un agradable pasatiempo. De repente hacía poemas, los cuales acompañaba con un dibujo, y los regalaba a sus

ROSENDO PÉREZ PINACHO
PEZ ASCENDENTE, 1998
Mixta sobre tela, 100 x 100 cm.

ROSENDO PÉREZ PINACHO WAS BORN IN THE TOWN OF Candelaria Loxicha, Pochutla, in the state of Oaxaca, in 1972. His father, Francisco Pérez, has worked as a meat wholesaler for several years, and his mother, Guadalupe Pinacho, is a housewife who helps her husband in the business. Starting when Rosendo was small, his father would awaken him in the early morning hours or send for him in the afternoon to go on cattle-buying trips. Rosendo eloquently describes those experiences: "We would leave about one in the morning, and would go on foot or on horseback to the cattle ranches. Some were nearby, but some were reached by going through other towns. Sometimes we brought back cattle on the hoof or pigs, and other times we would buy wild cattle, which we had to catch. We would lay traps by scattering corn on the ground and tending ropes in the grass; when the cattle came to eat the corn, we would lasso them with the ropes. One day a heifer was caught by the horns. The effort it made to escape was surprising. My father decided to kill it before the meat was ruined. We dressed it on the spot. We put the legs in two baskets on either side of a mule, and the ribs in another basket, and that is how we brought it back. It was a very impressive experience because it implied hard work as well as being in close contact with death."
Such experiences filled Rosendo's life with emotion, as did afternoons of fishing with friends after school: "At school three or four of us would decide to chacalear: the chacal was the crawfish, and that's why we called it going to chacalear. We would catch trout, crawfish and freshwater lobster." These marvelous activities added happiness, color and excitement to Rosendo's life. They are stored in his memory, and when relived, continue to infuse his mind with unending joy and happiness.
Rosendo's first contact with painting was a notebook in which his mother, in addition to recording meat sales, made drawings of different subjects and sometimes sketches of flowers. One day Rosendo found himself looking at the drawings and feeling the desire to add to them. It occurred to him to draw birds next to the flowers, and he continued on with other topics. He felt enthusiastic and satisfied about what he had done, and drawing became a pleasant pastime. At times he would write poems and then illustrate them as gifts for his teachers, family or friends. He was very fond of drawing, but was not yet aware that art could be a career; his attention was centered on becoming a marine biologist, although his father wanted him to study law.
Another event that influenced Rosendo's future occurred when he was nine or ten years old and went with his mother to visit his grandmother, who lived about an hour's walk away in a different town. At his

maestros, sus familiares o sus amigos. Le gustaba mucho hacer dibujos, pero en ese entonces aún no sabía que existía la carrera de arte y su atención estaba puesta en ser biólogo marino.

Otro evento que influyó en su futuro fue el que sucedió un día cuando tenía nueve o diez años en que fue con su madre a visitar a su abuela, que vivía en un pueblo cercano al suyo, como a una hora de camino a pie. Allí se encontró unas figuras talladas en ladrillo rojo. Su abuela le explicó que se trataba de unas réplicas de piezas prehispánicas que su tío, el hermano de su madre, había realizado para la escuela. Su abuela le dijo que se las podía llevar; las guardó como un tesoro. De ellas aprendió el sentido del volumen y del espacio, el peso, el movimiento y el ritmo de las formas, y aunque no entendió esto en palabras, los conceptos quedaron guardados en su conciencia estética, al grado de llevarle a afirmar que de haber tenido las oportunidades económicas habría sido escultor.

Un día, cuando Rosendo cursaba la secundaria, su maestro de educación artística lo invitó a participar en un ejercicio que llevaría a cabo en su clase. El maestro lo puso junto con sus alumnos a copiar una botella de refresco, el borrador del pizarrón, un gis y una libreta. Al terminar, observó que casi todos los alumnos habían pintado los objetos planos, y que sólo él y otro compañero habían considerado el volumen y la luz en sus dibujos. El maestro lo mandó llamar y le dijo: "Tú deberías ir a Bellas Artes". De momento, Rosendo no supo qué era eso, y el maestro le aclaró que era una escuela en la ciudad de Oaxaca. Con esa observación, la semilla de estudiar arte empezó a germinar, y su atención cada día fue dirigiéndose a diferentes cosas que tenían que ver en mayor o menor grado con el arte. Le gustaba mirar los trabajos que hacía un rotulista de su pueblo que le hacía a su padre los anuncios de la carnicería y les agregaba distintas figuras. También acudía a la biblioteca de la escuela para leer sobre los pintores; leyó casi todos los libros que en ella pudo hallar. Su interés por el arte iba en aumento, hasta que llegó el día en que Rosendo tomó la decisión de irse a estudiar a la Escuela de Bellas Artes de Oaxaca. Habló con su padre, pero se encontró con una rotunda negativa. Como último recurso, el padre le ofreció una de sus carnicerías para que se quedara como dueño, y como Rosendo no la aceptó, le dijo: "Pues bien, allí está la calle". Rosendo consideró la situación, pero pensó que si no se iba en ese momento, no se iría nunca. Al cruzar el portal de su casa lo invadió cierta tristeza, pero tenía que mantenerse firme.

En el año 1989 se inscribió en la Escuela de Bellas Artes de la Universidad Autónoma Benito Juárez, de Oaxaca, y cuando su padre se enteró de que estaba estudiando, olvidó rencores y decidió apoyarlo. Cada cierto tiempo le mandaba dinero, hasta que con la crisis del café, vino una fuerte baja en la venta de la carne. Sin dinero, Rosendo se vio en la necesidad de abandonar la escuela y de buscar un trabajo, y se contrató en una carnicería. Casi todo el dinero que ganaba lo podía ahorrar; únicamente gastaba el treinta por ciento de sus ingresos en la compra de telas y pinturas. Cuando la suma acumulada y la

grandmother's house he found some figures carved in red brick, which his grandmother explained were copies of pre-Hispanic figurines that her maternal uncle had made for school. She told Rosendo he could take the carvings home, and he guarded them as a treasure. They taught him about volume and space, weight, movement and the rhythm of form; although he did not understand these concepts in words, they remained in his aesthetic consciousness, and on one occasion led him to state that he would have been a sculpture had the economic opportunity existed.
One day when Rosendo was in secondary school, his art teacher invited him to participate in a class exercise. The teacher asked various students to copy a soft drink bottle, a blackboard eraser, a piece of chalk and a notebook. At the conclusion of the exercise, the teacher noticed that almost all of the students had drawn the objects in two dimensions, and that only Rosendo had taken volume and light into consideration. The teacher called for Rosendo and told him, "You should go to Bellas Artes." Rosendo was unfamiliar with the name, and the teacher explained that Bellas Artes was a school in the city of Oaxaca. After the teacher's comment, the idea of studying art began to germinate in Rosendo's mind, and his attention was increasingly directed to ideas related to art in a greater or lesser degree. He liked to look at the work of the town's sign painter, who made the ads for his father's butcher shop and adorned them with various figures. He would also go to his school library to learn about artists, and read practically all that was available. His interest continued to grow, until he finally decided to go to Oaxaca to study at the Escuela de Bellas Artes. When Rosendo mentioned the idea to his father, he encountered a flat refusal. As a last recourse, his father offered to give him the butcher shops, but Rosendo did not accept. The father's response was, "Fine, there's the street." Rosendo analyzed the situation, but decided that if he did not leave home at that moment, he would never leave. On parting he was invaded by sadness, but held firm.
In 1989, Rosendo enrolled in the Escuela de Bellas Artes of the Universidad Autónoma Benito Juárez in Oaxaca. When his father discovered he was in school, he forgot his ill feelings and decided to support his son. From time to time he sent him money, until the coffee crisis caused a marked drop in meat sales. Penniless, Rosendo was forced to quit school and find work: he was hired by a butcher shop. He was able to save almost all of his earnings, and spent only thirty percent of his income on canvases and paint. When

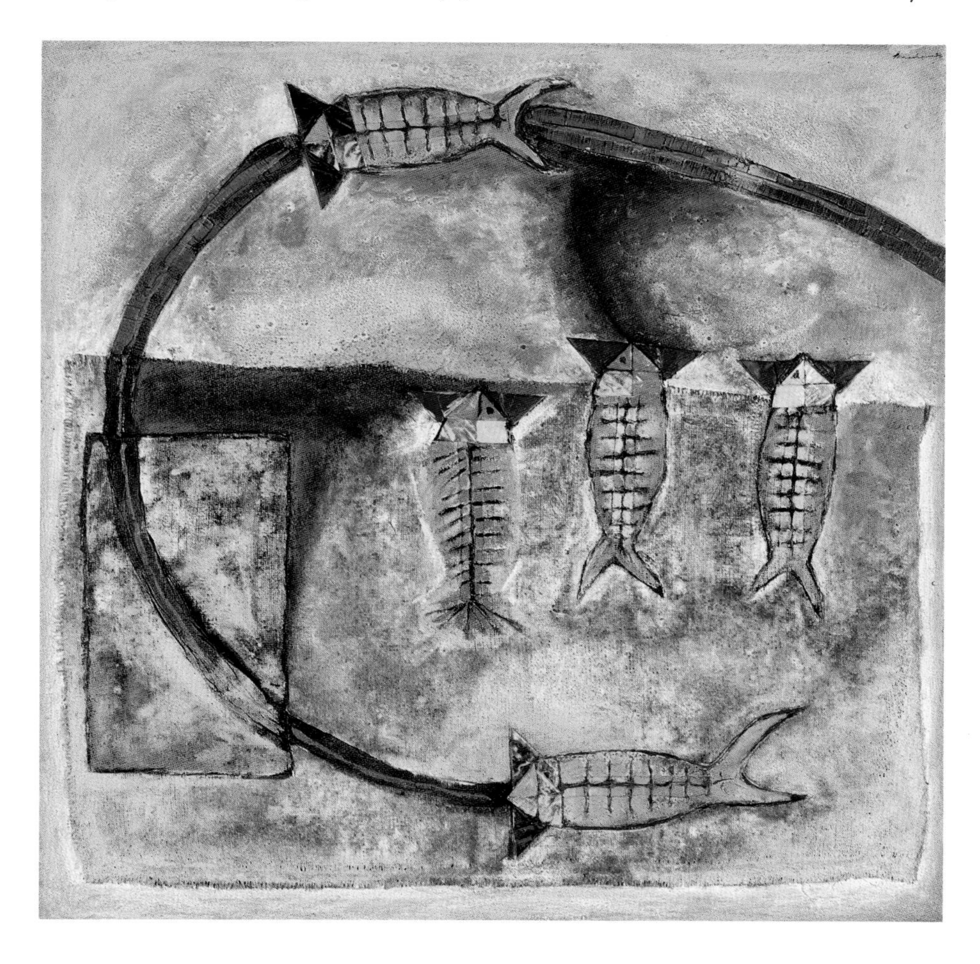

Rosendo Pérez Pinacho
Peces en altamar, 1998
Mixta sobre tela, 100 x 100 cm.

his savings and stored materials seemed sufficient, Rosendo returned to the Escuela de Bellas Artes and rented a small room. He did not enroll in the normal courses, but selected only the classes taught by Maestro Shinzaburo Takeda. Rosendo remained close to his teacher, listening to his advice and plastic criteria, and observing his painting methods.

In 1998, Rosendo took a trip to France and extended his stay to two and one-half months; most of that time was spent in Paris. One of the main conclusions he reached was the importance of having art speak on its own, and on its having something to say. Once back in Mexico, Rosendo was anxious to return to his hometown—from a distance he had come to appreciate the great tradition and culture of the Oaxacan people. He wanted to see once more the variety of birds, the iguanas and the armadillos, and to feel the coolness of the rivers and the shade trees that protected against the heat and rain. He wanted to paint them to recall old times. During Rosendo's visits to the countryside, whatever he saw he could also feel, smell and hear, as if he suddenly formed part, both individually and totally, of the different forms of life that surrounded him. For this reason, the content of such experiences is revived intensely in Rosendo's painting. His contact with nature led him to include the concept of life and death: trees represented life and skeletons, death. In a later stage, Rosendo found a way to show human feelings in his paintings of trees, and allowed the tree's branches, leaves and trunk to express sadness, nostalgia, love, hate, abandonment and fear, as well as other emotions. In this series, expression is the guiding principle and predominates over color.

Pérez Pinacho began to participate in collective exhibitions early on, first in Oaxaca, then in the collective expo of Oaxacans in Tokyo and Nagoya, Japan. One year later, his work returned to Japan with the exhibition entitled, Shinzaburo Takeda and his Pupils, in the Civic Center Gallery of Seto. In 1997, he had the opportunity to show his work in Hamburg, Germany. He has also participated in various exhibitions in Mexico, including Por pasión al arte, at the Museo de Arte Moderno of Mexico City in 1997, and again at the same museum in 1998, in Primer Encuentro Internacional Johnnie Walker en las Artes.

In 2000, Pérez Pinacho reached an agreement with the authorities of the town of San Pablo Macuiltianguis to meet the commitment he had assumed three years earlier to paint a mural at the Palacio Municipal. The mural was concluded in one year, on five panels measuring 1.6 by 19 meters; it attempts to portray the town's fiestas and activities. The following year, Rosendo had the opportunity to return to Europe, and took with him the work that would be presented at the Artoz-Factory Gallery of Nuremberg, Germany. All of the paintings were sold, and the gallery offered Rosendo a workshop for him to continue painting. One of his most recent individual exhibitions was held at the Rufino Tamayo gallery of the

cantidad de materiales le parecieron suficientes para poder vivir durante un largo tiempo, Rosendo regresó a la Escuela de Bellas Artes y rentó un pequeño cuarto. No se inscribió en los cursos normales, solamente seleccionó las clases del maestro Shinzaburo Takeda. Rosendo se mantuvo cerca de su maestro, escuchando sus consejos y sus criterios plásticos, y observando sus métodos de hacer pintura.

En 1998 Rosendo emprende un viaje a Francia que se extendió durante dos meses y medio, de los cuales la mayor parte del tiempo la pasó en París. Una de las grandes conclusiones que obtuvo de su viaje fue la importancia de lograr que las obras hablen por sí solas y que tengan algo que decir. A su regreso, sintió el deseo de ir a su pueblo, pues con la distancia revaloró la gran tradición y cultura que guardan los pueblos oaxaqueños. Deseaba volver a ver toda esa variedad de pájaros, a las iguanas y los armadillos, y sentir la frescura de sus ríos y de esos árboles en cuya sombra se resguardó del calor y de la lluvia. Quería pintarlos y revivir aquellos momentos. Rosendo salía al campo y lo que veía también lo podía sentir, y al mismo tiempo lo podía oler y escuchar, como si de golpe su ser pudiera formar parte individual y total de esas diferentes formas de vida que lo rodeaban. Es por ello que el contenido de esta experiencia se revive con tanta insistencia en su pintura. El contacto con la naturaleza lo llevó a incluir en su pintura el concepto de vida y muerte; los árboles representaron la vida y los esqueletos la muerte. En una nueva etapa de su pintura, Rosendo encuentra la manera de dejar plasmados en los troncos de los árboles los sentimientos del ser humano, y se da a la tarea de que el árbol exprese en sus ramas, en sus hojas y en el tronco mismo la tristeza, la nostalgia, el amor, el odio, el abandono y el temor, así como tantos otros más. En esta serie la expresión es la pauta y a ella se subordina el color.

Desde sus etapas tempranas, Pérez Pinacho empezó a participar en exposiciones colectivas, las primeras en Oaxaca, y en 1983 participó en la Expo-colectiva de oaxaqueños que se llevó a cabo en las ciudades de Tokio y Nagoya, en Japón. Un año más tarde, su obra volvió a Japón con la exposición *Shinzaburo Takeda y sus alumnos,* en la Galería Centro Civil de Seto. Posteriormente su obra tiene oportunidad de exhibirse en Hamburgo, Alemania, en 1997. También participó en exposiciones en diversas ciudades de nuestra República, entre las que destaca su participación en *Por pasión al arte,* en el Museo de Arte Moderno de la ciudad de México en 1997, y en 1998 en que fue seleccionado para exponer otra vez en el Museo de Arte Moderno, en el *Primer Encuentro Internacional Johnnie Walker en las Artes.*

Durante el año 2000 Pérez Pinacho logró un acuerdo con las autoridades del pueblo de San Pablo Macuiltianguis para cumplir con el compromiso que había establecido tres años atrás, de pintarles un mural en el Palacio Municipal. Después de un año el mural quedó concluido, abarcando cinco paneles que miden en total 1.60 x 19 metros. En éste, el pintor trató de hacer un retrato de las fiestas y actividades del pueblo. El año siguiente Rosendo tuvo la oportunidad de volver a viajar a Europa, y en esta ocasión acompañándose

Rosendo Pérez Pinacho
Mujer dormitando, 2001
Oleo sobre tela, 100 x 120 cm.

con la obra que se presentaría en la Galería Artoz-Factory de Nuremberg, en Alemania. Todos sus cuadros se vendieron y la galería le ofreció un taller para que continuara pintando. Una de sus más recientes exposiciones individuales fue la que se llevó a cabo en la Galería Rufino Tamayo, Casa de la Cultura Oaxaqueña, con el título *Sólo los peces muertos siguen la corriente.*

En los inicios de 2001 Pinacho nos deleita con una pintura fresca, llena de romanticismo y ternura, en la que surge la figura femenina, que por lo general aparecerá como un desnudo recostado, invitando al amor; en paralelo a esta serie surgieron las naturalezas muertas. Su pintura se ha ido construyendo y enriqueciendo en este proceso de evolución. Uno de los sueños anhelados por Rosendo se ha vuelto realidad al incursionar en el terreno de la escultura con obras de reciente factura, talladas en madera, que muestran un primer paso en una búsqueda y un acercamiento hacia el volumen y la forma. Lo vemos mantenerse con la firme visión de apreciar y de valorar lo ya hecho, el trabajo grandioso de quienes se han adelantado en el arte, para a partir de allí reconstruir, renovar y proponer, pues cuando el anhelo de pintar es auténtico, el compromiso con el oficio y el respeto a la pintura es algo natural.

Casa de la Cultura Oaxaqueña, and was entitled, Sólo los peces muertos siguen la corriente ("Only Dead Fish Go With the Current").
In early 2001, Pinacho delighted us with new work, full of romanticism and tenderness, that generally depicted female nudes, reclining and inviting love; parallel to this series were the still-lifes. His painting has been constructed and enriched in this process of evolution. One of Rosendo's cherished dreams has come true with his recent production of carved wood sculptures, a first step in his search for volume and form. We see his steadiness in appreciating and valuing the past and the great work of those who have gone before him in art, in order to take up where they left off in rebuilding, renovating and proposing. When the desire to paint is authentic, the commitment to the craft and the respect for painting is natural.

Georgina Quintana
Centro histórico, 1992
Oleo sobre madera, 120 x 90 cm.
Cortesía Galería OMR. Colección Particular

Georgina Quintana

1956

Su gran maestro e inspirador es el pintor guanajuatense del siglo XIX, Hermenegildo Bustos. Y, a la usanza de este gran artista, es fiel a sus modelos. No interpreta los rostros, busca reflejarlos con total fidelidad.

Lupina Lara Elizondo

Georgina Quintana nació en la ciudad de México en el año 1956. Es la menor de siete hermanos. Su padre era de origen poblano, abogado de profesión, pero historiador de corazón. Su gran predilección ha sido la colección de objetos y antigüedades, además de ser un apasionado de los libros. Ella recuerda que el lugar de reunión de la familia era la gran biblioteca de su padre. Este hombre advirtió algo especial en su hija menor, pues desde que ella era muy pequeña, acostumbraba llevarla a sus paseos: *"Por alguna razón, cuando yo tenía cinco años, mi papá me llevaba todos los sábados a sus paseos. En ocasiones visitábamos a sus amigos bibliófilos. Eran unos personajes maravillosos. Uno estaba más loco que otro... bueno, hasta en los baños tenían libros. Otras ocasiones íbamos al centro de la ciudad de México o a la ciudad de Puebla. Entrábamos a las iglesias y en ellas me iba mostrando las diferencias de lo dórico, lo jónico o de una columna salomónica. En Puebla me hacía preguntas como: -¿Tú crees que este edificio es genuino, o crees que es de los que tiraron y luego reconstruyeron?- Yo le daba mi respuesta y él me corregía, haciéndome observar que las reconstrucciones no guardaban las proporciones del siglo XVIII ó del XIX. Esto me permitió adquirir un gusto muy especial respecto al arte colonial y por el arte en general. Estas actividades despertaron en mí la capacidad de apreciar. Creo que a él le daba gusto ver que mostraba interés y le prestaba atención".*

Adicionalmente a esta experiencia que motiva el desarrollo de su sensibilidad, en la escuela Georgina tuvo una maestra de arte con la que desarrollaban cuentos, libros de poemas y dibujos, esculturas con barro y collages, y lo que más le gustaba eran esas ocasiones en que se asignaba tema libre. Desde entonces la maestra la señaló, reconociendo en ella una habilidad natural para crear. Georgina tomaba sus tareas con gran compromiso y disfrutaba haciéndolas con entrega y dedicación. En una ocasión le encargaron hacer la figura de Miguel Hidalgo y ella la hizo en plastilina, pero le quería poner pelo, que en cierta forma es algo distintivo del personaje. Entonces ideó pegarle pedazos de coliflor para dar el efecto del pelo. Ella estaba muy orgullosa de su resolución, y no le importaba la opinión que otros pudieran tener al respecto.

Cuando se encontraba por terminar la preparatoria, hubo un período en que se dedicó a escribir poesía, y junto con una compañera, la actual escritora Carmen Boullosa, hacía exposiciones de poesías y dibujos. De momento Georgina creyó que su camino eran las letras y se inscribió en Letras Hispánicas, en la facultad de Filosofía y Letras de la UNAM. En ese tiempo, al salir de clases

GEORGINA QUINTANA WAS BORN IN MEXICO CITY IN 1956, the youngest of seven children. Her father is from Puebla, a lawyer by trade but a historian at heart. His favorite activity has been collecting objects and antiques, in addition to reading avidly. Georgina remembers that the family's center of reunion was her father's large library. Mr. Quintana noticed a special quality in his youngest daughter, and would take her on his outings even as a small child: "For some reason, when I was five years old, my father would take me with him every Saturday. Sometimes we would visit his book-loving friends. They were marvelous characters. One was crazier than the other... well, they even had books in the bathrooms. Other times we would go to downtown Mexico City or to the city of Puebla. We would go into the churches and my father would show me the differences between the Doric, the Ionic or a Solomonic column. In Puebla he would ask me questions like: 'Do you think that this building is genuine, or do you think it is one that they demolished and then rebuilt?' I would answer and he would correct me, making me see that the reconstructed buildings did not respect the proportions of the 18th or 19th centuries. This allowed me to acquire a very special taste for colonial art and for art in general. These activities stimulated in me an ability to appreciate. I think that he liked seeing that I was interested and paid attention."

The development of Georgina's artistic sensitivity was motivated by these experiences, as well as by the art teacher at her school, who helped her write stories and poetry, and produce drawings, clay sculptures and collages; what Georgina most liked were the open assignments. The teacher recognized her natural talent, in addition to her commitment and dedication. On one occasion, when Georgina was asked to sculpt Miguel Hidalgo in clay, and to create the effect of hair—a distinctive feature of the person in question—she attached pieces of cauliflower to the figure's head. She was very proud of having solved the problem, and uninterested in any opinion about her solution.

When Georgina was near the end of preparatory school, she wrote poetry for a time; she and a schoolmate, the writer Carmen Boullosa, would hold presentations of poetry along with drawings. Georgina decided to study literature, and enrolled in Hispanic Letters at the UNAM School of Letters. After attending class, she would go home to paint. A friend, on noticing what she was doing, remarked, "Georgina, can't you see you're a painter?" The comment made Georgina reflect on what she truly wanted to do with her life, and she decided to leave the university to

llegaba a su casa a pintar. Entonces una amiga, al ver lo que hacía, le dijo: "Georgina, ¿qué no ves que tú eres pintora?" Esa observación la hizo reflexionar sobre qué era lo que realmente quería hacer, y decide dejar la universidad para dedicarse a pintar. A través de un familiar se pone en contacto con el pintor Héctor Xavier, un gran dibujante y con una especial predilección por el dibujo de los animales. El acepta dirigirla y la lleva a pintar al zoológico. Fue una experiencia muy interesante para Georgina, ya que se enfrenta al reto de dibujar del natural y, además, de hacerlo con una figura en movimiento. Al terminar de trabajar, él le mostraba sus dibujos y ella los suyos. Sobre ellos, él le hacía ciertos señalamientos que fueron muy valiosos para perfeccionar su dibujo. Además, él la enseñó a observar los dibujos y grabados japoneses y chinos, de los cuales se desprenden grandes lecciones.

Con el paso del tiempo Georgina considera que debe ampliar su aprendizaje y comienza a asistir a las clases que impartía el maestro Aceves Navarro en la Escuela Nacional de Artes Plásticas. Sin embargo, por algún motivo, cambia de opinión e ingresa en 1977 a la Escuela de Pintura, Escultura y Grabado La Esmeralda. Aparte de las lecciones, la convivencia con maestros y alumnos, compartiendo los mismos intereses, así como contar con un lugar en donde trabajar, tienen gran valor en esta etapa formativa. Entre sus maestros se encontraba Javier Arévalo, quien lograba transmitir la pasión y motivación de crear. En ese tiempo la escuela organizó un viaje al sureste de México, en el que participaron más de treinta estudiantes. El único fin era pintar durante el recorrido. Después de dos años y medio, Georgina decide dar por terminados

GEORGINA QUINTANA
LOS JUGUETES OLVIDADOS, 1988
Oleo y collage sobre tela, 123.5 x 143 cm.
Cortesía Galería OMR. Colección Particular

GEORGINA QUINTANA
HALLAZGO (TRAZÁNDOSE CAMINO), 1994-95
Oleo sobre madera, 122 x 200 cm.
Cortesía Galería OMR. Colección Particular

sus estudios en La Esmeralda y viaja a Nueva York junto con dos compañeras pintoras, Rocío Maldonado y Estela Hussong. Su objetivo era ir a estudiar las grandes obras que se encuentran en el Museo Metropolitano de Arte, así como el arte moderno y las propuestas de vanguardia que en aquel entonces se exhibían en el Museo de Arte Moderno y las galerías de esa ciudad. Durante su estancia, que se prolongó por seis meses, pasaban largas horas estudiando con detenimiento las obras de Rembrandt, Durero, Van Eyck, y descifrando en ellas las grandes lecciones que encierran estos trabajos. También se deleitaron con todo lo que esta ciudad ofrece: buena ópera, danza, cine, música, etcétera.

A su regreso busca un taller en donde poder pintar, y al poco tiempo encuentra un lugar en el centro de la ciudad, en la calle de República de Chile, el cual además se volvió su casa. Como dice ella: *"Me encontré un apartamento maravilloso, con cucarachas incluidas, a una cuadra de Santo Domingo. Lo que ves en esos lugares es increíble. Me salía a dibujar a los 'teporochos'; pasaba horas en las plazas dibujando a la gente. El centro deja muchas enseñanzas visuales y de conciencia".* En ese tiempo se inscribe en el taller del maestro Luis Nishizawa, en la Escuela Nacional de Artes Plásticas. Posteriormente regresa a La Esmeralda para tomar un curso de fotografía, y viaja a Barcelona con el fin de aprender las técnicas del papel hecho a mano.

En un afán de sobrevivir, Georgina se dedicó a muchas actividades que la alejaban de la pintura. Pero al pensar que de esa manera nunca iba a dejar de comer papas, ni iba a poder sacar adelante su carrera como pintora,

devote herself to painting. Through a relative, she contacted the painter, Héctor Xavier, a great draftsman with a special fondness for drawing animals. He accepted Georgina as a student and took her to the zoo to draw. The experience was highly interesting for Georgina, since she faced the challenge of drawing from life, with figures in movement. On concluding the project, she and Héctor Xavier showed each other their work, and he gave her certain guidelines that proved valuable in perfecting her drawing. In addition, he taught her to observe the lessons contained in Japanese and Chinese drawings and engravings. Over time, Georgina came to believe she needed to broaden her learning, and began to attend the classes given by Maestro Aceves Navarro at the Escuela Nacional de Artes Plásticas. In 1977, she transferred to the Escuela de Pintura, Escultura y Grabado La Esmeralda. In addition to her classroom experiences, being able to interact with teachers and other students, share common interests, and have a place to work, were of great value in Georgina's education. One of her teachers was Javier Arévalo, who was able to transmit to his students his passion and motivation in creating. While Georgina was a student, the school organized a trip to southeastern Mexico for thirty students, with the sole purpose of having them paint. Georgina decided to conclude her studies at La Esmeralda after two and one-half years, and traveled to New York along with two other painters, Rocío Maldonado and Estela Hussong. Their objective was to study the master works found in the Metropolitan Museum of Art, as well as the modern art and avant-garde work exhibited at the Museum of Modern Art and the city's galleries. During their stay, which lasted more than six months, the women spent long hours carefully studying the works of Rembrandt, Dürer and Van Eyck, and deciphering the lessons they contain. They also enjoyed the city's cultural offerings: opera, dance, cinema and music.

On her return, Georgina looked for a workshop where she could paint, and soon found a place in downtown Mexico City, on República de Chile street, which also became her home. She states: "I found a marvelous apartment, with cockroaches included, one block from Santo Domingo. What you see in those places in incredible. I would go out to draw the 'teporochos'; I spent hours in the plazas drawing the people. The downtown area has a lot to teach you about vision and awareness." She enrolled in the workshop of Maestro Luis Nishizawa at the Escuela Nacional de Artes Plásticas, and then returned to La Esmeralda to take a photography course; she later traveled to Barcelona to learn techniques for producing handmade paper.

In order to survive, Georgina dedicated her time to many activities that distanced her from painting. On realizing that her budget would continue to be tight in spite of other work, and that her career as a painter would fail to advance, she turned to her father for support. He gave her the letters Van Gogh had written to his brother, Theo, and told her about Cézanne's father, who had realized he would have to work arduously to support his son. In the end, Georgina's father, based on his high esteem for his daughter, agreed to support her. Georgina Quintana began by exhibiting in the forums of the Instituto Nacional de Bellas Artes: Casa de la Cultura de Campeche, Palacio de Gobierno de Mérida, Galería Tata Nacho en Querétaro, Casa de la Cultura de Chetumal and Casa de la Cultura de Morelia. She also participated in the Encuentros Nacionales de Arte Joven in Aguascalientes, where her work was selected in 1982, 1983 and 1984. That year she sent a painting to the Universidad Veracruzana contest held under the topic of El paisaje veracruzano ("The Veracruz Landscape"), and her work won the Acquisition Prize. In 1987, Georgina held her first individual exhibition, at the Galería OMR in Mexico City, which at that time became her gallery. The same year she participated with two extraordinary paintings in the II Bienal Internacional de Pintura in Cuenca, Ecuador.

In Georgina's early work we find rich and audacious composition, which displays her good handling of planes and spaces. Some of her pieces remind us of the work of María Izquierdo: the coloring, austerity and surrealistic concepts. These paintings involve a

recurre a su padre para que la apoyara. Le da a leer las cartas de Van Gogh a su hermano Theo, y le muestra cómo es que el padre de Cézanne se dio cuenta de que tenía que trabajar muy duro para apoyar a su hijo. El caso es que, por el amor que se tenían, su padre accede a apoyarla. Georgina Quintana inicia exponiendo en los espacios del Instituto Nacional de Bellas Artes: Casa de la Cultura de Campeche, Palacio de Gobierno de Mérida, Galería Tata Nacho en Querétaro, Casa de la Cultura de Chetumal y Casa de la Cultura de Morelia. También participa en los *Encuentros Nacionales de Arte Joven*, en Aguascalientes, para los cuales su obra es seleccionada en los años 1982, 1983 y 1984. Este último año envía un cuadro al concurso de la Universidad Veracruzana con el tema *El paisaje veracruzano*, y su obra recibe el Premio de Adquisición. En 1987 realizó su primera exposición individual, en la Galería OMR de la ciudad de México, la cual a partir de ese momento se convirtió en su galería. Ese mismo año participó con dos extraordinarios cuadros en la *II Bienal Internacional de Pintura*, en Cuenca, Ecuador.

En sus obras tempranas encontramos una rica y audaz composición, la cual hace alarde de su buen manejo de los planos y los espacios. Algunas de ellas nos refieren a la obra de María Izquierdo: a su colorido y austeridad y a sus conceptos surrealistas. En estas obras hay cierto feminismo involucrado. A partir de 1987 Georgina trabaja por series, desarrollando temas específicos. En 1989 realiza la serie que titula "Campos geográficos". En ella la pintora refleja lo que está viviendo. Su mundo interior se está resquebrajando, reclamándole un reencuentro consigo misma y con sus verdaderos propósitos. Las obras de esta serie formaron parte de su segunda exposición individual en la OMR.

Buscando una renovación, Georgina decide romper de raíz con la estructura que hasta entonces había sustentado su vida, y emprende un viaje a la India, a China y Nepal. Durante su estancia en tierras asiáticas, la forma de vida en esas culturas, tan apegada a sus orígenes y a la austeridad, le permite reencontrar su esencia, logrando así resurgir con un punto de vista renovado, impregnado de verdaderas convicciones. Al inicio del viaje Georgina se había alejado de la pintura y se había comprometido con ella misma a no tomarla hasta volver a sentir un verdadero deseo de pintar. Es justamente en la India en donde esa motivación resurge, y empieza a trabajar. Con ello se da cuenta de que es tiempo de regresar a casa. Habían transcurrido dos años, era el año 1993, y su hija venía en camino. Ese viaje provocó un parteaguas en su pintura. En ese período vemos surgir a la naturaleza como escenario principal, con una exuberante vegetación, y en ésta se contempla una amplia fauna, integrada por aves, mamíferos, peces, anfibios y reptiles. La naturaleza había cobrado otro sentido. En la caligrafía de su pintura ahora se advierten su júbilo y su paz interior. Su paleta se ilumina y su pincelada es suave; dibuja y pinta a la vez. Al poco tiempo nace su hija Rafaela, motivando a su madre pintora a redescubrir junto con ella este maravilloso mundo, con su sol esplendoroso, el cielo, la luna, las montañas y los ríos. Así surge la exposición *Los hallazgos de Rafaela,* que presenta en 1995, de nuevo en la Galería OMR.

En 1998 Georgina trabaja sobre el tema de los árboles, pues la naturaleza sigue ejerciendo sobre ella un fuerte interés. Así surge la obra que integra la exposición titulada *Arboles,* que presenta ese mismo año en la galería. Un año más tarde es invitada a trabajar junto al mar, en la playa de Careyes, en Jalisco, donde se sienta a pintar lo que tiene enfrente, como en aquellos días de estudiante en que no había que inventar sino simplemente observar y pintar, y capta de la naturaleza todo ese esplendor que nos ofrece. La obra realizada en esa ocasión es presentada en el año 2000 en la Galería Arte Actual de la ciudad de Monterrey.

En estos últimos años Georgina Quintana se ha interesado en el retrato. Su gran maestro e inspirador es el pintor guanajuatense del siglo XIX, Hermenegildo Bustos. Y, a la usanza de este gran artista, es fiel a sus modelos. No interpreta los rostros, busca reflejarlos con total fidelidad. Quintana retrata el cuerpo y el alma; su pincel y su arte no encuentran limitaciones, esto es evidencia de su madurez y de su talento.

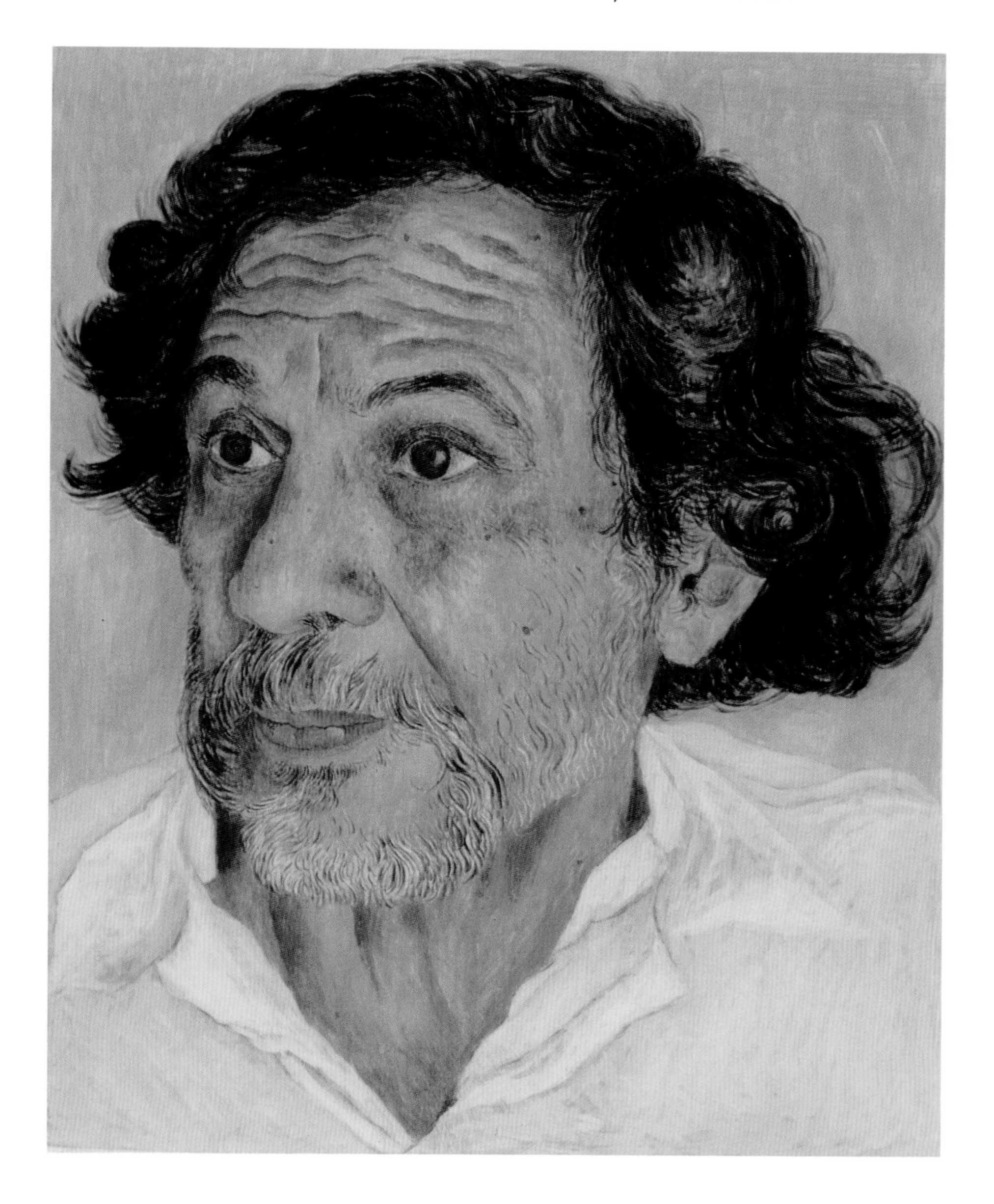

certain feminism. In 1987, Georgina began to work in series, developing specific topics. In 1989, she produced the series entitled "Campos geográficos" to reflect what she was experiencing. Her inner world was cracking, demanding an encounter with herself and her true purposes. The pieces in this series formed part of her second individual exhibition at OMR.

In search of renovation, Georgina decided to sever her ties with the structure that had formed the basis of her life, and traveled to India, China and Nepal. During her stay in Asia, the lifestyle Georgina observed—closely adhered to origins and to austerity—allowed her to rediscover her essence and a new viewpoint filled with true convictions. At the beginning of the trip, Georgina had abandoned painting, with the promise not to take up her brushes until feeling a sincere desire to paint. It was in India where that motivation appeared, and she began to work. Two years had passed, and she realized it was time to return home; it was 1993, and her daughter was soon to be born.

The trip represented a watershed in Georgina's work. During her Asian period, we see nature shown as the primary setting, with exuberant vegetation and varied fauna in the form of birds, mammals, fish, amphibians and reptiles. Nature had taken on another meaning. The calligraphy of her painting began to reveal her happiness and inner peace. Her palette became illuminated and her brushstrokes light; she drew and painted at the same time. The birth of her daughter, Rafaela, motivated her as a mother to rediscover the marvelous world of the sun, sky, moon, mountains and rivers. Interaction with her child was the motivation for the exhibition, Los hallazgos de Rafaela, presented in 1995 at Galería OMR.

In 1998, Georgina worked with the topic of trees, and nature continued to represent one of her main interests. She produced the work for the exhibition, Arboles, held in the gallery that same year. One year later, she was invited to work on the beach of Careyes, in Jalisco, where she would sit to paint what was in front of her, as in her student days—not inventing, but only observing and painting, and portraying from nature the splendor it offers us. The work she produced was shown in 2000 at the Galería Arte Actual in the city of Monterrey.

In recent years, Georgina Quintana has become interested in portraits. Her teacher and inspiration is the 19th-century painter from Guanajuato, Hermenegildo Bustos. Like this great artist, Georgina is loyal to her models. She does not interpret faces, but seeks to reflect them with total fidelity. Quintana paints the body and soul; her brushes and her art are unlimited, as evidenced by her maturity and talent.

Georgina Quintana
Francisco Toledo, 2001
Oleo sobre madera, 28 x 20 cm.
Cortesía Galería OMR. Colección Particular

Mario Rangel
Lección de vuelo, 1989
Acuarela, 57 x 39 cm.

Mario Rangel

1938

Con ese don extraordinario de concebir literatura visual, en su ilimitado repertorio nos encontramos ante todos los géneros: las más finas poesías, las sutiles ironías, la metafísica, el juego, la crítica, la tragedia, la sorpresa, la hermosura, la fantasía y la ilusión.

Lupina Lara Elizondo

Mario Rangel nació en la ciudad de México en 1938, en el seno de una familia en la que el padre trabajó toda su vida como obrero calificado y su madre mantuvo un empleo en el gobierno, con el fin de ofrecer a sus hijos mejores oportunidades. Mario y su hermano gemelo son los mayores de los cuatro hermanos, y de ellos Mario es el único dedicado a las artes plásticas; su gemelo ha realizado una destacada carrera en ventas en la industria y sus otros dos hermanos son médicos. El recuerda que desde muy niño sintió gusto por el dibujo, por ese universo que abre las puertas a explorar la imaginación, y donde ésta cobra vida, transformando la hoja vacía en una ilusión que se puede ver. Su gusto surgió porque desde muy pequeño se dio cuenta del goce de la creación. Desde entonces el mundo inmediato le fue interesante, ya que éste constantemente alimentaba sus ideas. Su facilidad para dibujar formaba parte de lo que él era, y eso lo distinguía de los demás y lo eximía de la comunicación verbal, que para su carácter retraído constituía un tormento.

En el primer año de secundaria, su maestro Rolando Arjona –quien más tarde sería director de La Esmeralda–, al ver la calidad de sus trabajos, lo motiva a inscribirse en la Escuela de Iniciación Artística. Y al concluir la secundaria, como en aquellos años no era necesaria la preparatoria, Mario ingresa a la Escuela de Pintura, Escultura y Grabado La Esmeralda, que en ese entonces, como enfatiza él, se encontraba en un lugar maravilloso, en el número 14 de la calle de San Fernando. Pero sus padres no estuvieron de acuerdo con ello, ya que consideraban que la pintura era un pasatiempo de fin de semana, y al terminar el primer semestre Mario se ve obligado a abandonar la escuela para ponerse a trabajar. Obtiene un empleo en la Secretaría de Salubridad y Asistencia, en el departamento de Difusión, en donde trabajó como titiritero profesional, preparando obras, realizando las escenografías y haciendo los muñecos animados que participarían en las representaciones de teatro guiñol para las campañas de higiene y salud que serían difundidas por las escuelas rurales de toda la República. En ese mundo mágico de papel, trapo y cartón que propone fantasías al espectador, Mario vuelve a contemplar muy de cerca el universo de la creatividad. Durante ese tiempo acudió como oyente a las clases del maestro Luis Nishizawa en la Escuela de San Carlos, y afirma: *"En ellas realmente uno aprendía el manejo de los materiales. Esto es algo que considero hace falta ahora, para saber cómo manipular los materiales y tener libertad, y entonces poder realizar verdaderas propuestas plásticas"*.

MARIO RANGEL WAS BORN IN MEXICO CITY IN 1938. His father worked his entire life as a skilled laborer and his mother kept a job in the government, in order to offer their children better opportunities. Mario and his twin brother are the oldest of four children. Mario is the only member of the family who has dedicated himself to art; his twin has had an outstanding career in industrial sales, and the younger two are physicians. Mario remembers that at a very young age he liked drawing—that universe that opens the doors to the imagination, and where imagination comes to life, transforming an empty page into a visible illusion. He soon became aware of the joy of creating, and found his immediate world interesting, since it constantly nourished his ideas. His talent for drawing formed part of his being, distinguished him from others and excused him from verbal communication, which was a torment due to his shyness. During Mario's first year of secondary school, the quality of his work led his teacher, Rolando Arjona, later the director of La Esmeralda, to urge him to enroll in the Escuela de Iniciación Artística. After secondary school, since preparatory school was not then required, Mario entered the Escuela de Pintura, Escultura y Grabado La Esmeralda; as he points out,

MARIO RANGEL
LA EXPULSIÓN, 1991
Acuarela sobre papel, 30 x 21 cm.

Al cabo de tres años de trabajo, Mario decide regresar a La Esmeralda. En esos tiempos todavía se respiraban los vestigios de la pintura de corte social. En ocasiones se escuchaban las pláticas de Siqueiros defendiendo la ruta de los muralistas, pero también empezaban a surgir las propuestas de cambio de quienes participaban en el movimiento de La Ruptura. Entre sus maestros se encontraban: Feliciano Peña, Nicolás Moreno, Fernando Castro Pacheco, Santos Balmori y Pablo O'Higgins. Este último les enseñó la pintura mural. Acudían a fábricas y barrios pobres para tomar apuntes de escenas de obreros y desvalidos, las cuales posteriormente eran planteadas en el gran formato. Por esos días, Mario acudió a las exposiciones de Leonora Carrington y de Remedios Varo, y sobre ello comenta: *"Las obras de las dos artistas me impresionaron, principalmente por su enfoque imaginativo, ya que en aquel entonces todo mundo hablaba de la pintura de compromiso, con la cual no me identificaba. Esas piezas abrieron ante mí una gran ventana que me permitió ver con cierta claridad un camino por el cual podía dirigir mi trabajo. Su influencia se reflejó principalmente en representar personajes insólitos, entregados también a tareas y situaciones insólitas. Existe otro pintor que no siempre menciono, y cuyo trabajo también me impactó mucho. Se trata de Juan O'Gorman".* Rangel no atribuye a su obra la participación en alguna corriente; sin embargo, resulta evidente su deleite por desdoblar la realidad.

El cobijo de la escuela siempre es agradable, por lo que algunos alumnos temen alejarse de ella y afrontar el reto de su profesión; así, permanecen en ella durante años, cambiando de un taller a otro. Este no fue el caso de Mario Rangel, que al término de su carrera dejó la escuela y empezó a trabajar por su cuenta. En 1964 realizó dos obras murales en la ciudad de México: una de ellas fue el mural al fresco que ejecutó en la Biblioteca Cervantes —que actualmente se encuentra cerrada—, y la segunda corresponde a su colaboración en el mural *Mesoamérica,* en el entonces en construcción Museo de Antropología. Su primera exposición individual se presentó en el Palacio de Bellas Artes, durante la Olimpiada de México en 1968. Al año siguiente se llevó a cabo su segunda exposición, en la Galería de Arte Mexicano, en una sucursal que Inés Amor había abierto en la calle de Florencia, en la ciudad de México. En 1971 volvió a exhibir en la misma Galería y en la Galería Cranfill de Dallas, Texas. Desde entonces lo encontramos involucrado

Mario Rangel
El sueño del picador, 1994
Mixta, 60 x 40 cm.

en sus maravillosos temas de carácter fantástico. A partir de esta fecha sus exposiciones han continuado presentándose cada año hasta la fecha, primero en la Galería Danilo Ongay y posteriormente en la Galería Esthela Shapiro. Su obra se ha presentado: en 1984, en el Museo de Arte Carrillo Gil; en 1991, en el Centro Cultural Chihuahua de la ciudad de Chihuahua; en 1992, en la Casa de la Cultura Jesús Reyes Heroles de la ciudad de México, y en 1996, en el Instituto Cultural Mexicano de Houston, Texas, sin contar las más de cuarenta exposiciones colectivas en las que también ha participado.

the school had a marvelous location at that time at San Fernando No. 14. His parents, however, were not in agreement with his selection. They considered painting a weekend hobby, and Mario was forced to quit school and start work. He obtained a job at the Ministry of Health in the media department, where he worked as a professional puppeteer. He prepared the dialogues, made the scenery and fabricated the puppets that would participate in puppet shows for the health and hygiene campaigns in rural schools throughout Mexico. In that magical world of paper, cloth and cardboard that presents fantasies to the viewer, Mario once again saw the universe of creativity firsthand. At that time, he was monitoring the classes of Maestro Luis Nishizawa at the Escuela de San Carlos. He affirms: "You really learned how to handle materials in those classes. I think this is something that is needed now, in order to know how to manipulate the materials and be free, and then be able to make true artistic proposals." After three years of work, Mario decided to return to La Esmeralda. At that time, one could still sense the vestiges of painting with social ends. Siqueiros occasionally gave conferences in defense of the path chosen by the muralists, although proposals for change began to emerge from the participants in the Ruptura movement. Mario's teachers included Feliciano Peña, Nicolás Moreno, Fernando Castro Pacheco, Santos Balmori and Pablo O'Higgins, who taught him mural painting. The students would visit factories and poor neighborhoods to sketch scenes of workers and the handicapped, and depict them later in large formats. Mario comments on his exposure in those years to the exhibitions of Leonora Carrington and Remedios Varo: "The work of both artists impressed me, mainly because of their imaginative focus. Everyone was talking then about the painting of commitment, but I did not identify with it. Those pieces opened a large window for me that allowed me to view with a degree of clarity the way I could direct my work. Their influence was reflected mainly in the depiction of uncommon people devoted to uncommon tasks and situations. There is another painter I do not always mention, and whose work also impressed me greatly: that is Juan O'Gorman." Rangel does not attribute his participation in any movement to his work, although his delight in unfolding reality is evident.

The pleasant shelter of school causes some students to fear the challenge of their profession, and as a consequence they remain in school for several years, moving from one workshop to another. Such was not the case for Mario Rangel, who at the end of his studies left school and began to work independently. In 1964, he worked on two murals in Mexico City: the fresco at the Biblioteca Cervantes, currently closed, and the mural Mesoamérica, located in the Anthropology Museum, then under construction. His first individual exhibition was at the Palacio de Bellas Artes during the Mexico City Olympics in 1968. The following

En el año 1976, cuando el maestro Arjona fue promovido al cargo de director de La Esmeralda, llamó a Rangel para que impartiera las clases de dibujo, pintura y composición. Recordando esa experiencia, comenta: *"Fue una experiencia muy interesante, pues para enseñar es necesario estructurar el conocimiento que uno tiene. Además, los jóvenes aportan mucho y de ellos también se aprende. Las clases me obligaban a salir del mundo de mi taller y ver el mundo exterior. El hecho de participar en las juntas de maestros también fue una experiencia importante. Enseñar reafirma y recompensa".* Su participación en la docencia se prolongó durante veinticuatro años, en los que se dedicó a pintar por la mañana para aprovechar la luz natural, y acudía a dar clases por las tardes. Este ritmo de trabajo se equilibró, de tal forma que le permitió un trabajo constante y dedicado en su taller. Su obra, como en el caso de la de Remedios Varo y también de la de Juan O'Gorman, es exigente en tiempo y en atención. Ella surge en momentos apacibles, de nostalgia y de gran abstracción. Después de ello, se hace necesario un talentoso trabajo de composición. Más tarde viene la preparación de la pintura, cuando el pincel se aplica como en un fino bordado, con hilos de seda de mil colores. En su obra, Rangel no escatima el tiempo; está dispuesto a entregarse y entregarle a su pintura todo el que ella le demande.

En un principio el colorido de su obra sostenía referencias con las tonalidades de la acuarela, recordando las clases con el maestro Enrique

year, he held his second exhibition, at a branch of the Galería de Arte Mexicano that Inés Amor had opened on Florencia Street in Mexico City. In 1971, he exhibited again at the same gallery and at the Cranfill Gallery in Dallas, Texas. Since then, he has been involved in marvelous fantasy-based topics. His exhibitions have continued each year to date, first at the Galería Danilo Ongay and then at the Galería Esthela Shapiro. His work was shown in 1984, in the Museo de Arte Carrillo Gil; in 1991, in the Centro Cultural Chihuahua of the city of Chihuahua; in 1992, at the Casa de la Cultura Jesús Reyes Heroles of Mexico City; and in 1996, at the Instituto Cultural Mexicano of Houston, Texas. He has also participated in more than forty collective exhibitions.
In 1976, when Maestro Arjona was promoted to the position of director of La Esmeralda, he invited Rangel to give drawing, painting and composition classes. Rangel recalls: "It was a very interesting experience, since you must structure your knowledge in order to teach. Besides, young people contribute a lot and you also learn from them. The classes obligated me to leave the world of my workshop and see the outside world. Participating in the teachers' meetings was also an important experience. Teaching reaffirms and recompenses." His participation in education extended to twenty-four years; during this time, he devoted himself to painting in the morning, in order to take advantage of the natural light, and gave classes in the afternoon. His pace of work achieved a balance, permitting him constancy and dedication in his workshop. His painting, similar to that of Remedios Varo as well as Juan O'Gorman, is demanding in terms of time and attention. It arises from peaceful moments, from nostalgia and from great abstraction. Talented work in composition becomes necessary, followed by the preparation of the painting, when the paintbrush is used as a needle in fine embroidery, with silk threads of a thousand hues. While working, Rangel does not limit his time; he is willing to devote himself and offer his painting all it demands from him.
Rangel's early work sustained a color relationship with the tones of watercolors, a recollection of his classes with Maestro Enrique Asaad. But color gradually made manifest its infinite possibilities, and invited Rangel to study it profoundly. He accepted the proposition and has dedicated large amounts of time to research. As a result, we find his work to contain unlimited chromaticism that integrates the most tenuous and subtle tones with the most intense and vibrant. Rangel comments: "I believe that color is very personal. It reflects a mood and is also in agreement with the painting's narrative. I let ideas flow inside of me, because I believe that is the way to be authentic and to avoid feelings that have ends foreign to the painting. I believe that the work I do is the consequence of my life. My work is somehow autobiographical." This affirmation is more than certain, given that the autobiographical truth of an artist is not formed by anecdotes and events, but by different manners of conceiving life and aesthetics, by visual and emotional impacts, and by the nourishment of the artist's spirit and sensitivity.

MARIO RANGEL
LOS POSTRES I, 1995
Acrílico sobre madera, 30 x 35 cm.

Asaad. Pero el color poco a poco le fue haciendo patentes sus infinitas posibilidades, invitándolo a estudiarlo a fondo, invitación a la que Rangel ha accedido, dedicando gran cantidad de tiempo a su investigación. Como resultado de ello encontramos en su obra un cromatismo infinito, que integra desde las más tenues y sutiles tonalidades hasta sus aplicaciones más intensas y vibrantes. Y dice: *"Considero que el color es algo muy personal. Refleja un estado anímico y también va de acuerdo con la narrativa de la pintura. Yo dejo fluir en mí las ideas, porque creo que esa es la manera de ser auténtico y de no manipular los sentimientos con fines ajenos a la pintura. Creo que el trabajo que yo hago es consecuencia de mi vida. Mi trabajo es de alguna manera autobiográfico".* Esta afirmación es más que cierta, ya que la verdadera autobiografía de un artista no está integrada por anécdotas y eventos, está conformada por sus diferentes maneras de concebir la vida y la estética, por sus impactos visuales y emotivos, por el alimento de su espíritu y su sensibilidad.

Mario Rangel
Desalojo
Acuarela, 47 x 41 cm.

Las obras de Mario Rangel aparecen ante nosotros como mágicas portadas de cuentos. Pero en este caso el cuento no contiene páginas. Este empieza y termina su argumento en las infinitas lecturas de la portada, y sólo basta detener la mirada y recorrer sus detalles para adentrarse en su fantasía. Las historias involucran libélulas, duendes, mariposas, diablillos, árboles, escarabajos, flores, frutas, pájaros, gorriones, hojas secas y pequeños ángeles, que conviven entre mesas, tazas, cajones, jaulas y sombreros. Todos ellos son elementos que forman su entorno cotidiano y con ellos Rangel va construyendo una narrativa maravillosa, llena de magia y encanto. Con ese don extraordinario de concebir literatura visual, en su ilimitado repertorio nos encontramos ante todos los géneros: las más finas poesías, las sutiles ironías, la metafísica, el juego, la crítica, la tragedia, la sorpresa, la hermosura, la fantasía y la ilusión. Sus personajes conversan con la mirada, dialogan con sus actitudes, y entre la una y las otras dicen más que mil palabras.

En estas hermosas piezas Mario Rangel nos transporta al mundo de los sueños y de las ilusiones. Viajamos con él en su carroza de las sutilezas, la cual nos obliga a estar pendientes, para no perdernos de los infinitos detalles que reposan en silencio después de haber sido concebidos y plasmados por ese experimentado pincel que les ha dado vida y color.

Mario Rangel's paintings appear before us as magical covers of storybooks. But in this case, the story has no pages. Its plot begins and ends in the infinite readings of the cover, and viewers need only pause and study its details to understand its fantasy. Rangel's stories involve dragonflies, elves, butterflies, imps, beetles, flowers, fruit, birds, sparrows, dry leaves and little angels who interact among tables, cups, drawers, cages and hats. All these elements form part of Rangel's everyday surroundings, and he uses them to construct a marvelous narrative full of magic and charm. With the extraordinary talent of conceiving visual literature, we find all genres in Rangel's vast repertory: the finest poetry, subtle irony, metaphysics, games, criticism, tragedy, surprise, beauty, fantasy and illusion. His characters converse with their gazes, dialogue with their poses, and say more than a thousand words between one and the other.
In these beautiful pieces, Mario Rangel transports us to the world of dreams and illusions. We travel with him in his carriage of subtleties, which obligates us to be attentive to the innumerable details that rest in silence after having been conceived and represented by that experienced brush that has given them life and color.

Carla Rippey
Azucenas, 1998
Grafito sobre papel, 60 x 60 cm.

Carla Rippey

1950

Sus dibujos parecen querer hacer visible lo invisible,
y más que buscar reproducir los elementos materiales que componen sus escenas,
busca evidenciar las sutiles emociones que en ellas se contienen.

Lupina Lara Elizondo

Carla Rippey nació en Kansas City, Kansas, el 21 de mayo de 1950. Su padre era fotógrafo reportero en un periódico de la ciudad. Este hecho propició que de niña Carla se acostumbrara a observar imágenes, y al hacerlo llegó a comprender que ellas tenían el poder de guardar instantes de tiempo: instantes emotivos, circunstancias y escenas particulares que permitían al observador diferentes lecturas y que, en su caso, le permitían echar a volar su imaginación. Esas experiencias prepararon su futura afición por las imágenes fotográficas. La infancia de Carla transcurrió en el medio-oeste de los Estados Unidos, en Omaha, Nebraska, junto con sus dos hermanas y un hermano. Durante ese tiempo dibujaba, copiando las imágenes de las revistas que su padre traía a casa, pero simplemente lo hacía como un pasatiempo.

Por su parte, su madre tenía una gran predilección por la literatura, hecho que también influyó en que la lectura se convirtiera en uno de sus pasatiempos favoritos. Cuando Carla tenía trece años, empieza a escribir poesía, pues se da cuenta de que a través de ella canaliza su propia necesidad de expresión. A los dieciocho años y con la intención de conocer mundo, Carla viajó a París, en donde permaneció seis meses estudiando francés. A su regreso, Carla decide ingresar a la Universidad del Estado de Nueva York en Old Westbury, donde en 1972 se graduó en Humanidades *(Liberal Arts).* Cuando aún se encontraba en la universidad, en el año 1970, trabajó en la editorial alternativa The New England Free Press, en Boston, Massachusetts, haciendo impresión en *offset.* En ese momento una de sus más anheladas aspiraciones era ser poeta, pero con la necesidad de mantenerse empezó a trabajar con técnicas gráficas, haciendo carteles caseros para los movimientos feminista y anti-bélico de Boston. *"El planteamiento del movimiento feminista se me hizo muy razonable, pues involucraba una serie de cosas que yo había aceptado y me había cuestionado; y además, como mujer, quería ser independiente y hacer cosas".* Al terminar sus estudios, Carla decidió ir a reunirse con un compañero de la universidad, mexicano, que se había ido a estudiar a Chile. Recuerda: *"Eso fue durante Allende. Era una combinación irresistible, pues se trataba de ir en busca del hombre que amaba, y me llamaba mucho la atención el movimiento político de ese país".*

De esa manera fue como Carla llegó a vivir a Santiago de Chile, en donde después de un tiempo se casó con este hombre de quien estaba enamorada, Ricardo Pascoe, quien habiendo continuado con su carrera política, actualmente es el embajador de México en Cuba. Fue entonces cuando Carla inicia sus estudios de grabado en metal, en los talleres de Bellas Artes de la Universidad

CARLA RIPPEY WAS BORN IN KANSAS CITY, KANSAS, ON May 21, 1950. Her father's work as a city newspaper photographer accustomed her to looking at images, and to comprehending their power to capture instants in time: emotional instants, circumstances and particular scenes that allow viewers to use their imagination. Carla became understandably intrigued by photographs. Her childhood was spent in the Midwest, in Omaha, Nebraska, in the company of one brother and two sisters. As a young girl, Carla would copy pictures from the magazines her father brought home, but drawing was simply a pastime.
Carla's mother, on the other hand, was highly interested in literature, and influenced Carla's passion for reading. When she was thirteen, she began to write poetry to satisfy her need for self-expression. At age eighteen, with the idea of seeing the world, Carla traveled to Paris, where she remained for six months to study French. On her return, she decided to enter New York State University in Old Westbury; she graduated in 1972 with a BA in Liberal Arts. In 1970, while still a student, Carla did offset printing at the alternative publishing house, The New England Free Press, in Boston, Massachusetts. At that time, one of her strongest desires was to be a poet. However, out of a need to support herself, she began to work with graphic techniques and produce homemade posters for Boston's feminists and the anti-war movement. "The ideas of the women's movement seemed very reasonable to me, since they involved a series of things that I had accepted and had thought about; besides, as a woman, I wanted to be independent and do things." At the conclusion of her studies, Carla decided to join a friend from school, a Mexican, who had gone to Chile to study. She recalls: "That was during Allende. It was an irresistible combination, since it was about going to visit the man I loved; and I was greatly interested in the nation's political movement."
Carla arrived in Santiago, Chile, where after a time she married this man she loved, Ricardo Pascoe (following several years in a political career, now Mexico's ambassador to Cuba). In Chile, Carla began studying metal engraving at the Bellas Artes workshops of the Universidad de Chile and at the Universidad Católica de Chile. Her stay was enriching and exciting: in addition to having the opportunity to broaden her knowledge of engraving, she experienced a sociopolitical situation of great impact. "We worked with a leftist party. I mostly made posters; they put me in propaganda. Logically, after the coup d'état, the situation become very risky, and we finally had to leave. We were on the lists of leftist foreigners, and they were searching houses for these people. I spent my last days in Chile in the home of an American who worked for the FAO and had an edition of The Conquest of Mexico, *by Prescott. I read the book right before going to Mexico. So when I saw the volcanoes for the first time from the air, I thought about Cortez. It was a very moving experience."*
Carla reached our country in 1973. She and her husband established their home in Mexico City, and Carla

de Chile y en la Universidad Católica de Chile. La estancia en ese país fue para ella enriquecedora y emocionante ya que, además de que tuvo la oportunidad de ampliar sus conocimientos de grabado, le tocó vivir una experiencia político-social de gran impacto: *"Trabajé haciendo carteles, más que nada; me metieron por el lado de la propaganda. Lógicamente, la situación después del golpe se volvió verdaderamente riesgosa, y finalmente tuvimos que salir. Mis últimos días en Chile los pasé en la casa de un americano que trabajaba para la FAO, y allí él tenía una edición del libro* La Conquista de México, *de Prescott. Leí el libro justamente antes de llegar a México, así que cuando vi por primera vez los volcanes desde el avión, pensé en Cortés. Fue una experiencia muy emotiva".*

Carla llegó a nuestro país en el año 1973. Ella y su marido se establecieron en la ciudad, y al poco tiempo se acercó al taller libre de grabado del Molino de Santo Domingo para continuar estudiando. Carla complementó estos estudios leyendo libros de dibujo, grabado y pintura; buscaba conocer a fondo las diferentes técnicas. Durante esos años nacieron sus hijos: Luciano y Andrés.

En 1980, a raíz de haberse separado de su marido, Carla se va a vivir a la ciudad de Jalapa, en Veracruz, ya que había conseguido el puesto de encargada del taller de grabado de la Facultad de Artes Plásticas de la Universidad Veracruzana. Sus hijos tendrían cinco y seis años y ya iban a la escuela. Eso le permitía contar con tiempo suficiente para atenderlos, para dar sus clases, y también para dedicarse a dibujar y hacer grabado. Su tema inicial, "Mestizas y mulatas", le permitió expresar cómo se sentía, siendo extranjera en un país que no conocía y compartiendo una cultura que no era la suya. Poco a poco, ella fue asimilando la cultura mexicana, y esto le permitió concluir esta serie y buscar nuevos temas para su expresión. Este es el momento en que empiezan a participar las fotografías como referencias de sus creaciones: *"Estaba muy mal visto. Tuve que sobreponerme a la presión de mis compañeros, pues eso no era lo que se estaba haciendo en aquel momento. Lo que se estaba haciendo era lo que hacían Cuevas o Aceves Navarro; era la época del neofigurativismo. Pero lo que yo quería hacer era sacar imágenes, como si fueran mis sueños. Entonces requería de más precisión en la figura, lo cual podía conseguir de ver la fotografía. Pero, además, lo que me sucedía era que cuando veía ciertas fotos, éstas provocaban una reacción emocional muy fuerte, e imaginaba esas fotos juntas con otras y establecía ciertas conexiones y narrativas sobre ellas en mi propia mente. Entonces quería plasmarlo en papel, quería verlo hecho. Luego le inventaron varios nombres: 'apropiación' y 'posmodernismo'. En ese momento se quitó toda la presión y pude trabajar tranquilamente".*

Su producción artística se agrupa en series temáticas, las cuales van surgiendo conforme afloran ideas, reflexiones y sentimientos. Sus series no concluyen; van avanzando, intercaladamente, de pronto con mayor insistencia unas y retornando otras. Unas son más recurrentes que otras. Una de las

CARLA RIPPEY
CARNAVAL, 2001
Grafito sobre papel, 60 x 138 cm.

primeras series que surgieron es la que ahora ella ha retitulado como "El vicio de la belleza". En ella resuelve todo lo que tiene que ver con la mujer en su intimidad, y está basada en fotografías antiguas. Carla busca reinterpretar las imágenes del pasado en un contexto diferente: toma partes de ellas y las reubica bajo nuevas circunstancias y bajo una nueva interpretación. Con respecto a su obra, Carla expresa: *"Quiero hacer notar de antemano que mi obra me sirve (y ojalá y en alguna medida sirva a los demás) como una especie de narrativa filosófica de mi experiencia en la vida, y que las adopciones formales que manejo, surgen según lo que mejor me puede ayudar a expresar de manera contundente y matizada el sentido de mi viaje accidentado por el tiempo y el espacio".*

En 1985 Carla regresa a la ciudad de México. Con la obra acumulada durante estos años, prepara su primera exposición individual, *Filosofía barata y viaje a las pirámides*, la cual presenta ese mismo año en la ciudad de México, en el Museo de Arte Alvar y Carmen T. de Carrillo Gil. Unos cuantos años antes, entre 1978 y 1983, había formado parte del grupo de arte experimental "Peyote y la Compañía", y durante esos años, su obra participó en diversas exposiciones colectivas, de las que sobresalen: el *Primer Salón Nacional de Artes Plásticas, Sección experimentación,* Galería del Auditorio Nacional, en 1978; la *XVI Bienal de Sao Paulo,* Brasil, en 1980; *5 x 100 Gráfica contemporánea de México, 1972-1982,* en el Palacio de Iturbide, en 1982; ese mismo año, *Secret Artcrafts, Objects of Devotion,* en el Museo Alternativo de Nueva York; *Propuestas temáticas,* exposición itinerante, en el Museo de Arte Alvar y Carmen T. de Carrillo Gil, en 1983; *Una década emergente,* en el Museo Universitario del Chopo, de la UNAM, en 1984, y *Gráfica mexicana del siglo XX,* exposición itinerante del INBA a Sudamérica, Japón y Europa, en 1984. A su exposición individual siguieron, también en 1985, *De su álbum... inciertas confesiones,* en el Museo de Arte Moderno de la ciudad de México, y *Antiguo testamento, nueva visión,* en el Museo Nacional de San Carlos, y *XXV Premio Joan Miró de Dibujo,* que se llevó a cabo en Barcelona, España, en 1986. También cabe hacer mención de

soon approached the free engraving workshop of the Molino de Santo Domingo in order to continue studying. She complemented her studies by reading about drawing, engraving and painting, in a search for in-depth knowledge about different techniques. During those years, her sons, Luciano and Andrés, were born. In 1980, on separating from her husband, Carla moved to Jalapa, Veracruz, where she had obtained the position as the head of the engraving workshop at the School of Plastic Arts of the Universidad Veracruzana. Since her sons, ages five and six, had started elementary school, Carla was able to care for them and teach, as well as devote time to drawing and engraving. Her initial topic, "Mestizas y mulatas", allowed her to express her feelings as a foreigner in an unknown land and culture. She gradually assimilated Mexican ways, concluded the series and began to seek new topics for expression. At that time, photographs started appearing as references in her work. "It was very highly criticized. I had to withstand pressure from my colleagues because that is not what they were doing at that moment. They were doing what Cuevas and Aceves Navarro were doing; it was the era of the neo-figurative. But what I wanted to do was use images, as if they were my dreams. So I needed more precision in figures, which I could get from photographs. Besides, what was happening to me was that when I looked at certain photos, they provoked a very strong emotional reaction, and I would imagine those photos along with others, and I would establish certain connections and narratives about them in my mind. So I wanted to depict it on paper; I wanted to see it done. Different names were invented for it later: 'appropriation' and 'post-modernism'. At that moment, all the pressure was relieved, and I could work calmly."

Carla Rippey
De la serie "El vicio de la belleza"
Grafito sobre papel, 70 x 70 cm.

Carla's artistic production is grouped in thematic series that are developed parallel to her ideas, reflections and feelings. Her series do not conclude, but advance in intertwining fashion, at times with the greater insistence of some and the return of others. Some series recur more often than others. She has renamed one of the first "El vicio de la belleza" ("The Vice of Beauty"), in which she resolves topics related to women and intimacy, based on antique photographs. Carla attempts to reinterpret the images of the past in a different context: she takes parts and relocates them under new circumstances and with a new interpretation. She talks about her work: "I want to emphasize first that my work serves me (and hopefully it serves others to some degree) as a kind of philosophical narrative about my experience in life. The forms I use respond to what can best help me express in a conclusive, blended manner, the meaning of my bumpy journey through time and space." In 1985, Carla returned to Mexico City. With the work she had accumulated, she prepared her first individual exhibition, Filosofía barata y viaje a las pirámides ("Cheap Philosophy and Travel to the Pyramids"), which she presented that same year in the Museo de Arte Alvar y Carmen T. de Carrillo Gil. Her previous showings, while part of the experimental art group, "Peyote y la Compañía", from 1978 to 1983, included various collective exhibitions: the Primer Salón Nacional de Artes Plásticas, Sección Experimentación, in the Galería del Auditorio Nacional, in 1978; the XVI Biennial of Sao Paulo, in Brazil, in 1980; 5 x 100 Gráfica contemporánea de México, 1972-1982, at the Palacio de Iturbide, in 1982; the same year, Secret Artcrafts, Objects of Devotion, at the Alternative Museum of New York; a traveling exhibition, Propuestas temáticas, at the Museo de Arte Alvar y Carmen T. de Carrillo Gil, in 1983; Una década emergente, at the UNAM's Museo Universitario del Chopo in 1984, and Gráfica mexicana del siglo XX, an INBA exhibition that traveled to South America, Japan and Europe in 1984. Her individual exhibitions also began in 1985, with De su álbum... inciertas confesiones, at the Museo de Arte Moderno in Mexico City, and Antiguo testamento, nueva visión, at the Museo Nacional de San Carlos; and the XXV Premio Joan Miró de Dibujo, in Barcelona, Spain, in 1986. Also noteworthy was her participation in three collective exhibitions in the Museo de Arte Moderno between 1988 and 1990: La ilusión de lo real, En el tiempo de la postmodernidad, and Dibujo de mujeres contemporáneas mexicanas. Her exhibitions abroad included La jeune gravure contemporaine et ses invités du Mexique, at the Galerie de Nesle in Paris, France, in 1991, and her participation in a traveling exhibition from 1992 to 1993 in the cultural institutes of the Embassy and Consulates of Mexico in the United States, which began in San Anto-

su participación en tres exposiciones colectivas en el Museo de Arte Moderno entre 1988 y 1990: *La ilusión de lo real, En el tiempo de la postmodernidad* y *Dibujo de mujeres contemporáneas mexicanas.* Entre sus exposiciones en el extranjero se encuentra *La jeune gravure contemporaine et ses invités du Mexique,* en la Galerie de Nesle de París, Francia, en 1991, y entre 1992 y 1993 su obra se presentó en una exposición itinerante en los institutos culturales de la Embajada y Consulados de México en los Estados Unidos, la cual inició en San Antonio, Texas, y después viajó a Houston, Washington, Nueva York, Chicago y, por último, a Los Angeles. Al mismo tiempo, otra obra participó en la exposición *Le futur composé (Arte contemporáneo mexicano),* en la Casa de la América Latina de la Secretaría de Relaciones Exteriores en París, Francia, y de allí viajó a Marruecos y a Italia.

Durante la década de los noventa, Carla Rippey se involucró en el desarrollo de nuevas series y también trabajó el arte objeto y la imaginería japonesa. Carla reconoce su atracción por el *"pattern"* oriental, que es ese diseño repetitivo que ambas culturas han empleado en sus trabajos artísticos y decorativos. En el año 1992 se lleva a cabo una importante exposición individual en el Museo Nacional de la Estampa: *Dos décadas de obra gráfica.* En junio de 1993 se inaugura quizá la más importante de sus exposiciones individuales, *El sueño que come al sueño,* en la Galería Fernando Gamboa del Museo de Arte Moderno. Teresa del Conde, entonces Directora del Museo, observa: "...la obra de

Carla Rippey lleva implícita la siguiente connotación: el espectador se identifica más con los contenidos que con las formas, Carla es 'una creadora que indaga en las metáforas'". Jorge Alberto Manrique también le dedica un texto muy interesante, del que hemos extraído estas palabras: "Camaleónicamente se apropia de rasgos, modos, tipos de escorzo, elementos decorativos (muy insistentemente elementos decorativos), y con todo ello va haciendo una sopa cuyo *sabor* es el de aquellas obras, pero sin que ninguna de ellas esté específicamente presente".

En junio de 1994 el Museo Monterrey presenta una espectacular exposición de sus obras, titulada *El uso de la razón*. En esta ocasión, Olivier Debroise, responsable de la exposición, escribió: "Carla Rippey optó, desde fecha muy temprana, por la 'estabilidad'. Sorprende, de hecho, la firmeza y la cohesión de su trayectoria".

La frescura de sus trabajos no proviene de una renovación de estilos o de método, la frescura surge de su sinceridad expresiva, que no va en pos de estereotipos ni atiende compromisos ajenos a su criterio artístico, pero que disfruta con rigurosa medida del agradable efecto de la improvisación. La influencia literaria en su obra no corresponde a una idea nueva, ya que en el pasado estas relaciones entre la pintura y las letras ya se han establecido, y no sólo con ésta, sino también con la música.

Al observar la obra de Carla Rippey, me siento invitada a definirla como una artista motivada por el retrato de los sentimientos. Sus dibujos parecen querer hacer visible lo invisible, y más que buscar reproducir los elementos materiales que componen sus escenas, busca evidenciar las sutiles emociones que en ellas se contienen. En su obra se sobrepone un sentimiento nostálgico, femenino, reflexivo, y yo diría que hasta romántico. Y en la suspicaz forma en que Rippey une ideas e imágenes que en un primer impacto no tienen nada en común, encuentro su extraordinaria genialidad. En ello radica el carácter de su expresividad, tan llena de ella misma, tan sutilmente femenina.

nio, Texas, and later traveled to Houston, Washington, New York, Chicago and Los Angeles. At the same time, other pieces participated in the exhibition entitled, Le futur composé (Arte contemporáneo mexicano), at the Casa de la América Latina of the Ministry of Foreign Affairs in Paris, France, which later traveled to Morocco and Italy.

During the 1990s, Carla Rippey became involved in the development of new series, and also produced art objects and Japanese imagery. She recognizes her attraction to oriental patterns, the repetitive design that both cultures have employed in their artistic and decorative work. In 1992, she carried out an important individual exhibition at the Museo Nacional de la Estampa: Dos décadas de obra gráfica. June, 1993, marked the opening of her most important individual exhibition, El sueño que come al sueño, in the Galería Fernando Gamboa of the Museo de Arte Moderno. Teresa del Conde, then the museum's director, observed: "Implicit in Carla Rippey's work is the following connotation: the viewer identifies more with content than with form. Carla is 'an artist who inquires in metaphors'". Jorge Alberto Manrique also dedicated a very interesting passage to Carla, from which we quote: "Like a chameleon she appropriates traits, means, types of foreshortening, decorative elements (very insistently decorative elements), and with all this makes a soup that has a flavor of these works, without any of them being specifically present."

In June of 1994, the Museo Monterrey presented a spectacular exhibition of Carla's work, entitled El uso de la razón. On that occasion, Olivier Debroise, in charge of the exhibition, wrote: "Carla Rippey opted, from a very early date, for 'stability'. Surprising, in fact, is the firmness and cohesion of her trajectory."

The freshness of Carla's work does not arise from a renovation of styles or method, but from her expressive sincerity—a sincerity that does not pursue stereotypes or address commitments foreign to her artistic criteria, but enjoys to a rigorous degree the pleasant effect of improvisation. The literary influence in her work does not correspond to a new idea: the relationships between painting and literature, as well as with music, come from the past.

On looking at the work of Carla Rippey, I feel invited to define her as an artist motivated by the portrayal of feelings. Her drawings seem to make the invisible visible; more than attempting to reproduce the material elements that compose her scenes, she seeks to make evident the subtle emotions contained in them. Superimposed in her work is a nostalgic, feminine, reflexive feeling, almost romantic, I would say. I find extraordinary brilliance in the suspicious way Rippey unites ideas and images which at first appear to have nothing in common, yet form the center of her expressiveness, so full of Rippey herself, so subtly feminine.

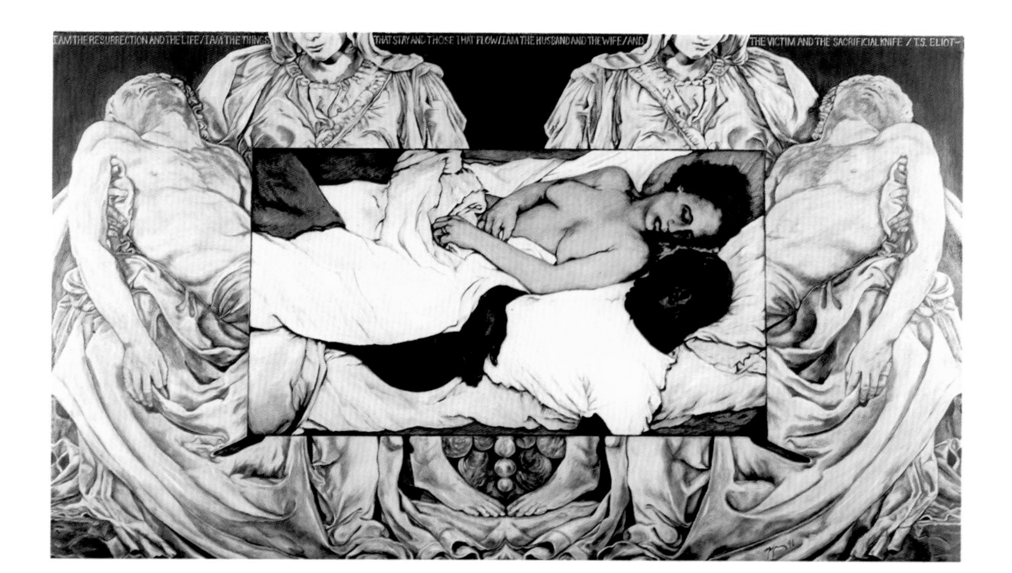

CARLA RIPPEY
ALEGORÍA DE LA SÁBANA SANTA, 1996
Oleo y témpera sobre tela, 120 x 220 cm.

Herlinda Sánchez Laurel
Arbol de peces, 1997
Oleo sobre tela, 80 x 60 cm.
Colección Particular

Herlinda Sánchez Laurel

1941

Herlinda nos lleva con sus telas a esos espacios luminosos y transparentes de los sueños, donde la gravedad no existe y las formas se agrupan como nubes que se abrazan y se mecen en un ritmo suave, cadencioso, mágico y evocador.

Lupina Lara Elizondo

Herlinda Sánchez Laurel nació en la ciudad de Ensenada, en Baja California, en el mes de mayo de 1941. En aquel entonces las actividades principales de la ciudad eran la pesca y la ganadería, y las familias preparaban conservas para los meses de invierno. Su abuela fue maestra rural y dedicó su vida a la enseñanza. Recorrió la ruta desde La Paz hasta Ensenada enseñando a leer y a escribir en los pueblos. Se estableció en un rancho cerca de Ensenada, y desde allí continuó con su labor en las rancherías cercanas. De ella Herlinda heredó el gusto por compartir el conocimiento. Cuando niña, pasaba los fines de semana en el rancho con su abuela, y junto con sus hermanos y primos ordeñaba a las vacas, alimentaba a los chivos y borregos recién nacidos, perseguía a las gallinas, y los más atrevidos arreaban a las reses, montados a caballo. *"Me crié en ese ambiente de campo, de mar y de desierto. Llevé una vida cercana a los animales, y dentro de mi pintura hubo un período en que pinté cuadros con esas referencias. En ese tiempo, me decían: –Te pareces a Toledo, con tanto animal.– 'Pero los animales se dan en todos lados', yo les contestaba. Y es que, nada es exclusivo. En el norte también tenemos nuestra magia. Tenemos unos espejismos que transforman las imágenes, y esos no se dan en otras latitudes. En Ensenada, las cerradas neblinas que empiezan en octubre provocan que uno vea que las formas aparecen y desaparecen, aparecen y desaparecen, convirtiéndose en sugerencias formales en una atmósfera. Todo eso me impactó mucho. Lo he pintado sin proponérmelo, sin darme cuenta; quizá por la nostalgia de mi tierra".*

Herlinda estudió la primaria bajo una estricta disciplina académica y un fuerte rigor religioso, pero dentro de ella se albergaba un carácter libertario, para el que la única salida era soñar e imaginar. Comenta que su padre era un pintor frustrado, que no se sobrepuso a las circunstancias para ejercerlo. Y buscando liberarse de esa inquietud, cuando su hija mayor tenía siete años le compró su primer estuche de óleos. En un principio, Herlinda pintaba por complacer a su padre. Sin embargo, después lo hizo por gusto, recibiendo los consejos de un maestro en la escuela. En aquella pequeña ciudad el camino trazado para ella era el de estudiar una carrera corta, trabajar y casarse. Y así fue como ingresó a trabajar a un Banco; no obstante, Herlinda intuía que su destino era otro. En 1964 participó en el Concurso Estatal de Pintura de la Universidad Autónoma de Baja California y obtuvo el Segundo Lugar. Esto la motiva a tomar las riendas de su vida y cambiar

Herlinda Sánchez Laurel
Paisaje de mi tierra, 1989
Oleo sobre tela, 100 x 120 cm.
Colección de la Artista

Herlinda Sánchez Laurel was born in Ensenada, Baja California, in the month of May, 1941. At that time, the city's main activities were fishing and raising livestock, and it was customary for families to can goods for the winter months. Herlinda's grandmother was a rural schoolteacher and devoted her life to teaching. She traveled the route from La Paz to Ensenada to teach reading and writing in the small towns along the way. She later moved to a ranch near Ensenada, her base for promoting literacy in the outlying areas. Herlinda inherited from her grandmother the pleasure of sharing knowledge. As a child, Herlinda would spend her weekends on the ranch, and along with her brothers and sisters and cousins, would milk the cows, feed the goats and lambs, and chase the chickens, while the boldest riders would rope the cows. "I was raised in that country setting of the ocean and the desert. I lived a life close to animals, and there was a time in my painting when I produced paintings with those references. At that time, people would tell me: 'You're like Toledo, with all of those animals.' And I would answer, 'But animals are everywhere.' It's just that nothing is exclusive. In the North, we also have our magic. We have mirages that transform images, and that does not happen at other latitudes. In Ensenada, the heavy fogs that begin in October make you see shapes that appear and disappear. They become formal suggestions in an atmosphere. All of that impressed me very much. I have painted it without intending to do so, without realizing it; perhaps because of nostalgia for my state." Herlinda studied primary school under strict academic discipline and religious rigor, but managed to shelter within herself a free-thinking personality; her only release was dreaming and imagining. She comments that her father was a frustrated painter, who had been unable to overcome the circumstances that impeded him from painting. With perhaps vicarious motivation, he bought Herlinda a case of oleos when she was seven. Herlinda initially painted to please her father. However, she eventually came to paint for her own pleasure, and received advice from a teacher at school. In her small hometown, the path she was expected to follow was to study a short major, work and marry. As a result, she started working in a bank, but realized that her future was to be found at other locations. In 1964, she participated in the state painting contest of the Universidad Autónoma de Baja California and won second place. The prize was an incentive for her to take control of her own life and change her course of action. She decided to use her savings to leave home. Her destination was Mexico City, and her plan, to take the admissions examination at the Escuela de Pintura, Escultura y Grabado La Esmeralda.

el rumbo. Así, decide tomar los ahorros que tenía guardados y literalmente fugarse de su casa, para ir a la ciudad de México a presentar el examen de admisión en la Escuela de Pintura, Escultura y Grabado La Esmeralda.

Al ser admitida, en 1965 se organizó con otros compañeros de Ensenada que estudiaban en distintas universidades de la ciudad de México, y juntos establecen una casa donde vivir. Refiriéndose a aquella etapa escolar, comenta: *"Tuve muy buenos maestros: Francisco Zúñiga en dibujo, y de los grandes grabadores de la Escuela Mexicana, me tocaron el maestro Paz y el maestro Campo. También el maestro Castro Pacheco, en pintura, el maestro Vázquez Beltrán y el maestro Santos Balmori. Todos ellos eran maestros muy generosos. Aceptábamos la disciplina y las exigencias porque realmente deseábamos aprender y superarnos. Nos daba gusto complacer a los maestros con buenos resultados en nuestros trabajos. Tuve una vida estudiantil muy intensa, porque independientemente de hacer una carrera con muy buenas calificaciones, también participé en el movimiento estudiantil del 68, luchando con honestidad y con un propósito limpio, siguiendo mis propias convicciones".*

Al terminar la carrera, en 1969 Herlinda viajó a Ensenada a pintar un mural de veinticuatro metros cuadrados, *Alegoría de la lucha,* en el Sindicato Estatal de Maestros. Terminó el trabajo protegida por maestros y amigos, ya que el tema se basaba en el conflicto estudiantil, y su familia había recibido amenazas de la policía. De regreso en la ciudad de México, busca la manera de sobrevivir de la pintura. De esta manera, contacta a diferentes galerías, iniciando así su carrera artística.

Su trabajo siempre ha estado apoyado por diferentes actividades que le permiten pintar con holgura y libertad. En 1971 obtiene un empleo como diseñadora gráfica en la Dirección General de Difusión Cultural, UNAM, comisionada en la Imprenta Madero, bajo la dirección del pintor y diseñador gráfico Vicente Rojo. Esta importante experiencia en el área de diseño le ha valido para llevar el cargo de directora artística y jefe de ilustradores en diferentes instituciones, primero en la Coordinación General de los Libros de Texto Gratuitos de la SEP, posteriormente en la Editorial de la Universidad Autónoma de Sinaloa, en la Editorial Renacimiento y también en la Editorial Dí. En el campo de la docencia, Herlinda inicia su fecunda carrera en el año 1971 como maestra de Artes Plásticas en el Centro Interdisciplinario de Arte de la Casa del Lago, UNAM, en donde continuó desempeñando su cargo hasta 1989. Posteriormente impartió la cátedra de Experimentación Visual (dibujo) en la Escuela Nacional de Artes Plásticas de la UNAM hasta 1995. Desde ese año a la fecha, ha continuado desempeñando actividades docentes y de investigación en el tema de Experimentación Visual (pintura) en la ENAP, y además en 1996 funda el Taller Alternativo Herlinda Sánchez Laurel, en donde también imparte clases.

Su obra ha participado en más de veinte exposiciones individuales, entre las que sobresalen: la realizada en el Museo de Arte Alvar Carrillo Gil en 1985; la presentada en la Sala Justino Fernández del Palacio de Bellas Artes, en la ciudad de México, en 1995; la que se llevó a cabo en el Museo de Arte Contemporáneo Angel Zárraga, en la ciudad de Durango, en 1999, y su gran *Exposición Homenaje*, que tuvo lugar el año 2001 con motivo del XI Aniversario de la Galería de la Ciudad, en el Instituto Cultural de Baja California, en la ciudad de

Herlinda was admitted to the school in 1965. She joined other students from Ensenada, then studying at different universities in Mexico City, to establish a house where they could all live. In reference to those times, Herlinda remarks: "I had very good teachers: Francisco Zúñiga for drawing, and two great engravers from the Escuela Mexicana, Maestro Paz and Maestro Campo, in addition to Maestro Castro Pacheco for painting, Maestro Vázquez Beltrán and Maestro Santos Balmori. They were all very generous teachers. We students accepted the discipline and their demands because we really wanted to learn and improve. We liked

HERLINDA SÁNCHEZ LAUREL
TORERITO SONÁMBULO, 1997
Oleo sobre tela, 80 x 60 cm.
Colección Particular

to please our teachers with good results in our work. I had a very intense life as a student, because besides studying a major and receiving very good grades, I also participated in the student movement of 1968. I went in with honesty and a clean purpose, in pursuit of my own convictions."
After finishing her studies, Herlinda traveled to Ensenada in 1969 to paint a mural of twenty-four square meters, Alegoría de la lucha, for the state teachers' union. She finished the project under the protection of teachers and friends because of the topic she had depicted: the student revolt. Even her family had been threatened by the police. Once back in Mexico City, Herlinda started her painting career by contacting various galleries.
The income that Herlinda has earned from other activities has allowed her to paint with freedom. In 1971, she obtained work as a graphic designer at the Dirección General de Difusión Cultural, UNAM, and was commissioned to the Imprenta Madero under the guidance of the painter and graphic designer, Vicente Rojo. Such noteworthy experience in design served her in finding employment as the art director and illustration manager at various institutions: first in the Ministry of Education's free textbook area, then at the Editorial de la Universidad Autónoma de Sinaloa, and the Editorial Renacimiento and Editorial Dí publishing firms. She has also had a prolific teaching career, starting in 1971 as a visual arts teacher at the Centro Interdisciplinario de Arte de la Casa del Lago, UNAM, where she worked until 1989. Then she taught Visual Experimentation (drawing) at the UNAM's Escuela Nacional de Artes Plásticas until 1995. She continued teaching and researching the topic of Visual Experimentation (painting) at the ENAP, and in 1996, founded the Taller Alternativo Herlinda Sánchez Laurel, where she gives classes.
Herlinda's work has participated in more than twenty individual exhibitions. Some of the most outstanding were: the exhibition at the Museo de Arte Alvar Carrillo Gil in 1985; at the Sala Justino Fernández of the Palacio de Bellas Artes, in Mexico City, in 1995; at the Museo de Arte Contemporáneo Angel Zárraga, in the city of Durango, in 1999; and her grand Exposición Homenaje, held in 2001 on the eleventh anniversary of the Galería de la Ciudad in the Instituto Cultural de Baja California of Ensenada. This event was a retrospective exhibition of large dimensions that traveled from Ensenada to the cities of Mexicali and Tijuana that same year. Her work has participated in more than one hundred and twenty collective exhibitions in Mexico, the United States, Germany, Romania, Yugoslavia, Bulgaria, Puerto Rico, Cuba, Korea, the Philippines, Malaysia, Thailand and Australia. Her prizes have included an honorable mention, the acquisition prize and another honorable mention at the Salón Nacional de Artes Plásticas del INBA, Sección Pintura, in 1980, 1983 and 1985, respectively, and the Paris prize in 1991. She has been invited to participate on the jury for important competitions, including the Encuentro Nacional de Arte Joven, in Aguascalientes; various Biennials, such as that of Baja California; the

Ensenada. Esta última fue una exposición retrospectiva de grandes dimensiones que después de Ensenada viajó, en el curso del año, a las ciudades de Mexicali y Tijuana. Su obra también ha participado en más de ciento veinte exposiciones colectivas, tanto en México como en los Estados Unidos, Alemania, Rumania, Yugoslavia, Bulgaria, San Juan de Puerto Rico, Cuba, Corea, Filipinas, Malasia, Tailandia y Australia. Entre los premios que ha obtenido su obra, se encuentran: Mención Honorífica, Premio de Adquisición y otra Mención Honorífica, en el *Salón Nacional de Artes Plásticas del INBA, Sección Pintura,* en los años 1980, 1983 y 1985, respectivamente, y el premio París 1991. También se le ha invitado a participar como jurado en importantes encuentros, entre los que destacan: el *Encuentro Nacional de Arte Joven,* en Aguascalientes; distintas Bienales, como la de Baja California; el *Encuentro de Artistas Plásticos de Sinaloa,* y el *Encuentro de Arte Popular,* en Querétaro.

Al inicio de su carrera, Herlinda Sánchez Laurel se sintió atraída por el arte de corte político y figurativo, que expresaba las inquietudes de una juventud que se hacía consciente de sus circunstancias y de la época que le tocó vivir. Posteriormente su obra transita hacia la abstracción, encontrando en esta corriente un lenguaje acorde a sus inquietudes de expresión, a esa poética interior que le permitirá referirse a su natal Ensenada. Herlinda toma el color y la forma para evocar esas atmósferas mágicas que se forman abarcando mar, desierto y cielo. Esos lugares que por su gran vacío invitan a ser llenados de sueños, de sueños que entrelazan lo físico y lo emocional: agua y arena, peces y cactus, días y noches, recuerdos y realidades, anhelos y logros, luchas y reflexiones. De esta manera, Herlinda nos lleva con sus telas a esos espacios luminosos y transparentes de los sueños, donde la gravedad no existe y las formas se agrupan como nubes que se abrazan y se mecen en un ritmo suave, cadencioso, mágico y evocador.

Su pintura es la poesía de un espíritu gozoso, de un ser consciente de estar vivo, y que al saberse vivo comprende el valor de la existencia. Por ello advertimos en su obra esa alegría de crear, esa pasión por embellecer el espacio, por narrar, por decir con colores que la vida está hecha de vida, pasión y amor. Con ese ímpetu de su gran sensibilidad, Herlinda llega a ese diálogo sublime que le permite decir, entre pincelada y pincelada, aquello que jamás podría definirse de otra manera, más que con la melodía del color. Esta obra nos ofrece dos perspectivas: la primera, un impacto general de forma y color, y la segunda, una realidad transfigurada que invita a la mirada a hacer un recorrido minucioso entre esas pequeñas formas de mil colores, armoniosamente orquestadas. Y en este agradable recorrido, la vista contacta veladuras, texturas y

HERLINDA SÁNCHEZ LAUREL
ARBOL II, 1999
Oleo sobre tela, 120 x 100 cm.
Colección Particular

esgrafiados finamente logrados, que ponen en evidencia su vasta experiencia, sus firmes conocimientos, que redundan en un oficio limpio y depurado. La entrega de la artista a su obra es evidente. Para ella la búsqueda no ha terminado, pues en la creación no hay horizontes; hay que investigarlo todo, incursionarlo todo, para encontrar lo propio. Pero quién mejor para referirse a su trabajo que sus propias palabras: *"...Para hablar de mi trabajo, empezaré mencionando que sigo respetando mi sueño original: la belleza. Tal vez trato de encontrar en ella el equilibrio que no encuentro en una realidad social. A lo mejor engrandece mi energía interior, o simple y llanamente me hace feliz. Yo siempre he pensado que la pintura tiene que ser una aventura vital, a lo mejor pasional, pero finalmente amorosa... Considero que siempre debe haber un equilibrio entre lo racional y lo sensible, pero mi debilidad reconocida me conduce a lo estético".*

Encuentro de Artistas Plásticos de Sinaloa; and the Encuentro de Arte Popular in Querétaro.
In the early days of her career, Herlinda Sánchez Laurel was attracted by art of a political and figurative nature that expressed the interests of young people awakening to the truths of their circumstances and time in history. At a later time, her work moved toward abstraction, where she found an idiom in agreement with her concern for expression and for the poetic interior that would allow her to refer to her native Ensenada. Herlinda adopted color and form to evoke the magical atmosphere of the ocean, desert and sky. These places of great emptiness invite the individual to fill them with dreams of interlacing physical and emotional elements: water and sand, fish and cactus, day and night, memories and realities, goals and achievements, struggles and reflections. Herlinda utilizes the canvas to transport her to luminous and transparent spaces of dreams—spaces where gravity does not exist and the forms group together as if they were clouds that embrace and rock in a smooth, lilting, magic and evocative rhythm.
Herlinda Sánchez Laurel's painting is the poetry of a joyful spirit, of a person aware of being alive and of the value of existence. For this reason, we see in Herlinda's painting such happiness in creating, and such a passion for beautifying space, for narrating, for saying with colors that life is made of passion and love. With the impetus of her sensitivity, Herlinda reaches the sublime dialogue that allows her to express through the melody of color everything that she could not have defined otherwise. Her work offers us two perspectives: first, a general impact of shape and color; and second, a transfigured reality that invites the eyes to take a detailed tour of the tiny forms of a thousand colors, all harmoniously orchestrated. And during this pleasant tour, the sense of sight makes contact with glazes, textures and fine graffito that provide evidence of Herlinda's vast experience and solid knowledge, which result in a clean and pure craft. The artist's commitment to her work is obvious. Her search has not finished because creation has no horizons; one must investigate, see everything, in order to find one's own way. But who better to explain Herlinda's work than the artist herself: "... To talk about my work, I shall begin by mentioning that I continue to respect my original dream: beauty. Perhaps I try to find in beauty the balance that I do not find in social reality. Perhaps it enhances my internal energy, or plainly and simply makes me happy. I have always thought that painting has to be a vital, perhaps passionate adventure, but ultimately loving... I believe that there must always be a balance between the rational and the sensitive, but my well-known weakness leads me to aesthetics."

Alejandro Santiago
Virtudes, 2000
Mixta sobre tela, 200 x 170 cm.

Alejandro Santiago

1964

Nos sorprenden sus penetrantes y fijas miradas, creadas tan sólo con un punto, con un círculo o con la forma oval; es asombroso que con esa simplicidad de líneas se reflejen miradas enigmáticas, pensativas, arrogantes y hasta misteriosas.

Lupina Lara Elizondo

Alejandro Santiago nació en la Sierra de Izxtlán, al norte de Oaxaca, en el pueblo de Teococuilco, un lugar templado en donde abundaban los árboles y las casas, que como dice él, parecían los montoncitos de tierra que hacen las hormigas, pues todas estaban hechas de adobe, en color natural. Allí inició sus estudios de primaria y los terminó en la ciudad de Oaxaca, a donde la familia se había trasladado con el fin de que los tres hijos pudieran continuar con la secundaria. Su padre era maestro, y le había sido concedida una plaza de trabajo en la ciudad.

Alejandro terminó la primaria con muy bajas calificaciones. Le costaba concentrarse en el estudio; su mente inquieta siempre estaba observando lo que sucedía a su alrededor, y con facilidad se distraía. Al momento de hacer los exámenes para ingresar en la secundaria, fue rechazado en todas las escuelas. Con su cara redonda de piel morena y unos ojos vivaces tan negros como la obsidiana, me comenta cómo fue que ese rechazo en las secundarias marcó su destino, pues de no haber sucedido así, actualmente sería un ingeniero frustrado, buscando empleo y sin muchas posibilidades de encontrarlo. Y agrega: *"Un poco preocupado porque no tenía dónde estudiar, escuché en la radio de un lugar en donde se admitía a los muchachos que habían sido rechazados de otras escuelas. Se trataba de los Centros de Estudio de Arte. Fui a ver de qué se trataba y me encontré que era una escuela en la que daban clases de español, matemáticas, física, química, como en cualquier secundaria, pero adicionalmente daban: dibujo, pintura, música, escultura, historia del arte, apreciación musical, y otras materias que ahora no recuerdo. Me inscribí y empecé a estudiar. Era increíble poder trabajar con todo lo que a mí me gustaba, y como estaba muy avanzado en el dibujo y la pintura, me invitaban a las clases de los alumnos de bachillerato".* Sus ojos brillan aún más al recordar la alegría de aquellos días. Con el interés depositado en las actividades que le atraían, poco a poco fue dejando a un lado las materias básicas, hasta que llegó a reprobarlas, razón por la cual no logró concluir la secundaria. No obstante, Alejandro siguió acudiendo a las clases de arte del bachillerato; eran su gran motivación.

Por esos días, Alejandro Santiago conoce el Taller de Arte Rufino Tamayo, que en ese entonces dirigía el maestro Roberto Donis. Interesado en seguir estudiando pintura a un nivel más profesional, se inscribe en el taller y obtiene una beca. Allí se encontró con otros compañeros,

Alejandro Santiago was born in the Sierra de Ixtlán region in northern Oaxaca, in the town of Teococuilco, a temperate zone with numerous trees. Its houses, as he states, look like little anthills: they are all built of unpainted adobe. Santiago began elementary school in Teococuilco and finished in the capital city of Oaxaca, where the family had moved for the children to attend secondary school. Santiago's father was a teacher, and had obtained a post in the city.
Alejandro finished elementary school with very low grades. It was hard for him to concentrate on studying: his restless mind was forever observing the surroundings, and he was easily distracted. When he took the entrance exams for secondary school, he was rejected by all the schools where he applied. With his obsidian eyes dancing in his dark round face, Santiago explains that the schools' rejection marked his destiny; otherwise, he would have been a frustrated and unemployed engineer, without many opportunities for finding work. He adds: "I was somewhat worried about not being enrolled in school, when I heard on the radio about a place where students rejected by other schools could be accepted. It was the Centros de Estudio de Arte. I went to see what it was about, and I found it was a school that offered classes in Spanish, math, physics, chemistry, like any other secondary school. But it also offered drawing, painting, music, sculpture, history of art, music appreciation and other subjects I don't remember. I enrolled and began to study. It was incredible to be able to work with everything I liked, and since I was very advanced in drawing and painting, I was invited to attend high school classes. "His eyes shine even brighter when remembering the happiness of those days. With his interest focused on activities that attracted him, Santiago came to ignore and even fail the basic subjects; the result was not finishing secondary school. However, he continued attending art classes in high school, and they were his principal motivation.
During that time, Alejandro Santiago became familiar with the Taller de Arte Rufino Tamayo, then directed by Maestro Roberto Donis. Because of his interest in studying painting at a more professional level, Alejandro entered the workshop and obtained a scholarship. He met schoolmates there—Maximino Javier, Cecilio Sánchez, Abelardo López and Filemón Santiago—who were ahead of him and had already exhibited their work in New York and at the Museo de Arte Moderno of Mexico City. He was greatly inspired by learning of his friends' achievements. At the workshop he met Maestro Rufino Tamayo; Santiago comments on the experience: "It was very exciting to meet him in person. I wanted to listen to what he said and to what he thought about painting. One worked with great freedom in that workshop. Each student had his own space, used his own colors, and Maestro Donis, who seemed to understand the character of each one of us, guided us, respecting our style. He instilled us with great security and self-confidence about what we were doing. He helped us resolve our own doubts, the doubts we all had about painting. That is why all of us who came out of the workshop have such a personal style. Later, Toledo returned to Oaxaca and his presence influenced many. We all wanted to paint like Toledo. But in addition, Toledo's arrival brought along the opening of the

como Maximino Javier, Cecilio Sánchez, Abelardo López y Filemón Santiago. Ellos estaban más avanzados, y ya habían expuesto en Nueva York y en el Museo de Arte Moderno de la ciudad de México. Lo inspiró mucho saber de todos los logros de sus compañeros. En el taller conoció al maestro Rufino Tamayo, y sobre todo ello, comenta: *"Fue muy emocionante conocerlo en persona, quería oír lo que decía y opinaba de la pintura. En ese taller se trabajaba con una gran libertad. Cada alumno tenía su propio espacio, empleaba sus propios colores, y el maestro Donis, que parecía entender el carácter de cada uno de nosotros, nos iba guiando, respetando nuestro estilo. Nos infundió una gran certeza y confianza en lo que hacíamos. El nos ayudaba a resolver nuestras propias inquietudes, las inquietudes que a cada uno nos planteaba la pintura. Por eso todos los que salimos del taller tenemos un estilo tan personal. Después, regresó Toledo a Oaxaca y su presencia influyó en muchos. Todos queríamos pintar como Toledo. Pero adicionalmente a ello, la llegada de Toledo trae la apertura de la Biblioteca, la Fototeca y la Fonoteca. Se forman equipos y grupos para rescatar lugares que se convirtieran en foros de exposición y promoción del arte. Y, aunque mi obra había adquirido bases, esto me hizo reflexionar en la gran responsabilidad y el compromiso que adquiría, ya no como estudiante, sino como pintor. Por eso, busqué agregarle más calidad a mi trabajo y dirigirlo con más firmeza".*

Alejandro ingresó durante un corto tiempo a la Escuela de Bellas Artes de la Universidad de Oaxaca, en donde conoció al maestro Shinzaburo Takeda. A él lo recuerda como un maestro exigente, con el propósito de formar buenos pintores y siempre con el deseo de ayudar. Al dejar la universidad, ingresa al taller del maestro Juan Alcázar, en donde permanece cerca de dos años haciendo grabado. Alejandro no tenía un lugar en donde trabajar; no tenía el dinero suficiente para rentar un local en donde instalar su taller. Un día su padre se acercó a él, y con cierta preocupación, pues él no creía que la carrera de su hijo le permitiría alcanzar una seguridad económica, le pregunta: "¿Qué estás haciendo de tu vida?" Al escuchar que su hijo necesitaba un lugar para trabajar, le cede su recámara para que allí instalara el taller. En 1985 se lleva a cabo su primera exposición individual, en la Galería Sol y Luna. El día de la inauguración se vendió la mitad de la obra. Alejandro fue a ver al dueño para enterarse de qué había pasado con los cuadros, y el dueño le dijo que tres de los cuadros vendidos los había adquirido la Fundación Rockefeller. Estaba tan contento que ya ni preguntó por los demás; éstos se fueron vendiendo en las siguientes semanas. En el año 1989 llegó a Oaxaca una mujer que tenía asignado un programa de intercambio cultural de la Embajada de Estados Unidos, y al ver el trabajo de Alejandro, lo selecciona para participar en el proyecto,

ALEJANDRO SANTIAGO
LOS AFLIGIDOS, 1997
Tríptico, óleo sobre tela, 120 x 300 cm.

con lo que obtiene una beca. De esta manera viaja a Nueva York, a Boston, Washington y Santa Fe, para compartir sus experiencias con estudiantes de habla hispana en las escuelas de enseñanza superior. De ese viaje, la experiencia más impactante para Alejandro fue la visita al Museo Metropolitano de Nueva York, en donde se sorprendió con el arte griego y el egipcio, así como con la extraordinaria colección de arte africano de la Fundación Rockefeller. Esta aventura despertó en él la inquietud de viajar a otros lugares, y así su mundo, que hasta ahora había estado limitado a su estado natal, se abre a otros espacios, con la posibilidad de obtener nuevas referencias o de reafirmar las propias. Posteriormente conoció las ciudades de Seattle, Portland y San Francisco. En cada una de ellas establece contacto con galerías, y en esta última su obra ha tenido un gran éxito por lo que continúa presentando exposiciones hasta estos días.

A partir de ese momento, su obra se empezó a vender y a exhibir en diferentes galerías en Morelia, Puerto Vallarta y en la ciudad de Oaxaca. En 1993 su obra participa en la exposición colectiva *Europalia 93*, que tuvo lugar en Bruselas, Bélgica. En 1994, recibe una invitación para exponer en París. Alejandro viaja a la gran "Ciudad Luz" y se instala en un taller justamente en Rue Matignon y Champs-Elysées, para pintar la obra de la exposición. Esta tuvo un gran éxito, dejando sumamente impresionados a los exigentes franceses, quienes reconocieron en estas obras la fuerza expresiva de un auténtico creador. Un año más tarde, Alejandro Santiago decide viajar a París con su familia. En esta ocasión la estancia se extiende durante dos años, en los que logra vender su obra en Bélgica y Alemania. Durante ese tiempo, además de pintar, Alejandro viaja a España, Italia, Holanda y Alemania, lo que le permite estudiar el

library, the photographic archives and the music library. Teams and groups were formed to find places that would become centers for exhibiting and promoting art. And although my work had already acquired a foundation, this made me reflect on the great responsibility and commitment I was acquiring, no longer as a student, but as a painter. For that reason, I tried to add more quality to my work and direct it with more firmness."

For a short time, Alejandro attended the Escuela de Bellas Artes of the Universidad de Oaxaca, where he met Maestro Shinzaburo Takeda. He remembers him as a demanding teacher, anxious to train good painters and always willing to help. On leaving the university, Alejandro entered the workshop of Maestro Juan Alcázar, and remained for almost two years to do engraving. He did not have a workshop of his own, however, because of his lack of money to pay rent. One day his father approached him, with a degree of concern about whether his son's profession would ensure his economic security, and asked him: "What are you doing with your life?" When he learned that his son needed a place to work, he gave him his bedroom to use as a workshop. In 1985, Santiago held his first individual exhibition, at the Galería Sol y Luna. The day of the opening, one-half of the work was sold. When Alejandro asked the gallery owner what had happened to the paintings, he was informed that three of the paintings sold had been bought by the Rockefeller Foundation. He was so pleased that he did not inquire about the others, which were sold in the following weeks. In 1989, the woman in charge of a cultural exchange program sponsored by the US Embassy arrived in Oaxaca, and on seeing Alejandro's work, selected him to participate in her project, offering him a

Alejandro Santiago
Armonía en gris, 2000
Mixta sobre tela, 170 x 150 cm.

fellowship. In this manner, Alejandro visited New York, Boston, Washington and Santa Fe, to share his experiences with Spanish-speaking college students. The experience that most impressed him on the trip was his visit to the Metropolitan Museum in New York, where he was surprised by the Greek and Egyptian art, as well as by the Rockefeller Foundation's extraordinary collection of African Art. This adventure sparked his interest in traveling to other locations, and his world, previously limited to his native state, was opened to places that offered him the possibility of new references or the reaffirmation of his own ideas. He later visited the cities of Seattle, Portland and San Francisco. In each city, he made contact with art galleries; in San Francisco, his work has enjoyed great success and continues to be shown. Starting at the time of Alejandro's trip, his work began to be sold and exhibited in various galleries in Morelia, Puerto Vallarta and the city of Oaxaca. In 1993, his work participated in the collective exhibition, Europalia 93, in Brussels, Belgium. In 1994, he received an invitation to exhibit in Paris. Alejandro traveled to the "City of Light" and installed a workshop on the Rue Matignon at Champs-Elysées, in order to paint the work for the show. He was highly successful, and impressed the demanding French collectors; they recognized in his paintings the expressive force of an authentic artist. One year later, Alejandro Santiago decided to travel to Paris with his family. On this occasion, the trip lasted two years, and Santiago sold his work in Belgium and Germany. In addition to painting, Alejandro traveled

arte universal de todos los tiempos. Tiene oportunidad de ver lo que tan sólo había observado en libros, y de estudiar en estas grandes obras las lecciones de arte que han dejado sus creadores. Un mundo que nació en "ese pequeño hormiguero" —como él lo llama— de Teococuilco, ahora tomaba una dimensión universal.

Estos triunfos han mantenido entusiasmado y a la vez sereno el espíritu del pintor, y lejos de causar en él un relajamiento de sus exigencias por el engreimiento de quien cree que ha llegado a ese lugar que todos aspiran, Santiago reafirma que para hacer pintura es necesario conocer la técnica, no perder el espíritu de la innovación, y disfrutar la pintura. Estas son sus palabras: *"Nunca he pensado que quiero ser un artista famoso y reconocido. Mi más grande deseo es jugar con el arte; es seguir adentrándome en este gran juego de crear. Por eso, me divierto experimentando y encontrando diferentes cosas que hacer. Ahora estoy haciendo escultura, también joyería, cerámica, esculturas transportables, iconos, pintura, en fin. La inventiva es tan atrayente que he llegado al extremo de pegar a un cuadro unas barreduras que encontré en mi taller. Me gusta el reto de ver qué pasa y qué puedo hacer con ello".*

En la obra de Alejandro Santiago nos encontramos frente a un colorista innato, frente a un amante de la alquimia y del sensual juego que se crea entre formas, texturas y color. Sus figuras son sugerentes, mas no narrativas. En muchos casos, las figuras hacen acto de presencia en la tela para establecer enlaces y entablar un diálogo con el espectador; en otros, simplemente posan luciéndose en actitud complaciente y desfigurada. Nos sorprenden sus penetrantes y fijas miradas, creadas tan sólo con un punto, con un círculo o con la forma oval; es asombroso que con esa simplicidad de líneas se reflejen miradas enigmáticas, pensativas, arrogantes y hasta misteriosas. De pronto, encontramos ideas sueltas que aluden a la gran fiesta de los muertos, esa fiesta de calacas y calaveras con que el pueblo mexicano revive con algarabía su gran espiritualidad, su sapiencia de que el alma no muere, su entendimiento de la eternidad. Otras ideas, festivas y no festivas, se cruzan en la atmósfera del cuadro: ideas acerca de la maternidad, de la danza, de la fertilidad. Todas ellas en algún momento se han atravesado por la imaginación del pintor, y él no perdió la ocasión de contenerlas y darles color. Entre sus referencias más cercanas nos encontramos a Tamayo y a Nieto, pero más allá de ellos, definitivamente se encuentra el gran Picasso, quien permitió reaparecer en la pintura la síntesis de la línea y del plano, quizás tomando referencias del arte primitivo.

Cuando entré a su estudio, integrado por grandes salones que se distribuyen a lo largo de los tres pisos del edificio que conforma su taller, su modo de pintar me hizo pensar en un gran ritual. Alejandro había estado pintando en el de hasta arriba, pues allí tiene mejor luz. En ese salón pude apreciar seis cuadros de gran formato, colocados todos en el piso contra la pared, como si estuvieran participando todos de una gran ceremonia, ya que él trabaja en varios cuadros a la vez. Al centro se encontraban entre quince y veinte pequeños trastes, todos de diferente tamaño, copeteados de pinturas de diferentes colores, cada uno con un pincel; a un lado se encontraba el trapo, y por el otro, los solventes y también cartones grandes en donde preparar pequeñas mezclas de color. Y comenta Alejandro: *"Allí me siento frente a ellos a aventar color. A jugar con la pintura y, sobre todo, a disfrutarla".*

to Spain, Italy, Holland and Germany, and was able to study universal art. He had the opportunity to see what he formerly had seen only in books, and to study in these master works the art lessons left imprinted by their authors. The outlook created in "that little anthill"—as he calls Teococuilco—took on a universal dimension. These triumphs have kept Alejandro's spirit enthusiastic while serene; far from causing him to relax his standards out of conceit—the pretentiousness of reaching the top—he reaffirms that in order to paint it is necessary to learn technique, retain the enthusiasm of innovation and enjoy painting. In his own words: "I have never thought that I want to be a famous and well-known artist. My largest desire is to play with art; to continue to immerse myself in this wonderful game of creating. Because of this, I have fun experimenting and finding different things to do. Now I am sculpting, also making jewelry, ceramics, movable sculptures, icons, paintings, and so on. Inventiveness is so attractive that I have reached the extreme of gluing some sweepings I found in my workshop on a painting. I like the challenge of seeing what is happening and what I can do with it."
In Alejandro Santiago's work we find ourselves faced by a innate colorist, a lover of alchemy and the sensual game created among forms, textures and color. His figures are suggestive, but not narrative. In many cases, the figures present themselves on the canvas to establish links and initiate a dialog with the viewer; in other cases, they simply pose in a complacent and misshapen attitude. Their penetrating gazes—created with only a dot, with a circle or an oval—surprise us; it is astounding that such simple lines can reflect enigmatic, thoughtful, arrogant and even mysterious expressions. All of a sudden, we find isolated ideas that allude to the noisy party for the dead, that party of skeletons with which the Mexican people boisterously revive their spirituality, their knowledge that the soul does not die, and their understanding of eternity. Other ideas, both festive and non-festive, crisscross in the picture's setting: ideas about maternity, dance, and fertility. All of them have passed through the painter's imagination, and he did not miss the opportunity to contain them and give them color. Santiago's closest references include Tamayo and Nieto; but beyond them is definitely the great Picasso, who allowed the synthesis of line and plane to reappear in painting, perhaps by borrowing ideas from primitive art.
When I entered Alejandro Santiago's studio—large rooms on three floors—his way of painting made me think of a grand ritual. He had been painting on the top floor, which has the best light. I saw six large paintings on the floor (Alejandro paints on several pieces at the same time), leaning against the walls of the room, as if they were participating in a ceremony. In the center were fifteen to twenty small containers, all of a different size, filled with paint of different colors, and each one with a brush; on one side was a rag, and on the other, the solvents and large pieces of cardboard for preparing small mixtures of color. Alejandro comments: "I sit in front of them to throw on color. To play with paint, and especially, to enjoy it."

ALEJANDRO SANTIAGO
MUJERES EN ROJO, 2000
Mixta sobre tela, 120 x 100 cm.

Nunik Sauret
Vestigios, 1992
Oleo sobre tela, 125 x 114 cm.

Nunik Sauret

1951

Por la gran calidad de sus trabajos, Sauret conquistó un prestigiado lugar como grabadora, a nivel internacional. En sus trabajos destacaba su extraordinario dibujo y su habilidad natural en el manejo de esta técnica.

Lupina Lara Elizondo

Nunik Sauret Rangel nació en la ciudad de México. Sus padres y abuelos eran nacidos en México, pero sus antepasados provenían de Alemania, Francia y España. Su padre era un amante de la ópera. Nunik lo recuerda escuchando áreas de diferentes piezas, y ella llegó a apreciar tanto este género que en un momento pensó en dedicarse al canto. También recuerda que todos los domingos su padre los llevaba a los museos: al de Arqueología, al de San Carlos o a La Pinacoteca. Un hermano de su padre era actor y otro había asistido a la Academia de San Carlos, aunque no se decidió por la pintura por temor a enfrentar al padre. En este entorno sensible no cayó de sorpresa el hecho de que ella empezara a dibujar desde los cuatro años. Veían como algo natural que esta chiquita se sentara en una pequeña mesa, y con empeño trabajara en sus cuadernos. Desde entonces su padre la apoyaba y reconocía sus logros; le compraba lápices de colores y papeles especiales. Esa actividad se convirtió en una rutina que ejercía casi a diario. Al llegar a la secundaria, en el momento de elegir entre los talleres libres, Nunik se inscribió en pintura. Se sentía feliz de que el dibujo y la pintura ya no fueran un pasatiempo, sino una actividad académica que realizaba con compromiso. En estas clases aprendió conocimientos básicos de anatomía, de perspectiva, de paisaje y naturaleza muerta.

Al salir de la secundaria Nunik cuestiona sus inquietudes, ya que era el momento de elegir un camino. Ante ella se presentaban varias opciones: la ópera, la pintura o la docencia. Las tres opciones le provocaban interés. Por un lado, su padre le había inculcado el gusto por la música, y por otro, desde niña jugaba a ser la maestra y daba clases de dibujo a sus hermanos, pero ella en su interior sentía que el peso que mostraba la pintura era mayor. Por la confianza y cercanía con su padre comentó con él sus dudas, y él le confirmó lo que ella ya sabía. Debido a su edad, pues Nunik tan sólo tenía trece años, el padre tuvo ciertas consideraciones para que pudiera ingresar a La Esmeralda, y buscó a un amigo de la familia que era pintor para que le diera clases, mientras llegaba a la edad en que podría ingresar a la escuela de pintura. Su maestro era un hombre mayor; podría haber sido su padre. No obstante, Nunik entabló una cercana amistad con él, en la que la apertura y la confianza eran la regla. Conversaban abiertamente de todos los temas: de historia, de política, de arte, y de sus problemas de juventud y adolescencia. Esa experiencia la ayudó a madurar y a formarse un carácter seguro. Después de unos meses el maestro sugirió que ella acudiera a una

Nunik Sauret
Salida, 1996
Oleo sobre tela, 120 x 100 cm.

academia para que pudiera convivir con compañeros de diferentes edades. De momento Nunik no entendió las razones, y muy a disgusto aceptó perder a su maestro para formar parte de un grupo.

Por fin, en 1967, llegó el tiempo que ella más deseaba, pues ingresó a la Escuela de Pintura, Escultura y Grabado La Esmeralda. Se encontró rodeada de aulas y talleres, de jóvenes que al igual que ella amaban las artes plásticas, y de ese tema se hablaba todo el día. Fue tan fuerte el efecto que esto le produjo que sintió que en ese momento nacía ella como una nueva persona, y fue tal el cambio en su nuevo ser, que se asigna un nuevo nombre: Nunik, pues su verdadero nombre hasta entonces había sido el de María de Jesús Dolores. En la escuela formó parte de la generación de Juan Manuel de la Rosa y Enrique Guzmán. Como director se encontraba el maestro Fernando Castro Pacheco, y como maestros: Benito Meseguer, Alberto Vázquez Beltrán, Antonio Ruiz, Carlos García Estrada, entre otros. Fueron años muy felices y enriquecedores. En el tercer año, Nunik acudió al taller de grabado del Molino de Santo Domingo, pues estaba muy interesada en estudiar grabado en metal y en La Esmeralda los talleres no estaban abiertos. Fue para ella una experiencia maravillosa, con el maestro Octavio Bajonero, pues el grabado parecía ser un medio de expresión natural en ella.

Por diversos motivos, al llegar al cuarto año de carrera, su generación se fue resquebrajando. Los jóvenes de diferentes escuelas participaron en el movimiento estudiantil del 68. Algunos de sus compañeros terminaron en la cárcel como presos políticos, otros se murieron por el abuso de las drogas, y otros, como es el caso de Nunik, abandonaron la carrera al contraer matrimonio. Ella se casó con el pintor Fernando Flores Sánchez, que formaba parte del grupo de ayudantes de Siqueiros. Al momento de casarse, Flores le pidió que dejara la pintura, posiblemente por temor a la rivalidad. A los dos años nace su hija y con ella una profunda reflexión: *"¿Qué le puedo a ofrecer a mi hija?"*

Nunik Sauret Rangel was born in Mexico City. Her parents and grandparents were Mexicans of German, French and Spanish ancestry. Her father was an opera lover, and Nunik remembers him listening to arias. In fact, she came to be so fond of opera that she considered becoming a singer. Nunik also remembers that on Sunday, her father would take her to the museums: the Museum of Archaeology, San Carlos, and La Pinacoteca. Although one of her uncles was an actor, and another had attended the Academia de San Carlos, Nunik's father did not devote himself to painting because of his fear of paternal resistance. Given the family's artistic atmosphere, it was not a surprise that Nunik began to draw at age four. The family found it natural that the small child would sit at a small table to work diligently in her notebooks. Her father supported and recognized her achievements, and would buy her special paper and colors. Drawing became an almost daily activity for Nunik. In secondary school, she selected painting as one

Definitivamente podría ser mejor una madre entusiasta y triunfando, por lo que en ese momento decide regresar a la pintura, que era lo que más amaba, y como consecuencia viene la separación de su marido. Y, aunque en ocasiones otras opciones se presentaban como mejores caminos desde el punto de vista económico, ella no claudicó; se mantuvo firme en su profesión.

Sauret tuvo la suerte de contactar a la Galería Ponce, en donde se encuentra con Miguel Cervantes, que era un amante del grabado y un fuerte promotor de este género. Ella recuerda aquellos días: *"Miguel traía grabados catalanes, grabados de Rembrandt, de Goya... Cuando le llevaban placas de grabado a la galería, Miguel me mandaba llamar, y me encargaba estudiarlas y hacer pruebas para sacar copias facsimilares de las mismas. Hice algunas impresiones de los grabados de Julio Ruelas; trabajé una placa de Tamayo. También participé en la restauración e impresión de grabados anónimos religiosos mexicanos de los siglos XVI y XVII, para la Galería Arvil. Hicimos muchos proyectos. En la galería también logré vender mis grabados. Allí me relacioné con muchos artistas"*. Esto le permite sobrevivir e irse abriendo camino, junto con innumerables proyectos de portafolios de grabado, de portadas, ilustraciones y viñetas para libros y revistas, que sumaron más de sesenta.

Desde 1971 Sauret participó en diferentes concursos de pintura: en la galería del Auditorio Nacional; la *II Bienal de Grabado Machi*, en Miami; el concurso del *Salón de la Plástica Mexicana*; la *III Bienal Americana de Artes Gráficas*, en el Museo de la Tertulia, de Cali, Colombia; la *I Bienal de Grabado*, en Maracaibo, Venezuela; la *IV Trienal de Nueva Delhi*, en la India; la *I Bienal Italo–Latinoamericana*, en Roma, Italia; la *IV Bienal de*

of her open workshops. She was pleased that drawing and painting were no longer simply a pastime, but were an academic activity to be carried out with dedication. In the workshop classes, Nunik learned the basics of anatomy, perspective, landscapes and still-lifes.
On finishing secondary school, Nunik examined her interests, since the time had arrived to make decisions about the future. She had various options: opera, painting or teaching, and was interested in all three. On one hand, her father had encouraged her taste for music, and on the other, as a child she had played at giving drawing classes to the other children in the family; yet she felt that her strongest inclination was toward painting. Nunik took advantage of her trusting relationship with her father to discuss her doubts with him, and he confirmed what she already knew. However, given Nunik's young age—she was only thirteen years old—her father hired a family friend, a painter, to be her painting teacher until she reached the required age to enter the painting school of La Esmeralda. The teacher was an older man who could have been her father, but Nunik formed a close friendship with him, in which frankness and trust were the rule. The talked openly about all topics: history, politics, art and the problems of youth and adolescence. The experience helped Nunik to mature and develop a secure personality. After a few months, the teacher suggested that Nunik attend an academy where she could interact with classmates of various ages. Without understanding his reasons, she very reluctantly accepted the loss of her teacher in order to form part of a group.
At last, in 1967, the long-awaited time arrived when Nunik was able to enroll in the Escuela de Pintura, Escultura y Grabado La Esmeralda. She was surrounded by classrooms and workshops, by young people like her who loved fine art, and who were willing to talk about art all day. The experience produced such a strong effect that Nunik felt she had been reborn; the change in her being was such that she invented herself a new name—Nunik, to replace her given name of María de Jesús Dolores. At school, she was part of the Juan Manuel de la Rosa and Enrique Guzmán generation. The director of the school was Maestro Fernando Castro Pacheco, and the teachers included Benito Meseguer, Alberto Vázquez Beltrán, Antonio Ruiz and Carlos García Estrada. Nunik's school years were very happy and enlightening. During her third year, Nunik began attending the Molino de Santo Domingo engraving workshop, since she was highly interested in studying metal engraving and the La Esmeralda workshops were closed. She found the experience very satisfying and engraving seemed to be a natural means of expression; her teacher was Octavio Bajonero.

NUNIK SAURET
DE AUSENCIA, 2001
Temple de huevo sobre caseína, 23 x 28 cm.

Due to various motives, Nunik's class began to disintegrate during the fourth year of studies. Young people from different schools participated in the student movement of 1968, and some of Nunik's classmates were jailed as political prisoners; others died from drug overdoses and some, like Nunik, left their studies for marriage. Her new husband was the painter, Fernando Flores Sánchez, one of Siqueiros' assistants. When they married, Flores asked Nunik to abandon painting, possibly out of a fear of rivalry. Two years later, their daughter was born, and Nunik reflected deeply: "What can I offer my daughter?" She determined that an enthusiastic, triumphant mother would definitely be the best, and at that moment decided to return to painting, her favorite activity; as a consequence, she and her husband separated. And even when more economically sound options became available, Nunik did not give up: she remained firm in the practice of her profession.
Sauret had the fortune to make contact, at the Galería Ponce, with Miguel Cervantes, a strong promoter of engraving. Nunik recalls those days: "Miguel brought engravings from Catalonia, from Rembrandt, from Goya... When he received plates at the gallery, Miguel would call me and ask me to study them and try to make facsimile copies with them. I did some prints of the engravings of Julio Ruelas; I worked with a plate by Tamayo. I also participated in restoring and printing anonymous religious engravings from Mexico in the 16th and 17th centuries, for the Galería Arvil. We did a lot of projects. I was also able to sell some of my engravings at the gallery. I came into contact there with many artists." This activity allowed Nunik to find her way, and she completed more than sixty projects of engraving portfolios, book covers, illustrations and vignettes for books and magazines.
Beginning in 1971, Sauret participated in various painting contests: at the gallery of the Auditorio Nacional; the II Bienal de Grabado Machi in Miami; the Salón de la Plástica Mexicana contest; the III Bienal Americana de Artes Gráficas in the Museo de la Tertulia in Cali, Colombia; the I Bienal de Grabado in Maracaibo, Venezuela; the IV Triennial of New Delhi, in India; the I Bienal Italo–Latinoamericana, in Rome, Italy; the IV Bienal de Grabado Latinoamericano, in San Juan, Puerto Rico; the XII Biennial of Engraving in Lubiana, Yugoslavia; the V Biennial of International Engraving in Fredrikstad, Norway; at the Museo Nacional de Gravaura, in Brazil; and at the International Biennial of Sapporo, Japan. Because of the high quality of her work, Sauret earned a prestigious place as an engraver at the international level. Her work was outstanding for its extraordinary drawing and her natural ability in technique.
In 1976, Nunik attended the engraving seminar taught by Maestro Mauricio Lazansky at the Molino de Santo Domingo, and then installed her own workshop. The quality of her engraving and her knowledge of the technique encouraged other artists to work at her workshop. While the others worked the metal, Nunik studied the different options that each style required, and advised them in resolving their work. The artists who participated in her workshop included

Grabado Latinoamericano, en San Juan de Puerto Rico; la *XII Bienal de Grabado*, en Lubiana, Yugoslavia; la *V Bienal de Grabado Internacional*, en Fredrikstad, Noruega; en el Museo Nacional de Gravaura, en Brasil; la *Bienal Internacional* de Sapporo, Japón. Por la gran calidad de sus trabajos, Sauret conquistó un prestigiado lugar como grabadora, a nivel internacional. En sus trabajos destacaba su extraordinario dibujo y su habilidad natural en el manejo de esta técnica.

En 1976 Nunik acude al seminario de grabado con el maestro Mauricio Lazansky en el Molino de Santo Domingo, y posteriormente monta su propio taller. La calidad de su grabado y su conocimiento de esta técnica invitaron a diferentes artistas a acudir a trabajar a su taller. Mientras ellos trabajaban en el metal, ella estudiaba las diferentes opciones que cada uno de sus estilos exigía, y así, los asesoraba en la resolución de sus grabados. Entre los artistas que llegaron al taller se encontraban: José Luis Cuevas, Leonora Carrington, Arnaldo Coen, Joy Laville y Arturo Rivera, entre tantos otros más.

Después de siete años, la pintura exigió su lugar y Nunik accedió a este llamado. En 1984 la vemos surgir como pintora, con una obra de gran esplendor, empleándose a fondo como colorista, como conocedora del espacio y de las formas, y como una experta en el manejo de la luz, y por ende, del claroscuro. Con esa paciencia de alquimista que exige el grabado, Nunik va aplicando el color en sus telas; ella pinta empleando con gran maestría la técnica de las veladuras. En su pintura, tan llena de todos estos elementos, nos encontramos ante la revelación y recreación que hace de ella misma. Durante el proceso de liberación y encuentro que motivó la separación de su marido y su lucha para triunfar como madre, como mujer y como pintora, Nunik se encontró a sí misma. Fue un proceso lento y minucioso, guiado por la reflexión, a través del cual derriba mitos, banalidades, prejuicios, poses e ideas fijas, acumulados durante muchos miles de años en ella misma y en la sociedad. De esta manera Nunik rescata a la mujer: en su femineidad, en su virtud, en su amor, en su belleza, su fortaleza, su ternura, en su poder de entrega y en ese maravilloso don de la gestación. Con esta plenitud de vida pinta siluetas que surgen de atmósferas etéreas, como ha surgido ella al encontrar su alma, su verdadero ser. En estas expresiones al óleo, el color adquiere primacía; éste establece el sentimiento y la vida, mientras que el dibujo, la temática y el espacio. Ante estos trabajos el espectador siempre recibe esa plenitud que la obra tiene reservada para quienes están dispuestos a observarla.

Como pintora, ha participado en importantes exposiciones individuales: en la Galería de Arte Mexicano; en el Museo de Arte Moderno de Culiacán, Sinaloa; en el Museo José Guadalupe Posada, en Aguascalientes; en el Museo de la Estampa, en la ciudad de México; en la Galería Kin; en el Museo de Arte Contemporáneo Alfredo Zalce, en Morelia, Michoacán; en

NUNIK SAURET
PARADISEA APODA, 2001
Temple de huevo sobre lino, 82 x 70 cm.

la Galería Misrachi; en el Paraninfo de la Pinacoteca, en Monterrey, Nuevo León, y en el Museo de Antropología e Historia, en Ciudad Juárez, Chihuahua, entre tantas otras. En 1993 y en 1998 fue reconocida con la beca del Sistema Nacional de Creadores que entrega el Consejo Nacional para la Cultura y las Artes.

Aquel objetivo de ser maestra se ha cumplido a lo largo de este tiempo, ya que como pocos Nunik tiene el gusto y el don de compartir y enseñar. Desde muy joven abandonó el nivel de aprendiz, pues alcanzó a dominar a tal grado el oficio que llegó al grado de maestra. Desde 1986 impartió el taller de grabado en metal en el Taller de Artes Plásticas Rufino Tamayo, en Oaxaca, y continuó impartiéndolo en la Facultad de Artes Plásticas de la Universidad Veracruzana; en La Esmeralda; en la Facultad de Artes Plásticas de la Universidad Autónoma de Guanajuato; en el Centro de Formación y Producción de Artes Gráficas, en Colima; en Los Talleres Culturales, en Puerto Vallarta. Sus conocimientos la han llevado a participar como jurado en diferentes concursos de arte, organizados por CONACULTA y el INBA, a nivel nacional. De igual manera, ha participado en la selección y tutoría de jóvenes creadores en las becas del FONCA.

José Luis Cuevas, Leonora Carrington, Arnaldo Coen, Joy Laville and Arturo Rivera.
After seven years, painting demanded its place and Nunik answered its call. In 1984, she appeared on the scene as a painter, with magnificent work. She worked as a profound colorist, a connoisseur of space and form, and an expert in the handling of light and as a result, chiaroscuro. With the patience of an alchemist that is required by engraving, Nunik applies color to the canvas, and employs glazes with great mastery. Her painting stands before us as the revelation and the recreation of the painter herself—the self Nunik discovered during the liberating process of separating from her husband and struggling to triumph as a mother, woman and painter. The process was slow and meticulous, guided by the reflection that demolishes the myths, banalities, prejudices, poses and set ideas that have accumulated in society during thousands of years. In this manner, Nunik rescues women: with their femininity, virtue, love, beauty, strength and tenderness, in their power of surrender and in the marvelous gift of gestation. With this plenitude of life, Nunik paints silhouettes that emerge from an ethereal atmosphere, as she has emerged in finding her soul, her true being. In these expressions in oil, color acquires primacy: it establishes the feeling and life, while the drawing shows the topic and space. While looking at these pieces, the viewer receives the fullness reserved for those willing to perceive it.
As a painter, Nunik Sauret has participated in important individual exhibitions: at the Galería de Arte Mexicano; the Museo de Arte Moderno of Culiacán, Sinaloa; the Museo José Guadalupe Posada in Aguascalientes; the Museo de la Estampa in Mexico City; the Galería Kin; the Museo de Arte Contemporáneo Alfredo Zalce in Morelia, Michoacán; the Galería Misrachi; the Paraninfo de la Pinacoteca in Monterrey, Nuevo León, and the Museo de Antropología e Historia in Ciudad Juárez, Chihuahua. In 1993 and 1998, she was awarded a scholarship from the Sistema Nacional de Creadores by the Consejo Nacional para la Cultura y las Artes.
Nunik's goal to be a teacher has been reached, since she, like few others, has the talent of sharing and teaching. While still very young she began to teach her craft, due to her great mastery of it. Since 1986, she has taught the metal engraving workshop at the Taller de Artes Plásticas Rufino Tamayo in Oaxaca, and has continued offering courses at the Facultad de Artes Plásticas of the Universidad Veracruzana; La Esmeralda; the Facultad de Artes Plásticas of the Universidad Autónoma de Guanajuato; the Centro de Formación y Producción de Artes Gráficas in Colima; and Los Talleres Culturales in Puerto Vallarta. Her knowledge has led to her participation as a judge in various national art contests organized by CONACULTA and INBA. She has also selected and advised the young recipients of FONCA scholarships.

Luciano Spanó
Figura, 1996
Oleo sobre tela, 90 x 70 cm.

Luciano Spanó

1959

En su obra, la luz permite al espectador entrar en su pintura y experimentar su tridimensionalidad; le permite advertir su atmósfera. La luz también logra enfatizar la expresión en la figura, al estilo más clásico de la pintura italiana.

Lupina Lara Elizondo

Luciano Spanó nació en 1959 en el norte de Italia, en Saluzzo, una pequeña ciudad que data del año 1200 y forma parte de la provincia de Piamonte. Su infancia se desarrolló en este hermoso lugar, en el que sobresalen una preciosa iglesia y el castillo amurallado. Entre los siete y los diez años Luciano perdió, primero a su madre y después a su padre; por esta razón entra a un internado. En ese lugar descubrió que la mejor manera de expresar su soledad y sus angustias era pintando. Cuando tenía oportunidad de salir, compraba óleos, pinceles y espátulas para poder trabajar. En las horas de estudio, debajo de las mesas de trabajo, se ponía a pintar. En Italia dejó varios óleos y dibujos de aquella época. La mayoría de ellos, nos comenta, reflejan temas un poco dramáticos. También platica de dónde sacó el interés por dibujar: *"Mi padre era sastre, y recuerdo que hacía dibujos de los trajes para que sus clientes pudieran ver los modelos. Me gustaba mucho verlos. A él también le gustaba cantar, pero eso sí, no lo podía practicar mucho en el internado".*

En 1974, cuando tenía quince años, una tía, hermana de su madre –que junto con su abuelo había logrado emigrar a México durante la Segunda Guerra Mundial–, lo manda llamar para que venga a México a estudiar. Pero ella no sabía que Luciano había elegido ser pintor, y ésta no era precisamente la profesión que a ella le interesaba para su sobrino. Este hecho creó cierto conflicto, y obligó a que unos cuantos meses después él saliera de la casa, pues la tía había decidido regresarlo a Italia. Luciano se aferró a permanecer en nuestro país, pues en ese corto tiempo había encontrado en México algo muy valioso: su camino como pintor, amigos y libertad. A partir de esto, se vio en la necesidad de encontrar un lugar en donde vivir, además de conseguir un lugar para poder pintar. Esto es lo que él nos relata: *"Mi primer contacto fue Marysole Worner Baz. Mi encuentro con ella fue casual, y prácticamente sin conocerme, me dio las llaves de su taller. Estuve casi un año en el taller, viviendo y pintando. Ya había tratado de inscribirme a la preparatoria, pero cuando fui a hacer el examen, me encontré como a 10,000 estudiantes haciéndolo; fue demasiado. Imagínate que en todo mi pueblo eran como 10,000 habitantes, así que no me inscribí. Yo lo que quería era pintar, por eso me inscribí en la Escuela de Iniciación Artística No. 4 (INBA-SEP). Allí conocí a Sara, que era mi maestra, y a Alejandro Arango, que era mi compañero, y me fui a vivir con ellos. Después hice el examen de admisión en la Escuela de Pintura, Escultura y Grabado La Esmeralda,*

LUCIANO SPANÓ WAS BORN IN 1959 IN NORTHERN ITALY, in Saluzzo, a small town that dates from the year 1200 and forms part of the province of Piamonte. Luciano's childhood was spent in this beautiful place—the site of a pretty church and a walled castle. Between the ages of seven and ten, Luciano lost first his mother and then his father; as a result, he entered a boarding school. There he discovered that the best way to express his loneliness and his anxiety was by painting. When he had the opportunity to leave the school, he would buy oils, brushes and spatulas in order to be able to work. During study periods, he would paint under the table. He left various oil paintings and drawings in Italy from that period. Most of them, he comments, reflect somewhat dramatic topics. He also explains his interest in drawing: "My father was a tailor, and I remember that he made drawings of suits so that his clients could see the style. I liked looking at them very much. He also liked to sing, but I was not able to practice that much in boarding school."
In 1974, when Luciano was fourteen years old, his mother's sister (who had immigrated to Mexico with her father during the Second World War) sent for Luciano to study in Mexico. She was unaware that Luciano had decided to be a painter, not precisely the profession she would have chosen for her nephew. The result was a certain amount of conflict, and Luciano's exit from the house a few months later when his aunt decided to return to Italy. Luciano insisted on remaining in our country, since in that short time he had found something very valuable in Mexico: his way as a painter, friends and freedom. Therefore, it became necessary for him to look for a place to live, besides a place to paint. He explains: "My first contact was Marysole Worner Baz. My encounter with her was casual, and almost without knowing me, she gave me the keys to her workshop. I was in the workshop almost one year, living and painting. I had tried to enroll in preparatory school, but when I went to take the exam, I found about 10,000 students taking it; it was too much. Imagine that my entire town had about 10,000 inhabitants, so I did not enroll. What I wanted was to paint, so I enrolled in the Escuela de Iniciación Artística No. 4 (INBA-SEP). There I met Sara, my teacher, and Alejandro Arango, my classmate, and I went to live with them. Then I took the admissions examination at the Escuela de Pintura, Escultura y Grabado La Esmeralda, and I passed. I entered very easily, in 1977, but it took me almost seven years to finish. What happened was that I also became interested in enrolling at the same time in the Escuela Nacional de Artes Plásticas, San Carlos, because it had very interesting workshops, like that of Maestro Nishizawa. So in the morning I went to one school, and in the afternoon, to the other. I also went to Aguascalientes for a time to study engraving at the Taller Posada, and in 1979, I held an individual exhibition for the first time, at the Universidad de Aguascalientes."
Luciano was able to support himself by selling his drawings and doing numerous other jobs. Before finishing his schooling, he was a fine arts teacher at a children's development center, and helped restore the mural in the Chamber of Deputies with Maestro Adolfo Mexiac. In 1986, he started working as a

y logré pasarlo. Entré muy fácilmente, en el año 1977, pero me tardé en salir casi siete años. Lo que sucedió fue que en ese tiempo también me interesó inscribirme a la Escuela Nacional de Artes Plásticas, San Carlos, pues había talleres muy interesantes, como el del maestro Nishizawa. Así que, en la mañana iba a una escuela y en la tarde a la otra. También fui un tiempo a Aguascalientes, a estudiar grabado en el Taller Posada, y en 1979 presenté por primera vez una exposición individual, en la Universidad de Aguascalientes".

Luciano logró mantenerse vendiendo sus dibujos y haciendo un sinnúmero de actividades. Antes de terminar sus estudios, fue maestro de artes plásticas en un Centro de Desarrollo Infantil, y colabora en la restauración del grabado mural de la Cámara de Diputados con el maestro Adolfo Mexiac. En 1986 ingresa a trabajar como promotor de Difusión Cultural en el Museo de Arte Alvar y Carmen T. de Carrillo Gil, en donde promueve actividades de música, literatura, cursos de cine y conferencias. También participó en la creación de la primera gaceta del Museo y en los talleres infantiles de artes plásticas, desarrollando sus planes de estudio en un documento titulado *Metodología de enseñanza de las Artes Plásticas*, y realizando, junto con la pintora Estrella Carmona, una exposición cada año. En 1989 el taller obtuvo con los trabajos de sus alumnos dos premios internacionales de dibujo: uno en España y otro en Japón. En ese lugar conoció, entre otros artistas, a José Luis Cuevas, al quedarse a cargo de la obra del maestro que fue afectada por la inundación del Museo, y en 1988 fue curador de la exposición del maestro Cuevas *Grabado en metal*, para la que también elaboró el catálogo. Ese mismo año obtuvo una Mención Honorífica en el Certamen Nacional de Promoción Cultural de la SEP, por el plan de estudios del taller infantil.

Durante este tiempo Luciano tuvo oportunidad de asimilar e involucrarse en la historia y la cultura de México. El despertó a la vida en nuestro país, y por ello le guarda un gran aprecio. Para él, nacer en Italia fue una casualidad, pero vivir en México ha sido una elección. De entre los artistas mexicanos, con quien más se identifica –no tanto en la temática, sino en su forma de hacer pintura– es con José Clemente Orozco.

A partir de 1988 su obra participa en diferentes concursos de pintura, en donde obtiene diversos premios. Ese mismo año, obtiene una Mención Honorífica en la *III Bienal Diego Rivera*, en el Museo Casa del Pueblo, en Guanajuato, y también el Premio de Adquisición del *Salón Nacional de las Artes*. En 1988 y 1989 obtuvo el Premio de Adquisición y una Mención Honorífica, en el *VIII y IX Encuentro Nacional de Arte Joven*, Casa de la Cultura de Aguascalientes, respectivamente. Este último año también obtuvo la mención honorífica de pintura y dibujo Dante, La Divina Comedia, en la Galería del Auditorio Nacional, INBA, en la ciudad de México. En 1990 recibe la beca de Desarrollo Artístico Individual FONCA–CONACULTA. En 1997 la Embajada de Italia le otorga una beca para estudiar en la Academia

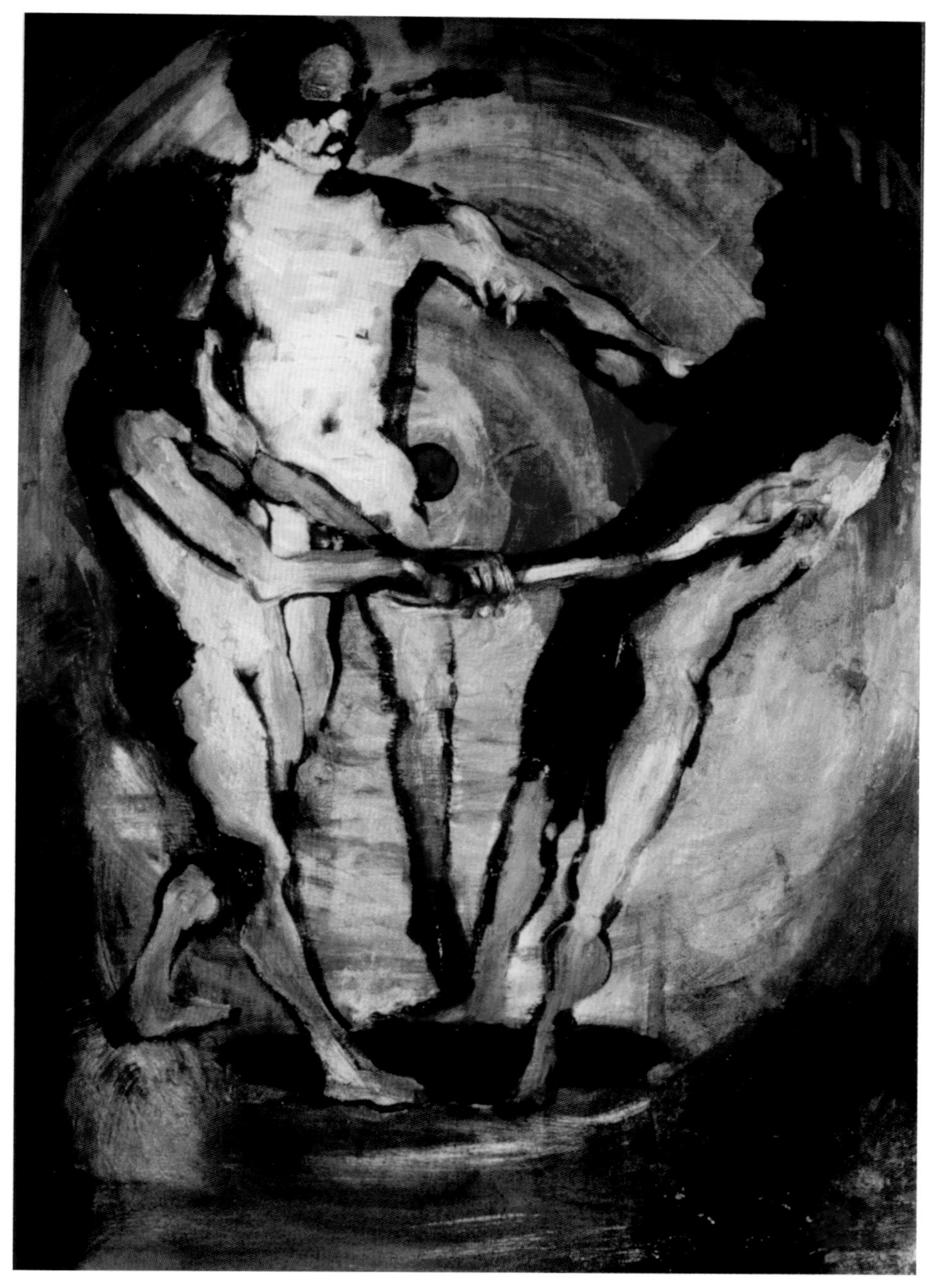

Luciano Spanó
Círculo, 1997
Oleo sobre tela, 90 x 70 cm.

Albertina de Turín, Italia, y durante ese tiempo obtiene el 3er. premio de adquisición Mateo Olivero, en la *XXI Rassegna di Arte Figurativo,* en Saluzzo, Italia, su lugar de origen, y el Primer Premio de Adquisición, en *2da Estemporánea di Pittura,* de la comuna de Chiusa, en Turín, Italia. Finalmente, en el año 2000 ingresa como miembro del Sistema Nacional de Creadores, donde obtiene la beca que otorga el CONACULTA en México.

A lo largo de una amplia carrera artística, su obra ha participado en más de doscientas exposiciones colectivas y en veinticuatro muestras individuales, de las que sobresalen: en 1991, *A la Pintura,* en el Museo de Arte Carrillo Gil; en 1993, *Desnudo,* que se llevó a cabo en el Museo de Arte Contemporáneo de Aguascalientes; en 1996, *Per Fare un Uomo,* en el Museo Universitario del Chopo, UNAM; en el año 2000, *Paisaje Desnudo, una nueva academia,* en el Museo de Arte Moderno, y en el año 2001

cultural promoter at the Museo de Arte Alvar y Carmen T. de Carrillo Gil, where he promoted activities involving music, literature, cinema and conferences. He also participated in the creation of the museum's first gazette, and in the children's workshops in fine arts; he developed his study plans in a document entitled Metodología de enseñanza de las Artes Plásticas, and held an exhibition every year with the painter, Estrella Carmona. In 1989, the workshop won two international drawing prizes with his students' drawings: one in Spain and the other in Japan. There he met several artists, including José Luis Cuevas, when he took charge of the maestro's work that had been affected by the museum's flooding; in 1988, he was the curator of Cuevas' Grabado en metal, and also prepared the exhibition's catalogue. That same year he obtained honorable mention in the Certamen Nacional de Promoción Cultural de la SEP for his study plan for children's workshops.

During that time, Luciano had the opportunity to assimilate and become involved in Mexican history and culture. He became aware of life in our country, as well as highly appreciative of it. For Luciano, being born in Italy was an accident, but living in Mexico has been his choice. The Mexican artist with whom he most identifies (because of his way of painting more than his topics) is José Clemente Orozco.

Beginning in 1988, Luciano's work participated in various painting contests, and he won different prizes. That same year, he obtained honorable mention at the III Bienal Diego Rivera, at the Museo Casa del Pueblo, in Guanajuato, and also the acquisition prize of the Salón Nacional de las Artes. In 1988 and 1989, he won the acquisition prize and honorable mention at the VIII and IX Encuentro Nacional de Arte Joven, Casa de la Cultura de Aguascalientes, respectively. In 1989, he also won honorable mention in the Dante, La Divina Comedia, painting and drawing contest at the Galería del Auditorio Nacional, INBA, in Mexico City. In 1990, he received a scholarship for individual artistic development from FONCA–CONACULTA.

In 1997, the Italian Embassy awarded him a grant to study at the Academia Albertina of Turin, Italy, and during that time, he won the third Mateo Olivero acquisition prize in the XXI Rassegna di Arte Figurativo, in Saluzzo, Italy, his hometown, and the first acquisition prize in the 2da Estemporánea di Pittura from the commune of Chiusa, in Turin, Italy. In the year 2000 he enrolled as a member of the Sistema Nacional de Creadores, where he obtained the scholarship granted by CONACULTA in Mexico.

Throughout his long artistic career, Luciano's work has participated in more than two hundred collective exhibitions and in twenty-four individual showings, including: in 1991, A la Pintura, in the Museo de Arte Carrillo Gil; in 1993, Desnudo, held in the Museo de Arte Contemporáneo of Aguascalientes; in 1996, Per Fare un Uomo, at the Museo Universitario del Chopo,

UNAM; in the year 2000, Paisaje Desnudo, una nueva academia, at the Museo de Arte Moderno; and in 2001, Pinturas, at the Museo Regional El Aguacate, in Durango. His work is found in the permanent collections of the Museo Cuevas, the Museo de Arte Moderno and the Museo de Arte Carrillo Gil, in Mexico City, and in the Italian Embassy in Mexico and the Mexican Embassy in Rome.
In Luciano Spanó's work, the human figure emerged naturally. Although he initially ventured into the abstract, the human figure once again appeared, reiterating its presence with great spontaneity, and is the vehicle of Luciano's expression. He pursues language rather than physical beauty, giving meaning to the pretext of painting. His work unites, with attractive force, the delight of painting and the infinite pleasure of expressiveness; such a union occurs out of mutual necessity and is limited to the highest level of plenitude. With complete awareness and knowledge of the rules of good painting, Spanó decided to free himself from them on an analytical plane, permitting himself a loose rein to produce painting that is felt more than thought. He feels excitement about tracing lines and creating volumes, but also allows them to encounter each other deliberately, suggesting forms that he interprets: he employs and plays with them until entirely satisfied in this sublime act of creation. With the frankness that characterizes his work, Luciano talks to us about his painting: "I have tried to paint the human figure well; that has been one of the great occupations of my life. I have wanted to be a great master in that. I have sought to express myself in a very free manner; to resolve in a very sure manner, with few or many lines, but subtly, enormously. And this is a very complex matter because one can go almost from abstraction to hyper-realism. In Velázquez, for example, his realism is very rapid, almost abstract, and there are other painters who are much more defined, like Verner. However, both attain that great art, that domain of great painting. I see that Velázquez reaches it with marvelous perfection. He paints a hand that seems almost abstract; he employs very vigorous but precise lines, which is also hyper-realistic. That is truly marvelous. Hyper-realism like photography does not interest me particularly, because it does not involve that control, that mastery of expression with the hand, but simply a tremendous need to do it the same. But it does not require that looseness that very few hands have, like those of Gironella. His hands move very freely, very loosely, and his painting becomes almost realistic, like Goitia in some things. I definitely desire that, but I have to reach it another way, because my painting demands more freedom, more freedom of expression."
In Spanó's painting, the light permits the viewer to enter the piece and experience its tridimensionality; it allows the viewer to notice the setting. The light also emphasizes the figure's expression, in the classic style of Italian painting. Luciano's handling of chiaroscuro evokes the work of Michelangelo Merisi, the great Caravaggio. Spanó explains the treatment of light in his painting: "Since I have attempted to handle light, it is not based on mixtures with white, or on work on the palette, as the impressionists have done. By applying it in a

Pinturas, en el Museo Regional El Aguacate, en Durango. Su obra se encuentra en las colecciones permanentes del Museo Cuevas, el Museo de Arte Moderno y el Museo de Arte Carrillo Gil, en la ciudad de México, y en la Embajada de Italia en México y en la Embajada de México en Roma.

En la obra de Luciano Spanó la figura humana ha surgido de manera natural. Aunque en un principio incursionó en lo abstracto, la figura ha vuelto a aparecer, reiterando su presencia con gran espontaneidad, ya que ella es el vehículo de su expresión. Luciano no va en pos de su belleza física, sino de su lenguaje, el cual da sentido al pretexto de pintar. En su obra se reúnen, con una fuerza atrayente, el deleite de hacer pintura y el infinito placer de la expresividad, y lo hacen con necesidad mutua, reservada al más alto nivel de plenitud. Con cabal conciencia y conocimiento de las reglas que exige la buena pintura, Spanó decide liberarse de ellas en un plano analítico, permitiendo dar rienda suelta a una pintura sentida, más que pensada, emocionándose al trazar líneas y causar volúmenes, pero también permitiendo que éstos salgan deliberadamente a su encuentro, sugiriéndole formas que él toma e interpreta; las emplea y juega con ellas hasta quedar plenamente satisfecho en este acto sublime de creación. Con esa franqueza que caracteriza su quehacer, nos habla de su pintura: *"He tratado de pintar bien la figura humana; ésa ha sido una de las grandes ocupaciones de mi vida. He querido llegar a ser un gran maestro en ello. He buscado expresarme de una manera muy libre; resolver de una manera muy segura, con pocos trazos o muchos, pero de una manera muy sutil, pero grande. Y esto es un asunto muy complejo, porque se puede ir casi de la abstracción a lo hiperrealista. Velázquez, por ejemplo, su realismo es muy rápido, casi abstracto, y hay otros pintores mucho más definidos, como Verner y, sin embargo, ambos llegan a ese gran arte, a ese dominio de la gran pintura. Veo que Velázquez llega a eso, pero con una perfección maravillosa. Hace una mano que parece casi abstracta; emplea líneas muy vigorosas, pero tan precisas, que es también hiperrealista. Eso es verdaderamente maravilloso. El hiperrealismo de tipo fotográfico a mí no me interesa en lo particular, porque no involucra ese dominio, esa maestría de expresión de la mano, del vigor, sino que simplemente hay una necedad tremenda de hacerlo igual; pero no exige esa soltura que tienen sólo muy pocas manos, como las de Gironella. Son manos que se manejan muy libres, muy sueltas, y su pintura llega a ser casi realista, como también sucedió a Goitia en algunas cosas. Yo, definitivamente aspiro a ello, pero tengo que llegar de otra manera, porque mi pintura me exige más libertad, más apertura de expresión".*

En su obra, la luz permite al espectador entrar en su pintura y experimentar su tridimensionalidad; le permite advertir su atmósfera. La luz también logra enfatizar la expresión en la figura, al estilo más clásico de la pintura italiana. Su manejo del claroscuro evoca la obra de Michelangelo Merisi, el gran Caravaggio. Spanó nos explica acerca del tratamiento que da a la luz en su pintura: *"Como he tratado de manejar la luz, no es a base de mezclas con blancos, o de un trabajo en la paleta, como lo han hecho los impresionistas. Al aplicarla de manera directa, yo logro crear luz a través de transparencias. Es la manera como más se contribuye a lograr una 'atmosfericidad'; pues la luz viene de adentro de la tela, y aunque el espacio que rodea la obra esté obscuro, se sigue percibiendo la luz".*

Spanó es más pintor que colorista; el color en su obra se subordina a la expresión. De alguna manera podemos afirmar que Spanó no crea basándose en el color. Crea en la forma, y el color se vuelve un acorde; es un elemento primordial en la obra completa, pero no es la figura principal. Su color ha transitado principalmente en tonalidades obscuras; sin embargo, esa tendencia se ha roto, y en años recientes encontramos series de obras con colores intensos y otras que adoptan los colores cremas, contrastados con grises, naranjas tenues, lilas y azules claros. Spanó también ha variado la dimensión de sus formatos, pasando del mediano al gran formato que, en su caso, llega a rebasar los seis metros de largo. Todo esto nos reafirma que su pintura no está sostenida en fórmulas prácticas. Por el contrario, nos habla de un creador maduro, experimentado, que cuenta con toda la libertad para ahondar en lo que su creatividad le va exigiendo. La obra de Luciano Spanó refleja fuerza y vigor, contenidos en cada pincelada, en cada brochazo. Su contenido coherente y lleno de sentido es de tal manera envolvente, que no permite ser contemplado desde fuera, ni con indiferencia; quien lo mira se ve involucrado en el espacio y en la expresión.

direct manner, I am able to create light through transparency. This is the way that contributes most to achieving 'atmospherics'; since the light comes from inside the canvas, and although the space surrounding the work is dark, the light is still perceived."
Spanó is more of a painter than a colorist; the color in his work is subordinate to expression. We can affirm that Spanó's creations are not based on color. He creates shape, and color becomes a chord; it is a primordial element in the complete work, but is not the main figure. His color has traveled primarily through dark tones. However, that tendency has been interrupted, and in recent years, we have found a series of pieces with intense colors, and others that adopt creamy colors contrasted with gray, light orange, violet and light blue. Spanó has also varied the dimension of his formats, passing from medium to large formats more than six meters long. His painting is not based on practical formulas; on the contrary, it refers to a mature, experienced artist who has the freedom to delve into the requirements of his creativity. The work of Luciano Spanó reflects force and vigor in each brushstroke. His coherent and meaningful content is so absorbing that it cannot be contemplated from the outside, or with indifference; any viewer becomes involved in its space and expression.

Luciano Spanó
Tríptico "Acróbatas I", 2002
Oleo sobre tela, 100 x 200 cm.

José Villalobos
Pasos sin fronteras (díptico), 1992
Mixta sobre tela, 127 x 168 cm.

José Villalobos

1950

Villalobos revive la tierra, la siente entraña del presente y del pasado. La pinta y a la vez le canta. La siente con orgullo. Le canta suavemente, con su pincel y sus colores, al sentimiento y al espíritu que ella encierra.

Lupina Lara Elizondo

José Villalobos nació en Ixtepec, Oaxaca, en la región del Istmo, en 1950. Como es el caso de muchos niños, le gustó pintar, pero ese gusto jamás desapareció, por el contrario, se fue incrementando con su práctica y con el tiempo. Al momento de elegir una profesión, José viene a la ciudad de México, y no obstante su gran deseo de ser pintor, opta por cursar la carrera de arquitectura, accediendo a cumplir con un compromiso familiar de obtener un título en una carrera que ofreciera seguridad y, sobre todo, un porvenir. Este compromiso era más de orden moral que formal. José ingresó a la Universidad Nacional Autónoma de México a principios de los años setenta, y en ella se encontró con amigos, quienes también compartían ese gran gusto por la pintura. Los estudios de arquitectura dejaron en su trabajo cierta huella de carácter estructural y de método, y lejos de alejarlo de sus intereses plásticos, motivaron su ejercicio. Desde la época de estudiante, Villalobos empezó a pintar con asiduidad y disciplina. Hacía dibujos, tintas, acuarelas, *gouaches,* y cuando la economía se lo permitía, también trabajaba el óleo. Fue un período sumamente enriquecedor en todos sentidos, tanto en el meramente profesional como desde el punto de vista estético, ya que obtuvo una nueva conciencia visual. Y, en lo personal, se situó frente a una nueva propuesta existencial, ya que en este nuevo contexto se le plantea una realidad casi sin límites, en comparación con la vida cotidiana y tranquila del pueblo de Ixtepec.

En aquellos días sus dos grandes atracciones, además de las trasnochadas con los amigos, las excursiones y las fiestas, las constituían las largas horas de lectura e investigación sobre temas del arte en la biblioteca de la Universidad y sus frecuentes visitas al Museo de Arte Moderno. Comenta José: *"Con mucha frecuencia iba yo al Museo de Arte Moderno a ver esa gran colección de pintura mexicana: la obra de Tamayo, la de Orozco, los cuadros de María Izquierdo. En fin, me sabía de memoria en dónde estaba cada cuadro; iba a verlos todos. Me pasaba un buen rato estudiándolos. Era una actividad que, además de permitirme entender la composición y ejecución de las obras, me causaba un gran placer. Siempre salía entusiasmado del museo y con un gran deseo de pintar".*

Al terminar la carrera, Villalobos ingresa a trabajar como arquitecto, pues era necesario encontrar un modo de vida, y esto cambia cuando al mostrar sus trabajos encuentra a su primer cliente. Este hecho lo motiva e infunde en él un nuevo sentido para pintar. En 1981 realiza su

José Villalobos was born in Ixtepec, Oaxaca, in the Isthmus region, in 1950. Like many children, he liked to draw; his taste for drawing, however, rather than disappearing, increased over time. On choosing a profession, José traveled to Mexico City, and in spite of his enormous desire to be a painter, decided to study architecture—accepting the family commitment to earn a degree in an area that would offer him security, and in particular, a future. This commitment was more moral than formal. José enrolled in the Universidad Nacional Autónoma de México in the early 1970's, and there found friends with whom to share his great interest in painting. His architectural studies imprinted on his work a certain structural character and method, and far from distancing him from his artistic interests, served as further motivation. During his student years, Villalobos painted assiduously and with discipline. He produced drawings, ink drawings, watercolors, gouaches, and when his budget permitted, he also worked with oils. It was an extremely enriching period, both professionally as well as from an aesthetic point of view, given that Villalobos obtained new visual awareness. And in the personal sense, he was faced by a new existential proposal, since the urban context presented him with almost unlimited reality, in comparison with the tranquil daily life of the town of Ixtepec.

At that time, Villalobos' two major attractions, in addition to evenings spent with friends, outings and parties, were his long hours of reading and research on art topics in the university library, and his frequent visits to the Museo de Arte Moderno. José comments: "I would go to the Museo de Arte Moderno quite frequently to see the large collection of Mexican painting: the work of Tamayo, of Orozco, the paintings by María Izquierdo. I knew the location of each painting from memory; I would go to see them all. I would spend a long while studying them. It was an activity that, in addition to allowing me to understand composition and the execution of work, gave me great pleasure. I always left the museum enthusiastic and with a great desire to paint."

After finishing his studies, Villalobos began working as an architect: making a living was necessary. Everything changed when he showed his work and found his first client, and became newly motivated in painting. In 1981, Villalobos held his first exhibition, Oleos y acuarelas, at the Galería Universitaria of the Universidad Autónoma in Puebla, the city where he had been living in an effort to reduce his expenses and assign the greater part of his resources to buying materials. It was the historian and art critic, Raquel Tibol, who discovered the work of Villalobos and, surprised by his great expressive quality, introduced him to the artistic and cultural media of Mexico City. As a result, the proposal was made in 1984 for Villalobos to hold a traveling exhibition entitled Las aguas del río. His work visited nine cities in Mexico: the Federal District, Celaya, León, San Luis Potosí, Ciudad Victoria, Saltillo, Monterrey, Aguascalientes

primera exposición, *Oleos y acuarelas,* en la Galería Universitaria de la Universidad Autónoma de Puebla, ciudad a la que se había ido a radicar en un afán de reducir sus gastos y asignar la mayor parte de sus recursos a la compra de materiales. Fue la historiadora y crítica de arte Raquel Tibol quien en aquellos momentos descubre los trabajos de Villalobos y, sorprendida por su gran calidad expresiva, lo relaciona con los medios artísticos y culturales de la ciudad de México. A partir de estos dos eventos surge en 1984 la propuesta de realizar una exposición itinerante, la cual se tituló *Las aguas del río.* Sus obras viajaron a nueve ciudades de la República: el Distrito Federal, Celaya, León, San Luis Potosí, Ciudad Victoria, Saltillo, Monterrey, Aguascalientes y Torreón. A este trabajo siguió, a lo largo de las décadas de los años ochenta y noventa, su participación en diversas exposiciones individuales en la Galería Kin de la ciudad de México y en la Galería Quetzalli de Oaxaca. En 1998 presentó la exposición *Las tierras altas* en el Museo de Arte Contemporáneo de Oaxaca. Al año siguiente la exposición viajó al Centro Cultural Tijuana, en Baja California.

Ser un artista oaxaqueño y sentirse ajeno a la obra de Rufino Tamayo, Rodolfo Nieto, de Francisco Toledo o de Rodolfo Morales es casi imposible. La presencia de todos ellos es fuerte y determinante, por lo que la coincidencia en algún rasgo, línea o color es casi inevitable ya que, además, las referencias de sus antecesores son a la vez tomadas de otras referencias anteriores. Así caemos en cuenta de que no hay un punto de partida único, sino que todo es universal e individual a la vez. En el caso de Villalobos, podemos advertir que de manera consciente o inconsciente, con quien guarda mayor cercanía es con Francisco Toledo. Y, aunque Villalobos no accede a lo figurativo, su encuentro con Toledo sucede en esa evocación de lo primitivo, en las tonalidades de una paleta naturalista de tonos terrosos, ocres, sienas y de sombras grisáceas, que en ocasiones conviven con los azules, los rojos y los anaranjados, tonalidades primitivas que encontramos en las decoraciones de Mitla y Monte Albán. José nos habla de esta inclinación colorista: *"Durante mucho tiempo me sentí ligado a una paleta muy restringida, y por más que me invitaba a emplear otros colores, pues compraba tubos de colores intensos, nunca fueron empleados. Pienso que era una cuestión de afinidades, o de ánimo en aquel momento. Llegué a hacer cuadros muy obscuros que únicamente tenían luz por las propias veladuras".*

Podríamos decir que José Villalobos se ha definido como un pintor que resuelve su expresión dentro de la corriente abstracta. Encuentra su lugar en un sitio en donde no está presente la figura, pero en el que surgen formas sugerentes, acomodadas sobre los distintos planos pictóricos que se manifiestan en estas amplias áreas. Villalobos se aparta de las grandes

José Villalobos
Pensando en el mar (tríptico), 1993
Mixta sobre tela, 140 x 360 cm.

tendencias del arte oaxaqueño contemporáneo, de la corriente narrativa que de manera formal o informal relata historias, anécdotas, fiestas, mitos y leyendas, aludiendo a los lugares de origen, a las costumbres y al pasado. Sin embargo, Villalobos no es ajeno a ello, aunque alude al pasado muy a su manera. El va en busca de espacios naturales, de espacios primitivos no contaminados por el cemento, el asfalto o el graffiti de los muros. Va en busca de espacios volumétricos o planos, en donde en unión con la materia surgen atmósferas, texturas, movimientos, erosiones, humedades, saturaciones, ausencias, en fin, toda una diversidad de condiciones que puede sugerir la materia. En su obra encontramos cierta nostalgia por lo natural, más bien dicho, una nostalgia por las raíces, por los orígenes, aquello puro y simple, conciencias que forman el sentir de un pueblo. Villalobos revive la tierra, la siente entraña del presente y del pasado. La pinta y a la vez le canta. La siente con orgullo. Le canta suavemente, con su pincel y sus colores, al sentimiento y al espíritu que ella encierra.

Su obra está estructurada a base de planos pictóricos en los que surge un movimiento que se sostiene en el espacio, como sucede con la música, y este movimiento sugiere un ritmo y también una melodía. Y es justamente en esta exquisita atmósfera, en donde se contiene una gran gama de emociones y de diálogos que difícilmente podrían ser expresados en palabras cotidianas. Es por ello que, después de la música, su más cercano intérprete ha sido la poesía. De esta manera nos encontramos ante una serie de poemas que Pierre Yves Souey escribe en torno a la obra de José Villalobos, como el que se titula "Travesía de los vientos", ocho fragmentos:

and Torreón. During the 1980's and 1990's, Villalobos participated in various exhibitions at the Galería Kin in Mexico City and at the Galería Quetzalli of Oaxaca. In 1998, he presented the exhibition, Las tierras altas, in Oaxaca's Museo de Arte Contemporáneo. The following year, the exhibition traveled to the Centro Cultural Tijuana in Baja California.

Being an artist from Oaxaca and feeling alienated from the work of Rufino Tamayo, Rodolfo Nieto, Francisco Toledo or Rodolfo Morales is almost impossible. Their presence is so strong and determining that coinciding in some trait, line or color is practically inevitable, especially since the references from their predecessors are taken in turn from other previous references. Thus we realize that there is no sole point of origin, but that all is universal while simultaneously individual. In the case of Villalobos, it is evident that consciously or unconsciously, the artist closest to him is Francisco Toledo. And although Villalobos does not accept the figurative, his encounter with Toledo occurs in his evocation of the primitive, in the hues of a naturalist palette of earth tones, ochre, sienna, and gray shadows, which occasionally interact with the blues, reds, and oranges—primitive tones that we find in the decoration of Mitla and Monte Albán. José refers to this inclination for color: "For a long time I felt linked to a very restricted palette,

and the more I was invited to use other colors—I would buy tubes of intensive colors— I never used them. I believe it was a question of affinity, or of mood at that moment. I came to do very dark paintings that received light only from their own glazes."
We could state that José Villalobos has defined himself as a painter who resolves his expression within abstraction. He finds his place where the figure is not present, but where suggestive forms arise, accommodated on the distinct pictorial planes of broad areas. Villalobos remains separate from the major tendencies of contemporary Oaxacan art, from the narrative movement that formally or informally relates stories, anecdotes, myths and legends in allusion to places of origin, customs and the past. However, Villalobos is not foreign to that movement, although he refers to the past in his own manner. He searches for natural spaces, primitive spaces unpolluted by cement, asphalt or graffiti on the walls. He searches for volumetric or flat spaces where matter suggests atmospheres, textures, movements, erosions, humidity, saturation, absences—a wide diversity of conditions. In Villalobos' work we find a certain nostalgia for what is natural; i.e., nostalgia for man's roots and origins, that pure and simple awareness that forms the meaning of a people. Villalobos relives the earth and feels entrenched in the present and the past. He paints and sings to the earth. He experiences it with pride. He sings to the earth softly with his brush and colors, to the feeling and spirit it encloses.
The structure of Villalobos' work is based on pictorial planes that contain movement sustained in space, as in music; this movement suggests rhythm as well as melody. And it is in this exquisite atmosphere where we find a wide range of emotions and dialogues that with great difficulty could be expressed in everyday language. For this reason, Villalobos' closest interpreter, after music, has been poetry. As an example, we find a series of poems written by Pierre Yves Souey about the work of José Villalobos, entitled "Travesía de los vientos", eight fragments:

"... Lugares múltiples como abiertos
como atravesados
por trazos escamas
por roturas en la pelambre
que vacilan se retiran
imágenes nacientes
pieles del aire
como una promesa del aliento
al encuentro de los vientos.

Todo vuelve a comenzar
varias formas mueven las losas
un río atraviesa el cielo
unas nubes roen la montaña
ya no hay centro nada de arrecifes
la errancia de los vientos
señala lugares sin camino..."

No es esta la primera vez en que interactuaran las artes motivando una la creación en otras. No es la primera vez que el lenguaje artístico se vuelve universal y lo abarca todo, lo siente todo y lo expresa todo.

La obra de Villalobos se presenta con una técnica depurada, ya que él es un gran conocedor de sus métodos y posibilidades, y es así que sus obras pueden ser fieles a sus sentimientos y a su expresividad, esa expresividad que establece diálogos con el alma.

PÁGINA OPUESTA
OPPOSITE PAGE
JOSÉ VILLALOBOS
ESPIGAS, 2001
Oleo sobre tela, 120 x 150 cm.

"... Multiple places as if opened
as if pierced
by scaly lines
by breaks in the hide
that vacillate retire
nascent images
skins of the air
like a promise of the breath
encountering the wind.

Everything starts over
various forms move the slabs
a river crosses the sky

some clouds gnaw at the mountain
there is no longer a center no reefs at all
the wandering of the winds
points to places off the track ..."

This is not the first time the arts interact and one motivates creation in another. It is not the first time that artistic language becomes universal and involves all, feels all, expresses all.
The work of Villalobos is presented with a purified technique. He is highly knowledgeable about methods and possibilities, and thus his work can be loyal to his feelings and to his expressiveness—that expressiveness that establishes dialogues with the soul.

Luis Zárate
Caparazones
Oleo sobre tela, 180 x 130 cm.

Luis Zárate

1951

El sentido de la obra de Luis Zárate va en pos de la estética visual, dejando de lado la narrativa; ésta se vuelve en su pintura un pretexto sobre el cual construir una estructura de armonía y color.

Lupina Lara Elizondo

Con temple sereno y mirada inquieta encontramos en su taller al pintor Luis Zárate. Desde allí comparte con nosotros anécdotas y experiencias de su niñez, del período de su formación y de su participación en la pintura. Zárate es originario de Santa Catarina Cuanana, Tlaxiaco, en Oaxaca, en donde nació en 1951. El pueblo se encuentra en una zona selvática donde la bruma crea una atmósfera mágica. El nos habla de su pueblo con las siguientes palabras: *"Mi pueblo conserva vestigios prehispánicos; no obstante esa rica herencia, las personas no han conservado la lengua antigua, ni alguna tradición artesanal, como la producción de vasijas, ni tejidos. Es un pueblo que se dedica a la agricultura: a la caña de azúcar, el frijol y, en general, a los cultivos tradicionales. Allí estudié la primaria, y algo que influyó determinantemente en mi futuro fue el hecho de que un iluminado del pueblo, que vivía en la ciudad de México, enviaba libros a mi pueblo y con ellos se formó una gran biblioteca. Fue ella la que me inicia en la historia de las imágenes. Yo iba y consultaba los libros, y debo confesar que recorté las imágenes de algunos de ellos. El que más me interesaba era un diccionario ilustrado. También influyó en mí la cercanía con el barro, pues en mi pueblo hay barro para aventar. Yo hacía figuras de las cosas que me rodeaban: mujeres con su canasto y, principalmente, de los animales del campo"*.

Su padre era maestro de primaria y tenía la ilusión de que sus hijos estudiaran una carrera. Por ello, solicita su cambio de plaza para acercarse lo más posible a la ciudad de Oaxaca y ver que sus hijos continuaran estudiando. De esta manera, Luis ingresa a la secundaria. El sueldo del padre no era suficiente para cubrir las necesidades de la familia, por lo que Luis se las ingeniaba haciendo los dibujos y trabajos que encargaban los maestros, y los vendía a sus compañeros o los intercambiaba por tortas. Su inquietud por dibujar siguió nutriéndose de los libros, como él mismo nos lo comenta: *"Mi pintura y dibujo están muy ligados a los libros, pues en Oaxaca continué visitando la biblioteca y de esas ilustraciones nacieron mis primeros dibujos"*. Luis siempre tuvo en claro que quería dedicarse a la pintura; sin embargo, al concluir el bachillerato y buscando cumplir las ilusiones de su padre, estudia la carrera de ingeniería industrial, manteniendo el dibujo como una actividad paralela. Cuando terminó la carrera, le entregó el título, y en ese momento decide dedicarse a estudiar dibujo y pintura de manera autodidacta. Las palabras

WE FOUND THE PAINTER, LUIS ZÁRATE, IN HIS WORKSHOP, in a calm mood but with a lively gaze. He began to share anecdotes and experiences with us from his chilhood, from his education, and from his participation in painting. Zárate is originally from Santa Catarina Cuanana, Tlaxiaco, in Oaxaca, where he was born in 1951. The town is located in a densely vegetated area where the fog creates a magical atmosphere. Luis spoke to us about his town: "My town conserves pre-Hispanic vestiges; in spite of that rich heritage, people have not conserved the ancient tongue or any handmade tradition, such as the production of vases, or weavings. It is a town that is dedicated to agriculture: to sugar cane, beans, and in general, the traditional crops. There I went to elementary school. A determining influence on my future was the fact that a well-educated man from the village, who lived in Mexico City, sent books to my town to form a large library. That is how I began studying the history of images. What most interested me was an illustrated dictionary. The closeness of clay also influenced me: in my town, there is more than enough clay. I would make figures of the things around me: women with their baskets, and mainly, the farm animals."

Luis' father was an elementary school teacher and dreamed that his children would study a profession. He requested a transfer as close as possible to the capital city of Oaxaca, in order for his children to continue their studies. In this manner, Luis enrolled in secondary school. His father's salary was not sufficient to cover the family's needs, so Luis made his own way by producing assigned drawings and projects to sell to his classmates or exchange for sandwiches. His interest in drawing continued to be stimulated by books, as he comments: "My painting and drawing are closely linked to books, since in Oaxaca I continued visiting the library. My first drawings were born from those illustrations." Luis always knew clearly that he wanted to be a painter; however, on finishing high school, he studied industrial engineering to please his father, and continued drawing as a parallel activity. When he graduated, he gave his diploma to his father, and at that moment decided to devote himself to studying drawing and painting on his own. A letter written by a person who by chance crossed paths with Luis strongly influenced his decision, and motivated him to struggle for what he really wanted. This man, well-educated and literary, was called Petrikovsky, and over time became a close friend.

That moment marked the formal beginning of Luis' career, as he confirms: "Technically I have a quite solid education, since I prepared myself very thoroughly in drawing and I decided to learn how to use different materials." As part of this educational process, we cannot ignore the artistic references Zárate obtained from the work of Tamayo, Toledo and Nieto, whose techniques and style he has always admired. From his beginnings, Zárate's production has been very constant. Over a period of a few months, he was able to accumulate a

contenidas en la carta de un personaje que por azares de la vida se cruzó en su camino, tienen mucho que ver en esta decisión, ya que ellas lo motivan a seguir y luchar por lo que realmente quiere. Se trataba de un hombre preparado y apasionado por las letras, de apellido Petrikovsky, que con el tiempo se convirtió en un cercano amigo.

Ese momento marca el inicio formal de su carrera, sobre la que Zárate declara: *"Técnicamente tengo una formación bastante sólida, pues me preparé muy ampliamente en el dibujo y me propuse conocer a fondo el manejo de los diferentes materiales"*. En este proceso de formación, no podemos dejar a un lado las referencias artísticas que obtiene de las obras de Tamayo, Toledo y Nieto, cuyas técnicas y estilo siempre ha admirado. A partir de entonces, su producción ha sido muy constante. Al cabo de unos meses logró reunir una gran cantidad de acuarelas, tintas y *gouaches* basadas en temas de su infancia, en la vida rural de su pueblo, cuyas imágenes contenían gran fuerza; por eso fueron las primeras ideas que llegaron a su mente. En 1970 tuvo la oportunidad de presentar estos trabajos en su primera exposición individual, la cual se llevó a cabo en el ex-Convento de Santo Domingo, en Oaxaca.

En esos años conoció al pintor José Zúñiga, quien visitaba con frecuencia la ciudad de Oaxaca. Zárate lo buscaba para conversar y consultarle sus inquietudes técnicas, y al paso del tiempo se desarrolló entre ellos una cercana amistad. Al cabo de tres años, el maestro lo llevó a la ciudad de México y lo presentó con sus amistades. Sus palabras recuerdan aquellos días: *"Como él era maestro, tenía una actitud muy generosa y explicaba con mucho detalle. Gracias a José Zúñiga empecé a pintar telas grandes. El se las llevó para exhibirlas en la Galería Chapultepec de la ciudad de México. Así empezaron a venderse mis cuadros. Todo esto me abrió un gran panorama"*.

En ese tiempo Luis se inscribió en un concurso de diseño industrial. El director del Tecnológico de Oaxaca se ofreció a apoyarlo con una beca para ir a estudiar al extranjero si es que llegaba a obtener el primer lugar. Su trabajo obtuvo el primer lugar y el director cumplió su promesa, por lo que en 1974 Luis Zárate llega a París. No hablaba el idioma, y no obstante su preparación universitaria, contaba con pocas referencias sobre la cultura francesa, pero iba equipado con un gran deseo de conocer el arte universal. Durante los primeros días se hospedó en la Casa de México en Francia; posteriormente encontró un lugar en donde vivir. Sin perder tiempo, fue a comprar papel y *gouaches* para ponerse a trabajar. Comenta que durante ese año se dedicó a visitar museos y galerías, y dice: *"Después de estas visitas terminaba asustado, pues allí aparecen modas en la pintura cada media hora, y a veces me sentía perdido con tantas opciones que se presentaban"*. Luis estableció contacto con Juan Soriano, y reconoce sus sabios consejos para ayudarle a encontrar su camino en la pintura.

LUIS ZÁRATE
TORITOS
Oleo sobre tela, 100 x 80 cm.

large number of watercolors, ink drawings and gouaches based on topics from his childhood and on the rural life of his town—images of great force, the first ideas to reach his mind—and in 1970, he had the opportunity to show this work in his first individual exhibition at the ex-Convento de Santo Domingo, in Oaxaca. During that time period, Zárate met the painter, José Zúñiga, who frequently visited the city of Oaxaca. Zárate would search for him in order to chat and ask him technical questions, and a close friendship developed between the two. Three years later, Zúñiga took Zárate to Mexico City and introduced him to his friends. Zárate recalls those days: "Since he was a teacher, he had a very generous attitude and explained in great detail. Thanks to José Zúñiga, I began to paint large canvases. He took them to exhibit at the Galería Chapultepec in Mexico City. That is how I began to sell my paintings. All this opened a wide panorama for me."
At that time, Luis enrolled in a course in industrial design. The director of the Tecnológico de Oaxaca offered to support him with a scholarship to study abroad if he attained first place. When his project did indeed win, the director kept his promise, and in 1974, Luis Zárate arrived in Paris. He did not speak French, and found that his university education had not familiarized him with the French culture, but he was equipped with an overwhelming desire to know universal art. At first, he stayed at the Casa de México in France, and then found a place to live. Losing no time, he went to buy paper and gouaches to be able to work. He comments that during that year, he dedicated his time to visiting museums and galleries: "After these visits I was frightened, because painting styles appear there every half hour, and sometimes I felt lost with so many options." Luis established contact with Juan Soriano, and followed his wise advice in finding his way in painting.
The trip and the scholarship were planned for one year; however, the city and its atmosphere enveloped Zárate, and his stay in Paris lasted close to fourteen years. During that time, he approached the National School of Decorative Arts and Atelier 17, where he did engravings. He was able to support himself by selling his drawings and paintings and participating in various contests. Because of his young age, winning a prize, more than representing an achievement, translated into the possibility of extending his stay in Paris. With a degree of sarcasm, he comments: "I became a prize hunter." In 1979, he was awarded the International Painting Prize in Vitry, France, where one year later he would present an individual exhibition. He and his friends kept each other informed about exhibitions and contests, and in 1980, he won the Prize of

El viaje y la beca estaban planeados para un año; sin embargo, la ciudad y su atmósfera lo envuelven, y la estancia de Zárate en París se extiende a cerca de catorce años. Durante este tiempo se acercó a la Escuela Nacional de Artes Decorativas y al Atelier 17, en donde hizo grabado. Logró mantenerse durante todo este tiempo con la venta de sus dibujos y pinturas y participando en diferentes concursos. Debido a su juventud, en aquel tiempo el obtener un premio, más que un logro, llegó a representar la posibilidad de extender su estancia en París. Con cierto sarcasmo, comenta: *"Me volví un cazador de premios"*. En 1979 fue merecedor del Premio Internacional de Pintura en Vitry, Francia, en donde un año más tarde presentó una exposición individual. Entre los amigos pintores se mantenían informados de las exposiciones y concursos, y así, en 1980 obtiene el Premio del Gobierno del Principado de Mónaco, a través del Museo Nacional de Mónaco. En 1982 obtiene una Mención Especial en el Festival Internacional de Pintura en Cagnes-sur-Mer, Francia, que también otorgaba ayuda

LUIS ZÁRATE
LOS QUE CUIDAN YAGUL
Oleo sobre lino, 76 x 57 cm.

económica. Ese mismo año presenta su obra en la Galería Ivonne Briseño, en Lima, Perú. Finalmente, en el año 1983 obtiene la Beca de Investigación Artística de parte del Consejo Regional de Île-de-France, en París.

El nacimiento de su hijo lo lleva a cuestionarse sobre la idea de regresar a México, con el fin de darle una identidad. Por ello, en 1986 Zárate está de regreso en Oaxaca, y aunque su pintura no se vio influenciada por el arte europeo —como en muchas ocasiones sucedió con los artistas mexicanos que viajaron a Europa durante las primeras décadas del siglo XX—, sí podemos advertir que estos años dejaron en él una gran conciencia plástica y artística que definitivamente logró enriquecer su universo creador. A partir de ese momento la obra de Zárate alcanza una amplia difusión, y actualmente se le reconoce como uno de los pioneros del movimiento de pintura oaxaqueña.

Entre sus exposiciones individuales destaca la muestra retrospectiva titulada *Las oscilaciones de lo imaginario,* presentada en 1999 en el Museo de Arte Contemporáneo de Oaxaca, ocasión en la que se lograron reunir cerca de cien obras suyas de diferentes épocas. A través de este mosaico de pinturas y dibujos, advertimos dos etapas en su obra: la que corresponde al período francés y la realizada a su regreso a Oaxaca. Durante su estancia en Francia, Zárate había sometido su trabajo a un proceso creativo muy estructurado. Sus obras seguían una metodología que él mismo estableció, quizá como un mecanismo de autodefinición y con el fin de otorgar una identidad a su trabajo. En una atmósfera tan cambiante, esa estructura se volvió una base sobre la cual podía construir e ir acumulando experiencia y conocimiento. Al regresar a Oaxaca, consideró que esa estructura limitaba su creatividad y retoma el camino de la innovación y el cambio. Resurge su naturaleza de artista inquieto que no se conforma con la tranquilidad que ofrece lo conocido y experimentado. Zárate se mantiene al acecho y en constante búsqueda de nuevas propuestas para su pintura.

Con el rescate del Centro Cultural del ex-Convento de Santo Domingo, surge la propuesta de desarrollar un jardín botánico que reúna las diferentes plantas que crecen en la región y que tengan relación directa con el hombre y su vida cotidiana. A través de un comité, que por alguna razón estaba formado

the Government of the Principality of Monaco from the National Museum of Monaco. In 1982, he obtained Special Mention in the International Painting Festival in Cagnes-sur-Mer, France, which included economic aid. That same year, he presented his work at the Galería Ivonne Briseño, in Lima, Peru. In 1983, he obtained a scholarship for artistic research from the Regional Council of Île-de-France, in Paris.
The birth of his son led Zárate to consider the idea of returning to Mexico to provide the child with an identity. For this reason, Zárate was to be found once again in Oaxaca in 1986, and although his painting was not influenced by European art—as was the case for many Mexican artists who traveled in Europe in the early 20th century—we can see that his journey gave him an artistic conscience that definitely enriched his creative universe. Starting at that moment, Zárate's work attained broad exposure, and he is now recognized as one of the pioneers of the Oaxaca painting movement.

por artistas, nombran a Luis Zárate como el encargado del proyecto. Francisco Toledo le pide que se haga cargo de él y le ofrece su apoyo. Y así, desde hace tres años, ha apoyado y coordinado el avance del mismo.

En estos últimos años, Zárate nos ofrece una pintura que presenta ricos ensambles figurativos, los cuales hacen referencia a las leyendas, mitos y fantasías de la cultura zapoteca. En algunas de sus obras se advierte un sentido dinámico que provoca en el espectador una agradable sensación de movimiento, un ritmo que anima la escena. Zárate no escatima en el empleo del color; es colorista por naturaleza. Se deleita aplicando los colores primarios: rojos, amarillos y azules; de ellos obtiene los verdes y los morados. El sentido de la obra de Luis Zárate va en pos de la estética visual, dejando de lado la narrativa; ésta se vuelve en su pintura un pretexto sobre el cual construir una estructura de armonía y color.

Con esa actitud, serena e inquieta a la vez, concluye la plática con estas palabras que nos permiten entender a ese pintor que crece y avanza, que va al acecho de la buena pintura: *"Yo siempre pienso que aún no he hecho mi mejor cuadro. Por eso pienso que al pintar únicamente hay que ir en pos de un cuadro, el que se está pintando. Hay que entender que ése tiene que ser el mejor cuadro y hay que entregarle todo. Esa es la única manera de avanzar como pintor".*

Zárate's individual exhibitions include the retrospective showing entitled, Las oscilaciones de lo imaginario, which was presented in 1999 in the Museo de Arte Contemporáneo of Oaxaca, and included close to one hundred pieces of his work from different eras. This mosaic of paintings and drawings shows us two stages in Zárate's work: the French period and his return to Oaxaca. During his stay in France, Zárate submitted his work to a highly structured creative process. His work followed a self-established methodology, perhaps in the form of a self-defined mechanism to provide his output with an identity. In a vastly changing atmosphere, that structure became a solid base on which to build and accumulate experience and knowledge. On returning to Oaxaca, Zárate found that such structure limited his creativity, and he chose a new path of innovation and change. His restless artistic nature became newly evident, dissatisfied with the peace of what is already known. He began to search constantly for new proposals in his painting.
With the rebirth of the Centro Cultural del ex-Convento de Santo Domingo, a botanical garden was proposed to include regional plants that are directly related to man and his daily life. A committee of artists named Luis Zárate as the head of the project, and Francisco Toledo offered him his support in taking charge. For the past three years, Zárate has coordinated the project's advances.
In recent years, Zárate has offered us painting full of rich figurative groupings that refer to legends, myths and fantasies of the Zapoteca culture. Some of his work shows a dynamic sense that provokes a pleasant sensation of movement in the viewer, a rhythm that animates the scene. Zárate does not skimp on the use of color, for he is a colorist by nature. He delights in applying primary colors: reds, yellows and blues from which he obtains the greens and purples. The meaning of the work of Luis Zárate pursues visual aesthetics and abandons the narrative, which becomes a pretext for building a structure of harmony and color.
With his calm but lively attitude, Zárate closes the conversation with words that allow us to understand a painter who grows and progresses in pursuit of good painting: "I always think that I have not yet done my best painting. For that reason, I think that when I paint I have to go after only one painting, the one that is being done. You have to understand that that painting has to be the best painting, and that you have to give it everything. That is the only way to progress as a painter."

Luis Zárate
Viaje al sur
Oleo sobre tela, 206 x 196 cm.

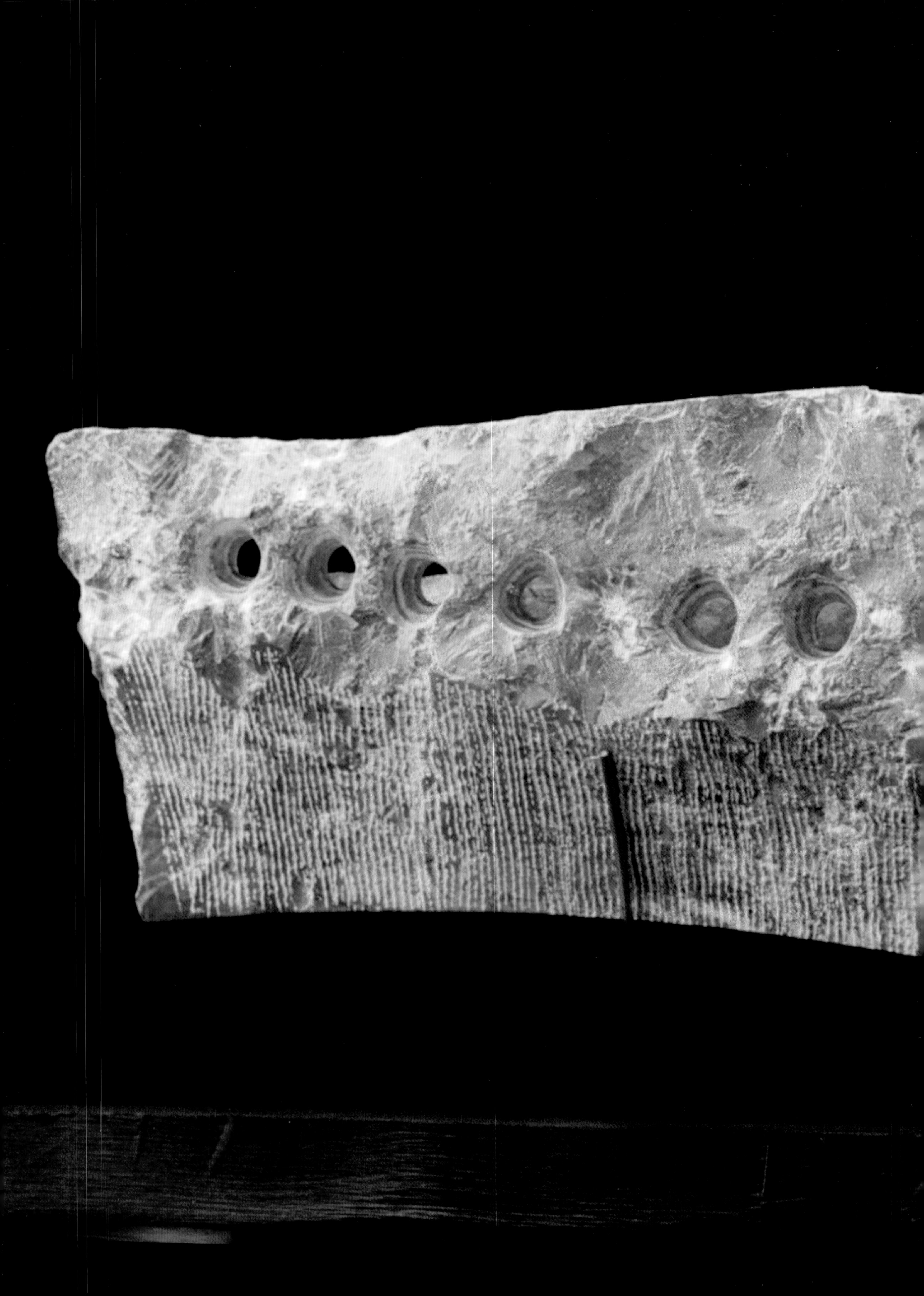

Pedro Martínez
El guardián del agua
Talla directa en recinto gris y placa de acero

Pedro Martínez

1953

Escultura y basamento forman una unidad inseparable.
La madera interviene reconciliando a los materiales, uniéndolos, enlazándolos,
demostrando nuevamente las grandes dicotomías de la existencia.

Lupina Lara Elizondo

Pedro Martínez nace en la ciudad de México en el año 1953. Después de los estudios de preparatoria, cursó la licenciatura en Comunicación Gráfica en la UNAM de 1972 a 1977. En esa fecha dio inicio su carrera profesional como diseñador gráfico e ilustrador, la cual ejerció durante más de veinte años en reconocidos estudios de diseño y agencias de publicidad. *"Trabajé durante muchos años como diseñador, abarcando todas las áreas: director creativo, dibujante, formador, hasta el nivel de Relaciones Públicas con los clientes. En un momento determinado me convertí en el común 'free-lancero', el que sacaba adelante los 'bomberazos' (emergencias) a todas las agencias de publicidad. Abarqué todas las ramas de la publicidad: el diseño, la identidad corporativa, el desarrollo de una marca, el logotipo del producto, el diseño de envases y de los empaques. Es un trabajo que exige mucha creatividad. De alguna manera las ilustraciones que hacía me acercaron a la pintura. Posteriormente tuve oportunidad de participar en proyectos que involucraban la tercera dimensión, ya que ingresé a trabajar al área de Diseño y Eventos Especiales de una dependencia de gobierno, el FOVISSSTE, en donde entre otras cosas, tuve a cargo la preparación de los escenarios para los eventos de inauguración de las unidades habitacionales a los que asistía el Presidente de República. También participé en el desarrollo de algunas campañas políticas".*

En ese tiempo algo empezó a despertar en Pedro Martínez, y con ello la visualización del concepto de la creación pura, aquella que no está determinada por un fin utilitario o predeterminado. Esto le hizo ver que el fin de la creación podía ser únicamente estético. De igual manera se dio cuenta de la facilidad que tenía para manipular los materiales y lograr con ellos la representación de sus ideas. Así, encontramos que en el año 1985 inició una segunda carrera, realizando estudios de Escultura en la Escuela Nacional de Pintura, Escultura y Grabado La Esmeralda, INBA. Recordando aquellos momentos, comenta: *"Un día caí en cuenta de que tenía cierta habilidad con las manos, y eso motivó en mí el deseo de estudiar arte. Fui a visitar diferentes escuelas de pintura y escultura. Primero visité San Carlos, después La Esmeralda. Allí me encontré a una amiga. Ella era estudiante, y se encontraba trabajando con un marro sobre una piedra; su cara reflejaba tanta felicidad que me conmovió. En ese momento decidí quedarme. El problema fue que conforme me fui adentrando en la escultura, ésta fue absorbiendo más y más tiempo, al*

Pedro Martínez was born in Mexico City in 1953. After completing high school, he studied for a bachelor's degree in Graphic Communication at the UNAM, from 1972 to 1977. He immediately started working as a graphic designer and illustrator, and stayed in the profession for more than twenty years, in well-known design studios and advertising agencies. "I worked for many years as a designer, in all areas: as creative director, draftsman, and even public relations with clients. After a time, I became a common free-lancer who solves the emergencies of all the ad agencies. I covered all fields of advertising: design, corporate identity, brand development, product logos, container design and packaging. It is work that requires a lot of creativity. Somehow the illustrations that I did brought me closer to painting. Later I had the opportunity to participate in projects that involved the third dimension, when I went to work in the Design and Special Events area of FOVISSSTE, a government office. One of my responsibilities there was being in charge of preparing the stages for the grand openings of government housing projects that were attended by the Mexican president. I also participated in developing political campaigns."
At that time, something began to stir in Pedro Martínez, along with the visualization of pure creation—creation not determined by a utilitarian or predetermined purpose. Pedro came to see that creation could be purely aesthetic. He also became aware of his skill in using materials to represent his ideas. As a result, in 1985, Pedro began a second undergraduate major, this time in sculpture at the Escuela Nacional de Pintura, Escultura y Grabado La Esmeralda, INBA. Recalling those days, Pedro comments: "One day I realized that I was skillful with my hands, and that motivated me to study art. I went to visit different painting and sculpture schools. First I visited San Carlos, then La Esmeralda. There I found an old friend. She was a student, and was working with a mallet on a stone; her face reflected so much happiness that I was moved. At that moment, I decided to stay. The problem was that as I got more involved in sculpture, it absorbed more and more of my time, to the degree that I was obligated to drop more than half of the advertising work I was doing." The teachers who made a mark on Pedro's career include Maestro Joaquín Conde, who oriented him with regard to his conceptual concerns about sculpture. Maestro Conde would recommended books, which they would later discuss. Pedro's classes with Maestra María Elena Altamirano, who taught history of art, also represented a pillar of his development. Pedro comments: "Her classes were very interesting. They took me closer to pre-Hispanic art, and there I found what I had been looking for." He continues: "Maestro Ramiro Medina Rodríguez, who is an excellent and highly skilled technician, taught us to handle the tools." During this time, Pedro Martínez discovered his passion for his new interest: sculpture. In 1990, Pedro concluded his studies by presenting the thesis, Manual para realizar una escultura en bronce a

grado de obligarme a dejar más de la mitad de los trabajos publicitarios que hacía". Entre los maestros que marcaron una huella en su carrera, se encuentra el maestro Joaquín Conde, quien lo orientó en las inquietudes conceptuales acerca de la escultura. El le recomendaba libros que después discutían. También las clases de la maestra María Elena Altamirano, que daba la materia de Historia del Arte, fueron un pilar en su desarrollo. Comenta Pedro: *"Sus clases eran muy interesantes; ellas me llevaron a acercarme al arte prehispánico, y a darme cuenta de que eso era lo que estaba buscando"*. Y continúa comentando: *"El maestro Ramiro Medina Rodríguez, que es un técnico excelente, con gran habilidad nos enseñaba a manejar los utensilios"*. Durante este tiempo Pedro Martínez descubrió el gusto y la pasión por este nuevo oficio que es la escultura.

En 1990 concluyó sus estudios, presentando la tesis *Manual para realizar una escultura en bronce a la cera perdida, su fundición y su pátina en el taller de fundición de la ENAPEG.* Este documento fue seleccionado para integrarse a los libros de texto de dicha institución, y actualmente se encuentra en proceso de impresión. Refiriéndose a este libro, Martínez comenta: *"Es una compilación de información acerca de la fundición. Tiene un marco histórico, desde los orígenes del hombre hasta el siglo XX. De allí se regresa al tema de la fundición mesoamericana, y continúa hasta nuestros días, para concluir con el procedimiento necesario para desarrollar una pieza en el taller de La Esmeralda. En el libro se detalla lo que son las pátinas en frío y en caliente. Tiene mucha información de transmisión oral, que fui rescatando de datos que escuché de los maestros y de los fundidores, que son quienes conocen la parte práctica. Me dirigí a técnicos muy habilidosos, y de su información saqué cantidades específicas y fórmulas. Incluso me fui a Estados Unidos e investigué* el Ceramic Shell, *que es un método de fundición a base de barros: se ejecuta por capas y está controlado mediante temperaturas. Adicionalmente hice un video de la fundición artística que sirve de apoyo a este libro"*.

Desde 1988 a la fecha, Pedro Martínez ha participado en más de sesenta exposiciones colectivas, de las cuales destacan las dos exposiciones realizadas en 1999: *First Dream "Sor Juana Inés de la Cruz"*, presentada en la Galería Mary and Carter Thatcher de la Universidad Estatal de San Francisco, en los Estados Unidos, y la que organizó Global Cultural Center en su 4ª. *Exposición Internacional,* que se llevó a cabo en el Instituto Mexiquense de Cultura, en Toluca, Estado de México, además de *Expresión del nuevo milenio, Presencia de México – Cuarto Creciente – Escultores contemporáneos,* que fue presentada en el Centro Histórico de la ciudad de México y en el Departamento de Estado de Puerto Rico. Entre sus exposiciones individuales sobresalen las realizadas en 1998: en el Colegio de Bachilleres *Homenaje a la vida y a la muerte, Piedra, madera y obsidiana* y *Cita escultórica con la muerte,* en la Casa del Lago, UNAM, y en el año

PEDRO MARTÍNEZ
TZOMPANTLI GIRATORIO, 1997
Talla diminuta en recinto gris, placa de acero de 1/8", soldadura eléctrica, bronce a la cera perdida y cera, 107 x 59 x 54 cm. Colección del Artista

2000 *Al filo de la muerte*, presentada en la ciudad de México y en el Centro Cultural Flores Magón, en la ciudad de Oaxaca. En estas tres exposiciones encontramos una obra que alude a esta dualidad existencial de la vida y de la muerte, que con tanta insistencia representaron las culturas prehispánicas, en sus tzompantlis, en las diferentes representaciones de Tezcatlipoca –deidad azteca que representaba las tinieblas y la noche–, en Quetzalcóatl, dios del bien y de la vida. En sus obras, Martínez rinde homenaje, como lo menciona Laura Elenes Gaxiola: "...al descarnado, que habita, que nace, crece y necesita de la muerte para poder salir de la prisión de la carne y, paradójicamente, para poder vivir..."

Al hablarnos de su estilo, Martínez comenta: *"Pienso que yo ya traía ciertas definiciones que había investigado en el diseño gráfico, las cuales influyeron en el encuentro de mi estilo en la escultura. El estudio de las raíces del diseño me remitió a la influencia mesoamericana, pues al diseñar un*

la cera perdida, su fundición y su pátina en el taller de fundición de la ENAPEG ("Manual for Making a Bronze Sculpture with the Lost Wax Method, its Casting and Patina in the ENAPEG Casting Workshop"). The document was selected to form part of the institution's textbooks, and is currently at press. In reference to this book, Martínez comments: "It is a compilation of information about casting. It has an historical framework, from the origins of man up to the 20th century. From there, the book returns to the topic of Mesoamerican casting, and continues up to our times, to conclude with the necessary procedure for developing a piece in the workshop at La Esmeralda. The book details cold and hot patinas. It has a lot of information that is transmitted orally, that I compiled from data that I heard from the maestros and from the casting workers, who know the practical part. I talked to very skillful technicians, and from their information I got specific amounts and formulas. I even went to the United States and researched ceramic shell, which is a casting method based on clay: it is done is layers and is controlled through temperature. In addition, I made a video of artistic casting that serves as support for the book."

Since 1988, Pedro Martínez has participated in more than sixty collective exhibitions. The following were outstanding in 1999: First Dream "Sor Juana Inés de la Cruz", presented at the Mary and Carter Thatcher Gallery of San Francisco State University, in the United States; the exhibition organized by the Global Cultural Center in the Instituto Mexiquense de Cultura, in Toluca, Estado de México, entitled 4a Exposición Internacional; and Expresión del nuevo milenio, Presencia de México – Cuarto Creciente – Escultores contemporáneos, which was presented in the historic downtown area of Mexico City and at the Department of State of Puerto Rico. The following individual exhibitions deserve special mention: in 1998, Homenaje a la vida y a la muerte, Piedra, madera y obsidiana, at the Colegio de Bachilleres, and Cita escultórica con la muerte, at the Casa del Lago, UNAM; and in 2000, Al filo de la muerte, presented in Mexico City and at the Centro Cultural Flores Magón, in Oaxaca. In these three exhibitions we find work that alludes to the existential duality of life and death depicted so insistently by the pre-Hispanic cultures in their Tzompantlis, in the different representations of Tezcatlipoca, the Aztec deity of darkness and night, and in Quetzalcóatl, the deity of goodness and life. In his work, Martínez pays hom-

PEDRO MARTÍNEZ
TZOMPANTLI (LUGAR DE CALAVERAS), 1997
Talla directa en cantera verde de Oaxaca, placa de acero y soldadura eléctrica, 70 x 50 x 10 cm. Colección Seguros Asemex

logotipo es necesario llegar a la síntesis máxima con el mínimo de líneas, logrando transmitir una idea de manera inmediata. Los diseños prehispánicos llegaron a esa máxima síntesis. Me refiero a las líneas que ellos encontraron al sintetizar la figura de la calavera, el chango, el caracol, el viento, el agua y muchos otros elementos. Considero que en la actualidad son pocos los diseñadores que han llegado a ese grado de síntesis de nuestros antepasados. Mi escultura en un principio fue sumamente geométrica, partiendo del purismo total. Busqué crear armonía partiendo de la base del cuadrado. Posteriormente llegué a lo abstracto. También he involucrado la figura. Actualmente estoy trabajando con lo abstracto orgánico, es decir, en la figura abstracta que esté guiada por algún elemento natural del mismo material, como es la veta de la madera".

Entre los premios y distinciones que ha recibido se encuentran: en 1991, Primer Lugar en el Segundo Concurso Nacional de Talla en Madera, en la ciudad de México; el premio de la Ville de Quebec, del XIX Concurso Internacional Sobre Nieve del Carnaval de Quebec; en 1993 y 1994, ganó el Premio de Adquisición y el Tercer Lugar, respectivamente, en la 2ª y 3ª Competencia Anual Internacional de Tallado en Madera de la Tierra de Nadie, en Breckenridge, Colorado; y en 1995 participó, por invitación, en el *IV Festival Internacional de Escultura en Madera "Sor Juana Inés de la Cruz": Tres siglos de inmortalidad 1665–1995*, que se llevó a cabo en Toluca, Estado de México.

Pedro Martínez aplica todos sus conocimientos del diseño gráfico a la concepción de sus esculturas. En ellas existe una gran nostalgia por el arte escultórico y la arquitectura prehispánica por esa sencillez de líneas, pero a la vez por esas piezas monumentales de majestuosa presencia. Y, no obstante su deseo de alejarse de todo historicismo, el pasado sale a su encuentro desprovisto de acontecimientos y sin la intención de narrar alguna anécdota, simplemente para compartir con él sus raíces, su pureza, las bases de una estética que se cimienta en el círculo, el rombo y el cuadrado, entrando así a una excepcional síntesis geométrica que le permite servirse del espacio, concibiendo en éste, más que esculturas, pequeños monumentos. Martínez se sirve de la forma para crear estética. No crea estética partiendo del contenido de la forma, es decir, no es el significado de la cabeza de un águila lo que inspirará su obra, sino que es la forma de esta figura la que motiva el desarrollo de la pieza, y a partir de la forma es que le infunde carácter y presencia.

age, as stated by Laura Elenes Gaxiola: "...to the emaciated, who live, are born, grow and need death in order to be able to escape from the prison of the flesh, and paradoxically, in order to be able to live..." On referring to his style, Martínez comments: "I think that I already had certain definitions that I had researched in graphic design, which were an influence in finding my style in sculpture. The study of the roots of design took me to the Mesoamerican influence, since designing a logo requires attaining maximum synthesis with the minimum of lines, and immediately transmitting an idea. The pre-Hispanic designs attained that maximum synthesis. I am referring to the lines that they found to synthesize the human skeleton, monkeys, the wind, the water and many other elements. I believe there are very few designers now who have attained the degree of synthesis of our ancestors. My sculpture in the beginning was extremely geometrical and was based on total purism. I tried to create harmony by starting from a square. Then I reached the abstract. I have also included the human

Y en este proceso, natural en él, de recurrir a las referencias del pasado, tomando la gran síntesis para hacerla suya en un nuevo espacio y en una nueva unidad de tiempo, Martínez toma la obsidiana y el duro recinto que se obtiene de la piedra volcánica para tallar sus piezas que, como se ha mencionado, se erguirán como monumentos, montadas en bases de placa de acero, perfectamente integradas. Escultura y basamento forman una unidad inseparable. La madera interviene reconciliando a los materiales, uniéndolos, enlazándolos, demostrando nuevamente las grandes dicotomías de la existencia. El espacio es suyo, no lo pide prestado; lo siente, lo abarca, lo emplea como le da la gana, como lo debe hacer quien ha encontrado en sí mismo el don de ser artista, de crear y transformar el espacio.

figure. Right now I am working with the organic abstract; in other words, an abstract figure that is guided by a natural element of the same material, like the veins in wood."

Pedro Martínez has received the following prizes and awards, among others: in 1991, first place in the Segundo Concurso Nacional de Talla en Madera (Second National Wood Carving Contest), in Mexico City; the Ville de Quebec prize at the 19th International Snow Sculpture Contest at the Quebec Winter Carnival; in 1993 and 1994, the acquisition prize and third place, respectively, at the 2nd and 3rd International Wood Carving Contest in No Man's Land, in Breckenridge, Colorado; and in 1995, an invitation to participate in the IV Festival Internacional de Escultura en Madera "Sor Juana Inés de la Cruz": Tres siglos de inmortalidad 1665–1995, in Toluca, Estado de México.

Pedro Martínez applies all of his knowledge of graphic design to creating his sculptures. Their implicit recall of pre-Hispanic architecture and sculptural art is evident in the simplicity of their lines, as well as in their majestic, monumental size. And in spite of Pedro's desire to remove himself from historicism, the past comes out to meet him—a past that has been deprived of events and has no intent to narrate an anecdote, but simply to share with the artist the roots, purity and bases of aesthetics cemented in the circle, the rhombus and the square. In this manner, Pedro enters an exceptional geometric synthesis that allows him to use space by creating pieces that are small monuments, more than sculptures. Pedro Martínez utilizes form to create aesthetics. He does not base his work on the content of form; i.e., it is not the meaning of an eagle's head that will inspire his work, but the form of the figure that motivates developing the piece. Form serves to infuse pieces with character and presence.

Turning to references from the past and adopting synthesis in a new space and a new unit of time are part of a natural process for Pedro Martínez. He carves pieces of obsidian and hard volcanic rock that stand as monuments, mounted on stainless steel plates and perfectly integrated; the sculpture and its base form an inseparable unit. Wood intervenes to conciliate materials by joining and interlacing them, once again demonstrating the great dichotomies of existence. Space is his and is not on loan; he feels it, encompasses it and employs it at will, as an artist who has discovered his own talent in creating and transforming space.

Pedro Martínez
Urna funeraria, 1997
Mixta, talla directa en recinto gris, placa de acero, y soldadura eléctrica, 60 x 40 x 40 cm.
Colección del Artista

Hiroyuki Okumura
Lejanía, 1999
Mármol, 37 x 63 x 22 cm.
Colección Particular

HIROYUKI OKUMURA

1963

Las esculturas de Hiroyuki Okumura representan el sentimiento de su alma, la cual ha logrado armonizar el espíritu de dos mundos. Su obra desborda sutilezas, es sublime en sus diálogos y a la vez profunda en sus contenidos.

LUPINA LARA ELIZONDO

DESDE 1989 HIROYUKI OKUMURA ELIGIÓ A MÉXICO COMO SU LUGAR DE RESIDENCIA. AQUÍ conoció a su esposa, y en estas tierras han nacido sus tres hijos. El nació en 1963 en Kanazawa, Japón, ciudad que gracias a su importancia histórica y cultural se salvó de ser quemada por sus enemigos en la Segunda Guerra Mundial; en ella se conserva su arquitectura y jardines muy hermosos. Hiroyuki cuenta: "*Mi familia es tradicional. Mis padres son agricultores; ellos cultivan arroz, verduras y flores. Desde chico tengo contacto con la tierra y la naturaleza, y creo que esto tiene mucho que ver con mi trabajo de escultura. He meditado un poco sobre este origen. Mis padres también tienen otro oficio, un trabajo tradicional que es la limpieza de tumbas. Frente a mi casa, en Japón, hay un cementerio en un cerro que tiene más de cuatro mil tumbas, en las que se guardan las cenizas de los que se han muerto. Entre julio y agosto, en Japón se rinde homenaje a los muertos. Las personas que van a rezar a sus tumbas requieren que estén limpias, porque crece mucha vegetación. Muchas de estas tumbas son de piedra. Yo ayudaba a mis padres a limpiarlas, y creo que esto tiene que ver en mi gusto por las piedras y la escultura*". También recuerda que sus padres no lo consentían comprándole juguetes. Entonces él los hacía, pegando papeles, hilos y cartones, y disfrutaba de ese proceso creativo.

Entre 1982 y 1988, Hiroyuki estudió la licenciatura y la maestría en Escultura en la Escuela de Bellas Artes de Kanazawa. En 1989 participó en el proyecto de escultura monumental de su maestro, el escultor Kiyoshi Takahashi, en Niigata, Japón. Su maestro había vivido en México y le hablaba mucho de la cultura mexicana. Hiroyuki observó que su obra reflejaba esta influencia: "*Todo esto me atraía fuertemente. Me impresionaba su trabajo. Sentía que tenía que conocer el origen de esa influencia. Primero planeé un viaje corto de un mes a México, en el que principalmente me dediqué a visitar las ruinas arqueológicas de Teotihuacan, Monte Albán, Mitla, Palenque y Chichén Itzá, y los museos. Fue una experiencia muy impresionante, al darme cuenta de cómo esas piedras, que tienen tantos años, guardan el sentimiento de esas culturas. Era la primera vez que salía de Japón y estaba en contacto con otra cultura. Fue algo nuevo observar el paisaje, tan amplio, viniendo de un país tan pequeño. México no tenía límites. El concepto de espacio era muy diferente y me llegó a influir demasiado*".

In 1989, Hiroyuki Okumura selected Mexico as his place of residence. He met his wife in Mexico, and it is the birthplace of their three children. Okumura was born in 1963 in Kanazawa, Japan, a city saved from the torch in World War II, thanks to its historical and cultural importance. The city's architecture and beautiful gardens remain intact. Hiroyuki explains: "My family is traditional. My parents are farmers; they grow rice, vegetables and flowers. Since childhood, I have been in contact with the earth and nature, and I think this has a lot to do with my work in sculpture. I have meditated some about this origin. My parents also have another profession, a traditional job—the cleaning of tombs. In front of my house in Japan there is a cemetery on a hill that has more than four thousand tombs for keeping the ashes of the dead. In July and August, the dead are honored in Japan. People who go to pray at the tombs need them to be clean and free from the thick vegetation. Many of these tombs are made of stone. I used to help my parents clean them, and I believe that has to do with my liking stones and sculpture." Hiroyuki also remembers that his parents did not spoil him by buying toys. So he would make his own by gluing together paper, thread and cardboard, a creative process that he found enjoyable.

From 1982 to 1988, Hiroyuki studied towards a bachelor's and master's degree in sculpture at the Fine Arts School of Kanazawa. In 1989, he participated in the monumental sculpture project of his teacher, the sculptor Kiyoshi Takahashi, in Niigata, Japan. Takahashi had lived in Mexico and spoke often to Hiroyuki about the Mexican culture. Hiroyuki noticed that his teacher's work reflected this influence: "All this strongly attracted me. His work impressed me. I felt I had to get to know the origin of its influence. First I planned a short one-month trip to Mexico, and I devoted my time mainly to visiting the archaeological ruins of Teotihuacán, Monte Albán, Mitla, Palenque and Chichén Itzá, and the museums. It was a very impressive experience to realize how those stones, which are so many years old, keep the feeling of their cultures. It was the first time I had left Japan, and I was in contact with another culture. It was something new to see the landscape, so wide open, after coming from such a small country. Mexico had no limits. The concept of space was very different and came to influence me very strongly."

On returning to Japan, Hiroyuki felt something inside of him had changed, and this change was reflected in his sculpture: "In Mexico, I had tried something very different. It was necessary for me to return in order to be close to it once again, to be able to digest Mexican culture completely, and to become familiar with its language and its people. I started working and saved enough money to cover my expenses for two years, and in 1989, I returned to Mexico. My teacher had lived and taught in the city of Jalapa, and I had met one of his students in Japan. When I returned to Mexico, I went to Jalapa.

Al regresar a Japón sintió que algo había cambiado en su interior, y su escultura empezó a reflejar todo eso: *"En México yo probé algo muy fuerte. Me era necesario regresar para volver a estar cerca de ello y poder digerir totalmente a la cultura mexicana, conocer su idioma y su gente. Me puse a trabajar y ahorré suficiente dinero para poder vivir dos años, y en 1989 regresé a México. Mi maestro había vivido en la ciudad de Jalapa y había impartido clases, y uno de sus alumnos había ido a Japón y allí lo conocí. Cuando regresé a México, fui a Jalapa. Entonces él daba clases en la Universidad Veracruzana y me invitó a dar clases en Artes Plásticas. Yo daba modelado y diferentes técnicas de escultura en las mañanas, y en la tarde me dedicaba a mi trabajo. Aunque no hablaba el idioma, para enseñar a trabajar únicamente tenía que mostrar, no hablar. Estuve un año y medio y conocí a mucha gente. Trabajaba doce horas y descansaba doce. Fue una época muy buena".*

Al cabo de este tiempo conoció a quien más tarde sería su esposa, Naolí Vinaver. El padre de ella era francés, y su madre, Rocío Sagaón, fue la segunda mujer del pintor Miguel Covarrubias; ellos también eran artistas y habían conocido al maestro Takahashi. El matrimonio, aunado a los amigos que había hecho en la Universidad, la evolución de su trabajo y al aprecio que despertó México en él, cambió sus planes de regresar a Japón. Hiroyuki se estableció en un rancho, que se llama Kalimba, cerca de Coatepec y de Jalapa, en donde vive con su familia. Y dice: *"En Japón la vida es muy sistematizada; aquí hay mucha libertad. Disfruto enormemente la libertad que hay en este país, tanto en la vida como en el trabajo. Eso me gustó mucho, porque es un país descontrolado. México me abrazó y no me podía soltar de él".* Otra de las cosas que este país trajo para él, fue el cambio de la madera a la piedra en sus esculturas.

En 1991 Okumura preparó tres exposiciones: una en la Galería Ramón Alva de la Canal, en Jalapa; otra, en Tuxtla Gutiérrez, Chiapas, y otra más, en la Galería AP UV de Jalapa. En 1994 llevó a cabo la más importante de ellas, en la Galería del Estado, Jalapa, con el título *Canto Tierra*. Allí presentó una obra que contenía tanto sus orígenes orientales como el espíritu de la cultura mexicana. Hiroyuki logró reunir en su expresión fuerza y sentimiento, lo sutil y lo evidente, el ritual y la emoción de dos mundos ancestrales y distantes, encontrando armonía entre ellos. Después de este evento, sobrevino un período de cambios: nacieron sus dos primeros hijos, y su esposa, que es reconocida internacionalmente como experta en las técnicas antiguas para asistir partos naturales, comenzó a tener gran demanda, tanto de parte de mujeres de su pueblo como de aquellas que venían del extranjero para dar a luz. Todo esto exigió, de

Hiroyuki Okumura
Salina roja, 1998
Mármol, 28 x 63 x 12 cm.
Colección Particular

parte de Hiroyuki, tiempo y apoyo, y por ello se redujo el tiempo que podía dedicar a su trabajo. Al cabo de dos años en los que casi no logró trabajar, la necesidad de crear se volvió una exigencia interior, por lo que buscó la manera de regresar a su taller. En un principio se sintió extraviado, pero entre más trabajaba, más se le abría el camino. Hiroyuki no claudicó en este momento crítico, hasta que recuperó su inspiración y con ello una nueva visión de su escultura. Las piezas empezaron a surgir, una tras otra, todas ellas esplendorosas. Algo había sucedido; su universo se había enriquecido y se encontraba de nuevo en el camino. En esos días la Galería Entre Estudio y Galería, de Puebla, lo busca, y en 1998 presenta una exposición individual con gran éxito. Ese mismo año estableció contacto con la Galería Kin de la ciudad de México, en donde también realizó una exposición muy exitosa.

Después de estos eventos, Hiroyuki viajó a Francia junto con su esposa. Además de visitar a la familia de ella, acudieron a los museos, estableciendo por primera vez contacto con el gran arte europeo: *"Europa me impactó mucho; allí vi las obras maestras del arte universal. En Barcelona vi la obra de Gaudí, ¡tan maravillosa! Cuando uno ve estas*

At that time he was teaching at the Universidad Veracruzana and he invited me to give classes in Plastic Arts. I taught modeling and different sculpture techniques in the morning, and dedicated the afternoons to my work. Although I could not speak the language, to teach how to work, I had only to show, not speak. I was there one and one-half years and I met a lot of people. I would work twelve hours and rest twelve. It was a very good time."
At the conclusion of this period, Hiroyuki met the woman he was to marry, Naolí Vinaver. Her parents were artists as well—her father, from France, and her mother, Rocío Sagaón, the second wife of the painter Miguel Covarrubias—and knew Maestro Takahashi. Hiroyuki's marriage, his new friends in the university, the evolution of his work and his appreciation of Mexico changed his plans to return to Japan. Instead, he established a home on a ranch known as Kalimba, near Coatepec and Jalapa, where

he now lives with his wife and children. He comments: "Life in Japan is very systematized; here there is much freedom. I greatly enjoy the freedom in this country, in my life as well as in my work. I like that a lot, because it is an uncontrolled country. Mexico embraced me and I was unable to break away." This country also brought him the change from wood to stone in his sculptures. In 1991, Okumura prepared three exhibitions: one at the Galería Ramón Alva de la Canal, in Jalapa; another in Tuxtla Gutiérrez, Chiapas; and yet another at the Galería AP UV in Jalapa. In 1994, he held his most important exhibition at the Galería del Estado, Jalapa, entitled Canto Tierra. There he presented work that made evident his Oriental origins as well as the spirit of Mexican culture. These pieces achieved expression that united force and sentiment, the subtle and the obvious, plus the ritual and emotion of two ancestral worlds, distant but made harmonious. The event was followed by a period of changes in Okumura's life: his first two children were born, and his wife, an international expert in ancient techniques of natural childbirth, became highly occupied in attending to local women as well as women from abroad who requested her services. Family activities required Hiroyuki's time and support, and reduced his working hours. After two years of practically no artistic production, his need to create became pressing, and he looked for a way to return to his workshop. At first, he felt lost, but continued work made the road back less rocky. Hiroyuki did not give up at this critical moment; he recovered his inspiration along with a new view of sculpture. Pieces began to appear, one after another, and they were all splendorous. Something had happened: his universe had widened and he had once again found his way. The Galería Entre Estudio y Galería in Puebla sought him out, and in 1998, presented a highly successful individual showing. That same year Hiroyuki established contact with the Galería Kin in Mexico City, where he held another successful exhibition.

After these events, Hiroyuki traveled to France with his wife. They spent time with her family, visited museums and Hiroyuki came into contact with the European masterworks: "Europe made a big impact on me; there I saw the works of universal art. In Barcelona I saw Gaudí's work. It is marvelous! When you look at those pieces, you are nourished, you are excited; and when you become excited, you recycle your spirit. You are lifted, and that is what makes you do marvelous things. In Europe there is so much culture and so much history, and it was a great opportunity for me to see all that. In Paris, I contacted the French-Japanese cultural center and we agreed to do an exhibition." On returning, Hiroyuki worked with great devotion to utilize everything he had absorbed. He soon prepared a showing that opened the way for another exhibition in March of 2002, with extraordinary comments from the French critics. He was contacted by another gallery and made the commitment to exhibit in 2003. During recent years, Hiroyuki has also shown his work in the United

obras, uno nutre, uno emociona; cuando uno emociona, uno recicla su espíritu. Uno levanta mucho, y eso hace que uno haga cosas maravillosas. En Europa hay tanta cultura y tanta historia, que para mí fue una gran oportunidad ver todo eso. En París contacté al Centro Cultural Franco-Japonés y acordamos hacer una exposición". A su regreso, Hiroyuki trabajó con gran empeño; necesitaba sacar todo lo que había absorbido. Al cabo de un breve tiempo presenta una exposición, la cual abrió las puertas a otra exposición que se llevó a cabo en marzo del 2002 con extraordinarios comentarios de expertos críticos franceses. Allí fue contactado por otra galería, estableciendo el compromiso de exhibir en el 2003. En estos últimos años su obra también se ha mostrado en Estados Unidos, en galerías de Arizona y de Nueva York, en donde tiene compromisos para continuar exhibiendo. Todo ello ha ido llevando a Hiroyuki a una participación universal. Sin embargo, él sigue creando desde ese mundo interior: *"Yo tengo filosofía de arte. Pienso que el arte, al ser una expresión, está sujeta a los cambios del tiempo. Pero si yo logro expresarme bien en mi escultura, ella guardará esa expresión para la eternidad y podrá durar muchos siglos, sin importar los cambios que sucedan".*

Con cierta frecuencia Hiroyuki va a Puebla en su camioneta a seleccionar y recoger sus piedras, y cuando son muy grandes se las entrega un camión. Por lo general son mármoles, piedra volcánica, cantera o piedra de río. Sus palabras describen su proceso creativo: *"Anteriormente yo trabajaba imponiendo mi idea sobre la piedra. Ahora yo me presento abierto de espíritu ante la piedra, la enamoro y la escucho, lo que ella me tiene que decir. Se establece un diálogo constante, al grado que no sé cómo va a terminar la escultura. Simplemente me dejo guiar por este diálogo. Escucho a la piedra, y entonces le propongo algo y la vuelvo a escuchar. Debe haber mucha atención, mucha sutileza, y en el proceso no puedo perder los momentos importantes. Muchas veces llego a estados en donde algo sobrenatural guía mi mano. Continúo, y llega un momento en que alcanzo un punto increíble, que es cuando se ha concluido la escultura. Mi inspiración proviene de la naturaleza; la naturaleza me hace afinar mi sensibilidad de la armonía. Por ejemplo: cada rincón por donde camino, tiene espectáculos tan bonitos como una montaña deslavada, una hoja, un insecto, la formación de moho sobre una piedra. Debo estar pendiente de captar estas cosas y ella me enseña: —Mira, así es.— Por eso, para mi creación, no tengo que ir a ver museos. Los voy a ver para disfrutar y llenar mi espíritu de lo que otros artistas han realizado, pero no para guiarme. Yo rompo piedra y luego la reconstruyo. En Japón la vida se ha vuelto muy sistematizada. No se toman riesgos, pues es importante tener un futuro seguro. Aquí en México se pueden tomar riesgos, porque no hay tanto miedo del futuro. Por eso yo tomo el riesgo de escuchar a las piedras y de abrir mi espíritu a ellas".*

Las esculturas de Hiroyuki Okumura representan el sentimiento de su alma, la cual ha logrado armonizar el espíritu de dos mundos. Su obra desborda sutilezas, es sublime en sus diálogos y a la vez profunda en sus contenidos. Entre grietas, surcos, hendiduras, líneas, ensambles y orificios se encierran poesías y cantos que nos hablan de un sentimiento que tiene eco en lo eterno, deslumbrando al alma y, como dice él, reciclando el espíritu, invitándolo a crear en su entorno, inundando de belleza y armonía a la misma vida.

States, in galleries in Arizona and New York, where he has established agreements to continue sending his work. His participation has broadened, but he continues to base his creation on an inner world: "I have a philosophy of art. I believe that art, as expression, is subject to changing times. But if I am able to express myself well in my sculpture, it will keep that expression for eternity, and it may last for many centuries, regardless of any changes that may occur." To select and collect stones for his work, Hiroyuki drives to Puebla in his van; very large stones are delivered by truck. He generally chooses marble, volcanic rock, limestone or stone from riverbeds. He describes his creative process: "I used to work by imposing my ideas on the stone. Now I stand with an open spirit before the stone, I court it and I listen to what it has to say to me. A constant dialogue is established, to the degree that I do not know how the sculpture will turn out in the end. I simply allow myself to be guided by this dialogue. I listen to the stone, and then I propose something to it and I listen to it again. There must be a lot of attention, a lot of subtlety, and in the process I cannot miss the important moments. Many times I reach those states in which something supernatural guides my hand. I continue, and the moment arrives when I reach an incredible point—when the sculpture is finished. My inspiration comes from nature; nature tunes my sensitivity to harmony. For example, every spot where I walk has beautiful sights, like a mountain with a landslide, a leaf, an insect, the formation of moss on a rock. I must be on the lookout to see these things and nature teaches me: 'Look, it's like that.' That is why I do not have to visit museums to create. I visit them to enjoy them and fill my spirit with what other artists have done, but not for guidance. I break stone and then I rebuild it. In Japan, life has become very systematized. Risks are not taken because it is important to have a secure future. Here in Mexico, risks can be taken because there is not so much fear of the future. That is why I take the risk of listening to the stones and opening my spirit to them."

Hiroyuki Okumura's sculptures represent the sentiment of his soul, which has been capable of harmonizing the spirit of two worlds. His work overflows with subtleties, and is sublime in its dialogues while profound in content. Every crack, crevice, line, joint and orifice encloses poetry and song about a feeling echoed in eternity. They dazzle the soul, and as Okumura states, recycle the spirit, with an invitation to create and flood life with beauty and harmony.

Hiroyuki Okumura
Inochi II, vida detenida, 1999
Mármol, 80 x 34 x 21 cm.
Cortesía Galería Kin

Naomi Siegmann
Bosque nocturno, 2000
Pino, 199 x 110 x 30 cm.

Naomi Siegmann

1933

En sus piezas se observa una franca naturalidad en la ejecución;
como si el sentido dinámico de los cuerpos surgiera de manera espontánea,
como un conocimiento intuido que de golpe se apoderó de su creatividad.

Lupina Lara Elizondo

Naomi Siegmann nació en Nueva York en 1933. Su padre era de origen austro-húngaro, y por parte de su madre, sus antepasados provenían de Polonia y de Rusia. Ella llega a México en los años cincuenta junto con su esposo, Henry Siegmann, quien era ingeniero en minas y trabajaba para una compañía que tenía operaciones en nuestro país. En esos días su esposo había recibido una propuesta para trabajar en la zona minera de Coahuila. Es por ello que la familia, integrada por el matrimonio y sus dos hijos, viene a residir al pequeño pueblo minero de Múzquiz.

De recién casados, Naomi había hecho algunas adquisiciones de obras de arte, guiada únicamente por su gusto e intuición personal, y le gustaba visitar museos. Nunca había tenido otro tipo de contacto con el arte, y sin saberlo, Múzquiz le permitiría encontrar un talento que hasta entonces había permanecido oculto, quizá por falta de tiempo. La vida en Nueva York, le absorbía casi todo su tiempo. Al llegar a Múzquiz, tiene la oportunidad de contar con apoyo en su casa y eso le permite tener tiempo libre. El choque cultural tuvo que haber sido muy fuerte, considerando el ritmo de vida del distrito de Manhattan, aunado a los sofisticados y extravagantes eventos que acontecen en esa ciudad, en comparación con la tranquila vida en este pequeño pueblo. En un principio tomó la lectura como pasatiempo, y sobre ello comenta: *"Me leí todas las obras clásicas de la literatura. Leí más de doscientos cincuenta libros. Además, no hablaba nada de español, así que lo primero que hice fue aprender el idioma. Las señoras se reunían a jugar baraja, y mi esposo me dijo que tenía que integrarme, aunque fuera una vez por semana. Con tanto tiempo libre, de repente sentí una necesidad de hacer algo con las manos. Asistí a jugar baraja, y en una de las reuniones les propuse: —¿Por qué no hacemos pintura, o algo así?— Me voltearon a ver como a una loca, pero finalmente accedieron. Encontré en el pueblo a una señora cuyo marido estaba enfermo y pintaba para llenar las horas. Con ella empezamos a pintar, pero al cabo de dos semanas, yo era la única alumna. Posteriormente fui a Eagle Pass, Texas, y me encontré un paquete de cinco libras de barro para modelar y lo compré. Esto me cambió la vida. Llegando a casa, leí las instrucciones y me puse a trabajar. Hice una mujer pensativa que quedó increíble. Claro que se le cayó la cabeza; después se cayeron los brazos. Entonces, me dije: —Creo que necesito un armazón.— Cogí un gancho de ropa y lo armé, y con bastante precaución, formé una mujer desnuda; también*

NAOMI SIEGMANN WAS BORN IN NEW YORK IN 1933. Her father was of Austro-Hungarian origin and her mother's ancestors were from Poland and Russia. Naomi arrived in Mexico in the 1950's along with her husband, Henry Siegmann, a mining engineer who worked for a company that operated Mexican mines. He had received a proposal to work in the mining zone of Coahuila, and the couple and their two children moved to the small mining town of Múzquiz.
As a newlywed, Naomi had bought a few works of art, guided only by her taste and personal intuition, and she enjoyed visiting museums—her only contact with art. Unknown to her, Múzquiz would allow her to discover a talent previously hidden, possibly due to her busy life in New York. In Múzquiz, the opportunity to have household help provided Naomi with spare time. The cultural shock she underwent must have been sizable, taking into consideration the pace of life in Manhattan, and its sophisticated and extravagant events, in comparison with peaceful small-town life in Mexico. Initially, she read as a pastime: "I read all the classical works of literature. I read more than two hundred books. Besides, I spoke no Spanish, so the first thing I did was learn the language. The women got together to play cards, and my husband told me I had to join them at least once a week. With so much free time, I suddenly felt a need to do something with my hands. I went to play cards, and at one of the get-togethers, I proposed to the rest, 'Why don't we paint, or something like that?' They looked at me as if I were crazy, but they finally accepted. I found a woman in town whose husband was sick, and who painted to pass the time. We began painting with her, but after two weeks, I was the only student. Later I went to Eagle Pass, Texas, and found a five-pound package of clay to model, and I bought it. That changed my life. Once at home, I read the instructions and started working. I did a thinking woman that turned out incredible. Of course her head fell off; then her arms. Then, I said, 'I think I need a frame.' I got a clothes hanger and put it together, and quite carefully I made a nude woman; the neck and the arms also separated. Then I thought, 'I have to learn something. I need to learn the technique.'" These were the first experiences in what would later be Naomi's career as a sculptor. After a few months, when her husband's contract had concluded, the family returned to New York. Taking care of the house and children prevented Naomi from continuing to model clay, but she felt happy to be near her family once again.
In 1963, after only a few months in New York, Naomi's husband commented that he had received a proposal to return to Mexico. Naomi's first reaction was rejection, but since the offer was very important for her husband, and the family would live in Mexico City on this occasion, she accepted. The couple agreed that they would stay no more than five years before returning to New York. However, when the time came to ask Naomi if she was ready to move back to the United States, her reply was negative. Since then, the family has fallen in love with Mexico and has lived there for almost forty years. With an affectionate expression and foreign tints in her voice, Naomi explains: "I love Mexico very much. Mexico captivated me. It took my imagination and my affection."

se separaron el cuello y los brazos. Entonces pensé: —Creo que tengo que aprender algo, necesito conocer la técnica". Estos fueron los antecedentes de lo que más tarde sería su carrera como escultora. Al cabo de algunos meses, habiendo concluido el contrato de su marido, regresan a Nueva York, en donde la atención de la casa y de sus hijos le impidió continuar trabajando con el barro. Sin embargo, Naomi se sentía feliz de volver a estar cerca de su familia.

En el año 1963, y habiendo transcurrido sólo unos cuantos meses de su regreso a Nueva York, su esposo le comenta que ha recibido una nueva propuesta para trabajar en México. Cuando ella escucha la noticia, su primera reacción fue rechazarla, pero como el ofrecimiento era muy importante para su marido y en esta ocasión vivirían en la ciudad de México, terminó por aceptarla. Naomi estableció un acuerdo con su esposo de que tan sólo sería por cinco años, y que al cabo de ese tiempo, regresarían a Nueva York. Algo sucedió durante ese tiempo, y a los cinco años, cuando él le preguntó si quería regresar a Estados Unidos, la respuesta fue no. Desde entonces la familia se encariñó con México, donde ha vivido casi cuarenta años. Con una expresión afectiva y con su modo de hablar que aún conserva cierto acento extranjero, dice: *"Quiero mucho a México. México me cautivó. Me tomó mi imaginación y mi cariño".*

En este segundo viaje, el tiempo disponible le permite tomar clases de escultura. Su primer maestro fué un francés y después de un tiempo la escultora Tosia aceptó recibir a Naomi en su taller. Con ella aprendió las diferentes técnicas de la escultura: a trabajar el barro, a hacer armazones, a ejecutar los vaciados en yeso y a fundir. Recuerda ella aquellos momentos, y dice: *"Para mi primer trabajo, me pidió copiar a la perfección uno de los retratos en escultura que ella había hecho y que se encontraba en el estudio. Me tardé más de seis meses en hacerlo. Mi mamá venía a verme de Nueva York, y yo seguía trabajando en la misma pieza. Sorprendida, me decía: —¿Todavía sigues trabajando en esto? ¿Cómo es que no lo has terminado?"* El paso previo para la escultura es el dibujo constructivo, en donde se estudian proporciones y valores, pero por lo que vemos, Naomi inició sus trabajos resolviendo todos estos conceptos directamente sobre la pieza. La primera cabeza que hizo del natural fue la de su hija Joanne, y comenta que su maestra constantemente le llamaba la atención, porque siempre la encontraba aplanando y alisando la cara. Pero es que, al observar la piel lisa y tersa de su hija de once años, Naomi se había obsesionado por pulir y quitar material, hasta que la figura llegó a perder su expresión y parecer un cadáver. Después vino el vaciado para fundirla en bronce y así, poco a poco, enfrentándose a los problemas y comprendiendo los procedimientos, logró dominar la técnica de la escultura. Permaneció asistiendo diariamente a clases con Tosia durante más de cinco años, hasta que sintió que había llegado el momento de recibir nuevos consejos.

Un segundo apoyo en su carrera fue el profesor Enrique Meralda. El maestro aceptó darle clases cuando corroboró que Naomi era una alumna seria. Hasta la fecha, ella no olvida su primera lección, en la que el maestro le pidió que hiciera algo abstracto. La palabra desconcertó a Naomi, a lo que respondió: *"¿Abstracto? Pídeme que esculpa una figura sentada, recostada, caminando, una maternidad, o cualquier figura. Pero, ¿cómo puedo hacer algo abstracto?"* Esa fue la lección más importante que aprendió con su maestro, ya que se vio obligada a descifrar el concepto del espacio negativo a fin de dar mayor movimiento a sus creaciones. Una vez que comprendió que el espacio vacío indica la forma, le fue fácil y natural trabajar la escultura abstracta. El desenvolvimiento de Naomi en la escultura abstracta se dio de manera tan natural como si en sus sentidos se encontrara latente la noción del ritmo, del movimiento y del espacio.

Entre los años 1968 y 1976, realizó diversos viajes con su marido a diferentes partes de Europa y de Africa, a Japón, Venezuela, Perú, Brasil, Argentina y Chile. El contacto con estas culturas tan ricas y llenas de creatividad, le permitió educar y desarrollar un gran sentido visual.

Naomi ha trabajado la escultura en gran cantidad de materiales: arcilla, plastilina, yeso, cera, piedra, mármol, ónix, acrílico, lámina metálica y bronce. Prefiere trabajar piezas únicas a trabajar en series, o a hacer reproducciones de su trabajo. En 1975 se acerca a la talla en madera, que de cierta manera es su material predilecto. Esto sucedió por influencia de su hermana Carolina, quien también es escultora, en los Estados Unidos. Naomi encuentra en la madera un material muy dócil y a la vez emocionante. Con orgullo afirma conocer casi todas las maderas mexicanas. La primera escultura que realizó en madera, fue con un tronco que obtuvo de la señora Yampolsky, madre de la fotógrafa Mariana Yampolsky. Y continúa explicando acerca de la madera: *"La madera es noble y tiene su propio espíritu. También es impredecible. Hay algunas maderas que ya saben lo que quieren, tienen sus propias ideas y se resisten definitivamente a ser algo diferente".* Por lo que ella comenta, en México no es fácil

During this second stay, Naomi's spare time permitted her to take sculpture classes. Her first teacher was from France, and after a time, the sculptor, Tosia, agreed to accept Naomi in her workshop. There she learned the different techniques of sculpture: clay, frames, plaster and casting. She remembers those days: "For my first project, Tosia asked me to copy perfectly one of the portraits she had done, which was in the studio. It took me over six months to do so. My mother came to see me from New York, and I was still working on the same piece. Surprised, she asked me, 'Are you still working on that? You haven't finished it?'" The step prior to sculpture is constructive drawing, in which proportions and values are studied. However, Naomi began working by solving all of these concepts directly on the sculpture. The first bust she sculpted was of her daughter, Joanne; she comments that her teacher often called her attention to the fact that she was constantly smoothing the face. On observing the silky skin of her eleven-year-old daughter, Naomi had become obsessed about polishing and removing material, up to the point that the figure loss its expression and seemed to be a cadaver. Then came the bronze casting and the gradual solving of problems and understanding of procedures, in order to dominate technique. She attended class daily with Tosia for over five years, until she felt the time had come to receive new advice.

A second point of support in Naomi's career was provided by Professor Enrique Meralda, who accepted her as a student when he saw her seriousness about sculpting. Even now, Naomi has not forgotten her first lesson: Meralda asked her to sculpt something abstract. The word disconcerted Naomi, and she responded: "Abstract? Ask me to sculpt a figure that is seated, reclining, walking, pregnant, or any figure. But how can I do something abstract?" It was the most important lesson she learned from her teacher, given that it obligated her to decipher the concept of negative space, in order to provide her creations with greater movement. Once she had comprehended that empty space defines form, she found it easy to produce abstract work. Her development in abstract sculpture occurred as naturally as if the notions of rhythm, movement and space were latent in her senses. From 1968 to 1976, Naomi traveled with her husband to various parts of Europe and Africa, to Japan, Venezuela, Peru, Brazil, Argentina and Chile. Coming into contact with rich and creative cultures allowed her to develop a strong visual sense.

Naomi has sculpted in many materials: clay, modeling clay, plaster, wax, stone, marble, onyx, acrylic, sheet metal and bronze. She prefers to produce unique pieces rather than to work in a series, or make reproductions of her work. In 1975, due to the influence of her sister, Caroline (a sculptor in the United States), Naomi approached woodcarving, which tends to be her favorite technique. Naomi finds wood to be a very docile yet

NAOMI SIEGMANN
ESPACIOS, 1978
Mangle, 64 x 21 x 15 cm.

exciting material. Proudly, she states that she is familiar with almost all Mexican woods. Her first wooden sculpture used a tree trunk obtained from the mother of the photographer, Mariana Yampolsky. She describes the material: "Wood is noble and has its own spirit. It is also unpredictable. There are some woods that already know what they want, that have their own ideas and definitely resist being something different." According to Naomi, finding wood in Mexico that is suitable for carving is not easy. By accident and through friends she has obtained the walnut, mahogany or ash required for sculpting.

When asked if she has ever been interested in painting, Naomi comments: "I find painting very flat; it does not have the dimension I require. I do not feel the participation with the material that sculpture allows me." Since her beginnings, Naomi has defined herself as a sculptor. Drawing has become a necessary practice: she draws with constant rigor, and develops sketches and resolves ideas that will later take shape in a sculpting material. Her first sculptures used the human form as a model, and she accumulated vast knowledge about human anatomy as well as proportion. During this initial stage, Naomi produced some portraits and indigenous figures. She later became involved in the abstract movement. By means of her ample production within this style, Naomi achieved a high level of expressiveness. Her pieces show frank naturalness in their execution, as if the dynamic sense of the bodies arose spontaneously, as if intuition suddenly took control of Naomi's creativity. Her compositions are rhythmic, implying good balance and a grand sense of movement. Naomi enjoys rounding the wood or marble in her pieces, and in this manner creates an almost fleshy sensation.

Naomi did not immediately begin to exhibit or sell her work, in order to enjoy greater control and freedom. She become very demanding with herself. It was not until 1971, that a friend was able to convince her to exhibit along with other artists. To Naomi's great surprise, she sold eight pieces. She comments that she was so excited that she burst into tears: "It was not the sale that mattered to me, but the first showing of recognition. It is very important, because then you know your efforts have not been in vain." This exhibition opened the door to more than one hundred and fifty collective exhibitions in Mexico and the United States, including her participation in the Primer Salón de Escultores of the Museo de Arte Moderno in Mexico City; in 1975, at the Salón de la Plástica Mexicana; in 1976, at the Aldrich Museum of Contemporary Art, in Ridgefield, Connecticut; in 1977, at the Museo de Arte Carrillo Gil; in 1979, at the Foro de Arte Contemporáneo in Mexico City; in 1983, in the exhibition, Arte Contemporáneo en México, in the Museo de Arte Moderno; in 1991, in La Escultura y la UNAM, at the Museo Universitario del Chopo. In 1998, Naomi participated in the exhibition, Forjar el espacio, in Las Palmas, Grand Canary and in Valencia, Spain, and the exhibition later traveled to the Fine Arts Museum of Calais, France. In 2001, her work was presented at the Museo Felguérez, in Zacatecas. Naomi has also shown her work in more than thirty individual exhibitions in museums and art galleries, including the showing in 1979 in the Museo de Arte Moderno of Mexico City; the presentation of her work

encontrar madera para tallar. Para la escultura se requiere nogal, caoba o fresno, y éstos los ha conseguido por casualidad y con amigos.

Al preguntarle si le ha interesado la pintura, comenta: *"La pintura para mí es muy plana; no tiene la dimensión que yo requiero. No siento con ella la participación con el material que me permite la escultura"*. Así pues, desde un principio, la artista se definió como escultora. El dibujo se ha vuelto una práctica necesaria; lo ejercita con rigurosa constancia, y a través de él desarrolla bocetos y resuelve ideas que más tarde tomarán forma en algún material. Sus primeras esculturas toman a la figura humana como modelo; éstas le permitieron un vasto conocimiento de la anatomía del cuerpo, así como el sentido de la proporción. En esta etapa inicial realizó algunos retratos y figuras autóctonas. Posteriormente se involucró en la corriente abstracta. A través de su amplia producción dentro de este estilo, Naomi logra un alto nivel de expresividad. En sus piezas se observa una franca naturalidad en la ejecución; como si el sentido dinámico de los cuerpos surgiera de manera espontánea, como un conocimiento intuido que de golpe se apoderó de su creatividad. Sus composiciones son rítmicas, lo cual implica un buen balance y un gran sentido del movimiento. En sus piezas, Naomi disfruta redondeando la madera o el mármol, creando en ellas una sensación casi carnal.

Naomi no empezó a exponer ni a comercializar su obra inmediatamente. En realidad, prefirió llegar a tener más dominio y libertad. Se volvió muy exigente consigo misma, y no fue sino hasta 1971 cuando una amiga la invitó a exponer junto con otros artistas, cuando con cierta resistencia se animó a hacerlo. Y cuál sería su sorpresa al enterarse de que había vendido ocho piezas. Naomi comenta que estaba tan emocionada que acabó llorando: *"No era la venta lo que me importaba, pero fue la primera muestra de reconocimiento. Es muy importante, porque entonces sabes que tu esfuerzo no ha sido en balde"*. Esta exposición abrió la puerta a más de ciento cincuenta exposiciones colectivas, tanto en México como en Estados Unidos. Entre ellas cabe mencionar su participación en el *Primer Salón de Escultores* del Museo de Arte Moderno de la ciudad de México; en 1975, en el *Salón de la Plástica Mexicana;* en 1976, en el Aldrich Museum of Contemporary Art, en Ridgefield, Connecticut; en 1977, en el Museo de Arte Carrillo Gil; en 1979, en el Foro de Arte Contemporáneo de la ciudad de México; en 1983, en la exposición *Arte Contemporáneo en México,* en el Museo de Arte Moderno; en 1991, en *La Escultura y la UNAM,* en el Museo Universitario del Chopo. En 1998 participó en la exposición *Forjar el espacio,* en Las Palmas, Gran Canaria, y en Valencia, España, que posteriormente viajó al Museo de las Bellas Artes de Calais, Francia. En el año 2001 su obra se presentó en el Museo Felguérez, en Zacatecas. A lo largo de este tiempo, también ha acumulado más de treinta exposiciones individuales en Museos y Galerías de Arte. Entre ellas, cabe mencionar la presentación de su obra en 1979 en el Museo de Arte Moderno

Naomi Siegmann
Bienvenido Hann, 1997
Caoba, talla directa, 31 x 65 x 67.5 cm.

de la ciudad de México; en el Museo Nacional de Arte, al presentar su obra y su libro; en 1990, en el Museo Casa Diego Rivera, en Guanajuato. En 1991 se presentó una muestra retrospectiva en el Museo de Arte Moderno, Centro Cultural Mexiquense, en Toluca, Estado de México; en 1992, en la Sala Netzahualcóyotl, Difusión Cultural UNAM; en 1995, en el Museo de Arte Carrillo Gil. En 1988 obtuvo una Mención Honorífica en la Sección Trienal de Escultura, en el *Salón Nacional de Artes Plásticas* del INBA.

Buscando una expresión íntima y reflexiva, años más tarde surge la escultura de objetos de uso cotidiano, piezas que representan objetos con los que convivimos a diario, como: *Los zapatos de tenis,* que guardan el recuerdo de aquel triunfo en el partido; *El tejido,* de ese chaleco que tanto gustó al marido; *La gabardina,* que la acompañó diariamente al estudio; *Un bolso*, que guardó la cartera, el peine, las llaves y muchos secretos; *Los libros,* con los que viajó a países remotos. Naomi fue realzando a todas ellas, tallando con sus manos, para dejar entre caricia y caricia una vida de recuerdos, y de esta manera les encuentra su escondida belleza. En esta época en que surgen como concepto plástico "las instalaciones", Naomi, que es un espíritu vivaz e inquieto, participa en este género con una pieza maravillosa titulada *Bosque.* Ella ha tallado de manera muy fina diferentes tamaños de lajas de madera y las ha montado paradas, para que el espectador camine alrededor de ellas y experimente la sensación de un bosque. Es maravilloso sentir en ella el deseo y el placer de crear.

and book at the Museo Nacional de Arte; and in 1990, at the Museo Casa Diego Rivera, in Guanajuato. In 1991, a retrospective showing was held at the Museo de Arte Moderno, Centro Cultural Mexiquense, in Toluca, Estado de México; in 1992, at the Sala Netzahualcóyotl, Difusión Cultural UNAM; and in 1995, at the Museo de Arte Carrillo Gil. In 1988, she obtained Honorable Mention in the Sección Trienal de Escultura, of the INBA's Salón Nacional de Artes Plásticas.

In a search for intimate and reflexive expression, Naomi's later production included everyday objects—pieces that represent the objects we interact with on a daily basis: Zapatos de tenis, the reminder of victory in a tennis match; El tejido, her husband's favorite vest; La gabardina, that accompanied her always to the studio; Un bolso, to hold her wallet, comb, keys and many secrets; Los libros, taken along on lengthy journeys. Naomi's hands shaped all of these figures to leave evidence, among her caressing movements, of a life of memories; in this manner she discovered the objects' hidden beauty. With her lively and restive spirit, Naomi participated in the "installations" concept with a marvelous piece entitled Bosque. She delicately carved and then erected wooden slabs for the viewer to walk through and experience the sensation of a forest—an example of the marvel of perceiving Naomi's desire and pleasure in creating.

Paloma Torres
Estelas, 2002
Bronce y barro, siete piezas, 236 x 13 x 12 cm.
(medidas de cada pieza)

Paloma Torres

1960

Paloma aborda la escultura después de una profunda reflexión sobre la forma y el espacio. En su obra se advierte una plena conciencia de estos dos conceptos, tanto en el terreno de lo físico como en su concepción abstracta, y esto, aunado a su talento creativo.

Lupina Lara Elizondo

Paloma Torres nació en la ciudad de México en el año 1960. De su padre, el arquitecto Ramón Torres Martínez —quien recientemente fue nominado al Premio Nacional de Arquitectura—, heredó el aprecio por el espacio, la forma y la estética. Acerca de su infancia, Paloma recuerda los maravillosos viajes que hizo con su familia: *"Los viajes que hacíamos de niños, no era nada más ir a Acapulco; íbamos a Tabasco, a Chiapa de Corzo, a Chichén Itzá. En el Templo de las Monjas, mi papá nos decía: —Siéntense, y sientan el espacio... Vean ese arco...— En fin, recorrimos casi toda la República. Además, él preparaba sus viajes con transparencias y nos explicaba la historia y el arte de cada lugar. Recuerdo el último viaje que hice con mi familia, fuimos a Israel, en donde mi papá nos llevó al lugar en donde Meyer concibió la Universidad de Haifa. Después fuimos a visitar Pérgamo, una antigua ciudad helénica en Turquía, y de allí nos trasladamos a Alemania Oriental, antes de que cayera el muro. En Berlín visitamos el Museo de Pérgamo, en el que se encuentra el gran altar de Zeus y el impresionante friso".* Todas estas experiencias fueron formando en ella el aprecio por la historia, la cultura y el arte. A los doce años, tomó clases de pintura con un famoso maestro inglés, Robin Bond, que había sido director de la Royal School of Arts.

Al concluir sus estudios de preparatoria, en 1979 Paloma ingresa a la Escuela Nacional de Artes Plásticas de la UNAM. Al finalizar el primer año, tiene la oportunidad de viajar a París, en donde contacta el Atelier 17, de S. W. Hayter —uno de los talleres de grabado más prestigiados en Francia—, y trabaja allí durante un año. También estudió Historia del Arte en la Escuela del Louvre. Al año siguiente regresó a México y reingresó a la UNAM para continuar su carrera en Artes Visuales. Aunque en ese entonces su objetivo era la pintura, se inscribió en el taller de cerámica de Gerda Gruber. Allí descubrió el gusto por construir, por trabajar con el espacio y el volumen. A partir de esta fecha, formó parte de un grupo de jóvenes estudiantes que se interesaron en la escultura en cerámica; entre ellos se encontraban Javier Marín y Marco Vargas. Al concluir su carrera, en 1985 Paloma realiza la maestría en grabado en color en la Escuela de San Carlos, UNAM. De 1986 a 1988 continuó estudiando en el taller de grabado profesional del maestro Carlos García. En 1988 participó en la *Trienal de Escultura* en la Galería del Auditorio Nacional, INBA, en la cual obtiene una Mención Honorífica. A fines de ese mismo

PALOMA TORRES
AL DESCUBIERTO, 2002
Barro de Zacatecas y bronce, 167 x 100 x 27 cm
174 x 98 x 23 cm.

PALOMA TORRES WAS BORN IN MEXICO CITY IN 1960. From her father, the architect Ramón Torres Martínez (recently nominated for the National Prize in Architecture) she learned to appreciate space, form and aesthetics. Paloma remembers the marvelous family trips from her childhood: "The trips we made as children were not simply going to Acapulco; we would go to Tabasco, to Chiapa de Corzo, to Chichén Itzá. In the Templo de las Monjas, my father told us: 'Sit down and feel the space... Look at that arch...' We visited almost all of Mexico. Besides, my father would prepare his trips with slides and explain to us the history and the art of each place. I remember the last trip I made with my family. It was to Israel, where my father took us to the place where Meyer planned the Haifa University. Then we went to visit Pergamum, an old Hellenic city in Turkey, and from there we went to East Germany, before the wall was torn down. In Berlin, we visited the Pergamon Museum, which houses the great altar of Zeus and the impressive frieze." All of these experiences created in Paloma an appreciation for history, culture and art. At age twelve, she took painting classes with a famous English teacher, Robin Bond, who had been the director of the Royal School of Arts.
After finishing high school in 1979, Paloma entered the UNAM's Escuela Nacional de Artes Plásticas. At the end of her first year, she had the opportunity to travel to Paris, where she contacted S. W. Hayter's Atelier 17—one of the most prestigious engraving workshops in France—and worked there for a year. She also studied art history at the Louvre school. The following year she returned to Mexico and to the UNAM to finish her major in Visual Arts. Although at that time, her goal was painting, she enrolled in Gerda Gruber's ceramic workshop. There she discovered her love of building and of working with space and volume. She also joined a group of young students interested in ceramic sculpture; two members of the group were Javier Marín and Marco Vargas. In 1985, after receiving her bachelor's degree, Paloma completed a master's degree in color at the Escuela de San Carlos, UNAM. From 1986 to 1988, she continued studying in the professional engraving workshop of Maestro Carlos García. In 1988, she participated in the Trienal de Escultura at the Galería del Auditorio Nacional, INBA, and obtained honorable mention. At the end of that same year, she traveled to Val David, in Quebec, Canada, and worked as a resident artist for three months on the invitation of Maestro René Derouin.
In 1991, Paloma Torres was in charge of directing Mesoamerican art for Mexico's pavilion at the Expo

año, viajó a Val David, en Quebec, Canadá, invitada como artista residente por el maestro René Derouin, en donde trabajó tres meses.

En 1991 tuvo a su cargo la dirección de arte del área de Mesoamérica, para el pabellón de México en la *Expo* de Sevilla, España. Ese mismo año viajó a Suiza, al ganar el concurso promovido por la UNESCO para desarrollar la escultura conmemorativa de los 700 años de la Confederación Helvética, ya que en 1291 tres cantones forestales, Uri, Schwyz y Unterwalden firman un pacto de alianza después de haber defendido su libertad sobre el dominio de los Habsburgo. Este evento marca el nacimiento de Suiza. Paloma desarrolló una estela en mármol negro, la cual describe diferentes acontecimientos de la historia de esta nación. En 1998 participó en la *III Bienal, Barro de América,* en el Museo Lía Bermúdez de Maracaibo, Venezuela, y su pieza *Muro con Directrices* es seleccionada para el Museo Roberto Guevara de Caracas.

En el año 2000 obtuvo una beca de la ciudad de París para permanecer tres meses como artista residente en la Cité International des Arts de Paris. *"La Ciudad de las Artes de París es un lugar que se encuentra enfrente de la Isla de San Luis, en donde acuden a trabajar temporalmente pintores, escritores y músicos que han obtenido esta beca. Al finalizar este tiempo, te llevas la obra que has realizado. Realmente es como un fomento a la actividad creadora del mundo. En ese tiempo Agustín Arteaga estaba montando la exposición* Los soles de México *y me fui a trabajar con él durante quince días, en los que aprendí mucho acerca de museografía. Después de ese tiempo me puse a trabajar en mi proyecto. Hice pintura, evitando el problema de traslado de las piezas, pero tuve la suerte de ser invitada por la Agregada Cultural de México para exponer esa obra en el Centro Cultural de México en Francia".*

Paloma ha participado en diferentes conferencias, de las que destacan "Escultura en barro", en el Departamento de Arquitectura de la Universidad Iberoamericana y "Escultura mexicana en barro" en el Congreso de Cerámica Tampere, en Finlandia. En 1985 asume la cátedra de Técnica de materiales, la cual imparte durante cinco años en el Departamento de Historia del Arte, y entre 1988 y 1991 también imparte el curso de Técnicas de impresión en el Departamento de Diseño Gráfico, ambas materias a nivel licenciatura, en la Universidad Iberoamericana de la ciudad de México. En el año 2000 Paloma Torres ingresa como miembro al Sistema Nacional de Creadores, con lo cual consigue la beca del FONCA, y en el año 2001 imparte el Taller de escultura en barro en la ciudad de San Luis Potosí, en donde también participa como jurado en el Concurso Estatal de Escultura "20 de Noviembre".

Desde 1983 la obra de Paloma Torres ha participado en diferentes exposiciones colectivas, tanto grabados como esculturas, en diferentes ciudades de México, Japón, España, Italia, Canadá, Estados Unidos, El Salvador, Finlandia, Venezuela, Francia, Portugal e Irlanda. Entre todas ellas, que suman más de cincuenta, destaca *Terra incógnita,* que se llevó a cabo en el Museo de Arte Moderno en 1992. *"Anteriormente a esta exposición se*

of Seville, Spain. That same year, she traveled to Switzerland after winning the UNESCO contest for a commemorative sculpture of the 700th anniversary of the Founding of the Swiss Confederation. (In 1291, the three cantons of Uri, Schwyz and Unterwalden formed a defensive league against the expansion of Habsburg power, thus marking the birth of Switzerland.) Paloma designed a stela in black marble to describe various events in the nation's history. In 1998, she participated in the III Bienal, Barro de América, at the Museo Lía Bermúdez of Maracaibo, Venezuela, and her piece, Muro con Directrices, was selected for the Museo Roberto Guevara of Caracas.

In 2000, Paloma received a scholarship from the city of Paris to work for three months as a resident artist at the Cité International des Arts de Paris. "The City of Arts of Paris is opposite the Île Saint Louis, and painters, writers and musicians who have won the scholarship go there to work for a time. Afterwards, you take the work you have done. It is really like an incentive for the world's creative activity. During that time, Agustín Arteaga was mounting the exhibition, Los soles de México, and I went to work with him for fifteen days. I learned a lot about exhibition design. Then I started work on my project. I painted, avoiding the problem of moving pieces, but I had the good fortune to be invited by Mexico's Cultural Attaché to exhibit the work at the Mexican Cultural Center in France."

Paloma has participated in various conferences, including "Escultura en barro", at the Department of Architecture of the Universidad Iberoamericana and "Escultura mexicana en barro" at the Congress of Tampere Ceramics in Finland. Starting in 1985, she taught an undergraduate course in material techniques for five years in the art history department of Mexico City's Universidad Iberoamericana, and from 1988 to 1991, she taught an undergraduate printing techniques course in the graphic design department of the same university. In 2000, Paloma Torres became a member of the Sistema Nacional de Creadores, and was able to obtain a FONCA fellowship. In 2001, she taught a clay sculpture workshop in the city of San Luis Potosí, where she also participated on the jury for the "20 de Noviembre" state sculpture contest.

Since 1983, the engraving and sculpting work of Paloma Torres has taken part in more than fifty collective exhibitions in different cities in Mexico, Japan, Spain, Italy, Canada, the United States, El Salvador, Finland, Venezuela, France, Portugal and

PALOMA TORRES
CIUDAD II, 2002
Barro de Zacatecas y bronce, 56 x 29 cm. de diámetro

habían llevado a cabo la Exposición de Cerámica Española *y la* Bienal de Cerámica, *que abarcaron piezas de arte utilitario y esculturas.* Terra Incógnita *buscó presentar exclusivamente escultura en cerámica. Participamos cinco escultores: Javier Marín, Marcos Vargas, Miriam Medrés, Gerardo Azcúnaga y yo. Para todos nosotros, esta exposición fue el detonador en nuestra carrera como escultores".* La exposición viajó a Quebec, Alberta y Montreal, en Canadá. También sobresale la exposición que se llevó a cabo en el Palacio de Bellas Artes *Diferencias Reunidas*, donde el curador fue el maestro Agustín Arteaga. En ella se presentó la obra de cuatro artistas: Paloma Torres, Rocío Maldonado, Claudia Fernández y Patricia Soriano, representando diferentes disciplinas plásticas: el dibujo, la pintura, la escultura y la instalación. *"El Palacio de Bellas Artes es un lugar consagrado para los grandes artistas, por lo que fue un honor haber sido invitada a participar en esa exposición, que realmente consistió en cuatro exposiciones individuales. Las columnas de cerámica que presenté fueron inspiradas de las monumentales columnas de granito de la Sala Hipóstila de Karnak, en Egipto. Esta pieza forma parte de la colección permanente de la Secretaría de Relaciones Exteriores, en donde permanece en exhibición".* Paralelamente, su obra se ha expuesto de manera individual en importantes galerías de la ciudad de México y de Monterrey, en el Museo Carrillo Gil, en el Centro Cultural de San Antonio, Texas, en el Museo de la Universidad de Calgary, Canadá, en la Rathaus de Suiza, en la ciudad de Los Angeles, California, y en París, Francia.

La obra de Paloma Torres hace honor a la herencia de su padre, a ese gusto por tomar el espacio vacío y construir en él, con el afán de quitarle su rudeza, su desorden, su saturación y su desacomodo. Es grabadora y escultora, y desde sus primeras piezas ha demostrado un talento natural para grabar y esculpir y, sobre todo, un gran entusiasmo por estos oficios. En la escultura trabaja el barro, porque como lo afirma, es un material que le permite participar de manera muy directa en la construcción de sus piezas.

En sus obras tempranas encontramos un gusto especial por el espacio metafísico, por esos escenarios deshabitados que nos recuerdan la obra de Giorgio de Chirico. Paloma aborda la escultura después de una profunda reflexión sobre la forma y el espacio. En su obra se advierte una plena conciencia de estos dos conceptos, tanto en el terreno de lo físico como en su concepción abstracta, y esto, aunado a su talento creativo, es lo que le permite trabajar con tanta libertad. En una segunda etapa su inspiración se involucra con la gran urbe, haciendo retratos de ella con todos sus colores y sinsabores: *"La ciudad es una parte muy importante de mi inspiración. Llega un momento en que aprendes a verla, a que visualmente no te agreda.*

Ireland. Outstanding was Terra incógnita, held in the Museo de Arte Moderno in 1992. "Before this exhibition, the Exposición de Cerámica Española and the Bienal de Cerámica had taken place, with the inclusion of utilitarian art and sculptures. Terra Incógnita attempted to present exclusively ceramic sculpture. Five sculptors participated: Javier Marín, Marcos Vargas, Miriam Medrés, Gerardo Azcúnaga, and I. For all of us, this exhibition was the detonator in our career as sculptors." The exhibition traveled to Quebec, Alberta, and Montreal, Canada. Also outstanding was the exhibition carried out in the Palacio de Bellas Artes, entitled Diferencias Reunidas, with Maestro Agustín Arteaga as curator. The exhibition presented the work of four artists: Paloma Torres, Rocío Maldonado, Claudia Fernández and Patricia Soriano. Each artist represented different visual disciplines: drawing, painting, sculpture and installation. "The Palacio de Bellas Artes is a place that is devoted to great artists; so it was an honor to have been invited to participate in the exhibition, which really consisted of four individual exhibitions. The ceramic columns I presented were inspired by the monumental granite columns of the Hypostyle Hall of Karnak, Egypt. This piece forms part of the permanent collection of the Ministry of Foreign Affairs, where it remains on exhibit." In parallel form, Paloma's work has been exhibited in individual form in important galleries of Mexico City and Monterrey, at the Museo Carrillo Gil, the Cultural Center of San Antonio, Texas, the Museum of the University of Calgary, Canada, the Rathaus of Switzerland, in Los Angeles, California, and Paris, France.

Paloma Torres's work honors what she learned from her father: the enjoyment of building in empty space, in order to eliminate the roughness, disorder, saturation and disarrangement. She is an engraver and a sculptor who has shown natural talent for her craft, as well as great enthusiasm, from the beginning. As a sculptor, she affirms that she works in clay because it is a material that allows her to participate very directly in constructing pieces.

In Paloma's early work, we find a special liking of metaphysical space—those uninhabited scenarios that remind us of the work of Giorgio de Chirico. Paloma started sculpting after profoundly reflecting on form and space. Her work shows complete awareness of both concepts in terms of physical aspects and abstract conception, and her awareness—along with her creative talent—allows her to work with great freedom. In a second stage, Paloma's inspiration was involved with the city, which she portrayed with all its colors and sorrows: "The city is a very important part of my inspiration. The time comes when you learn to see it, and when visually it does not assault you. You start to recompose landscapes within the city itself. Mexico City is very aggressive. We are assaulted by the billboards, the noise, the color, the cables, the asphalt... The pieces I presented in the Museo Carrillo Gil contained all of that. They were full of colors

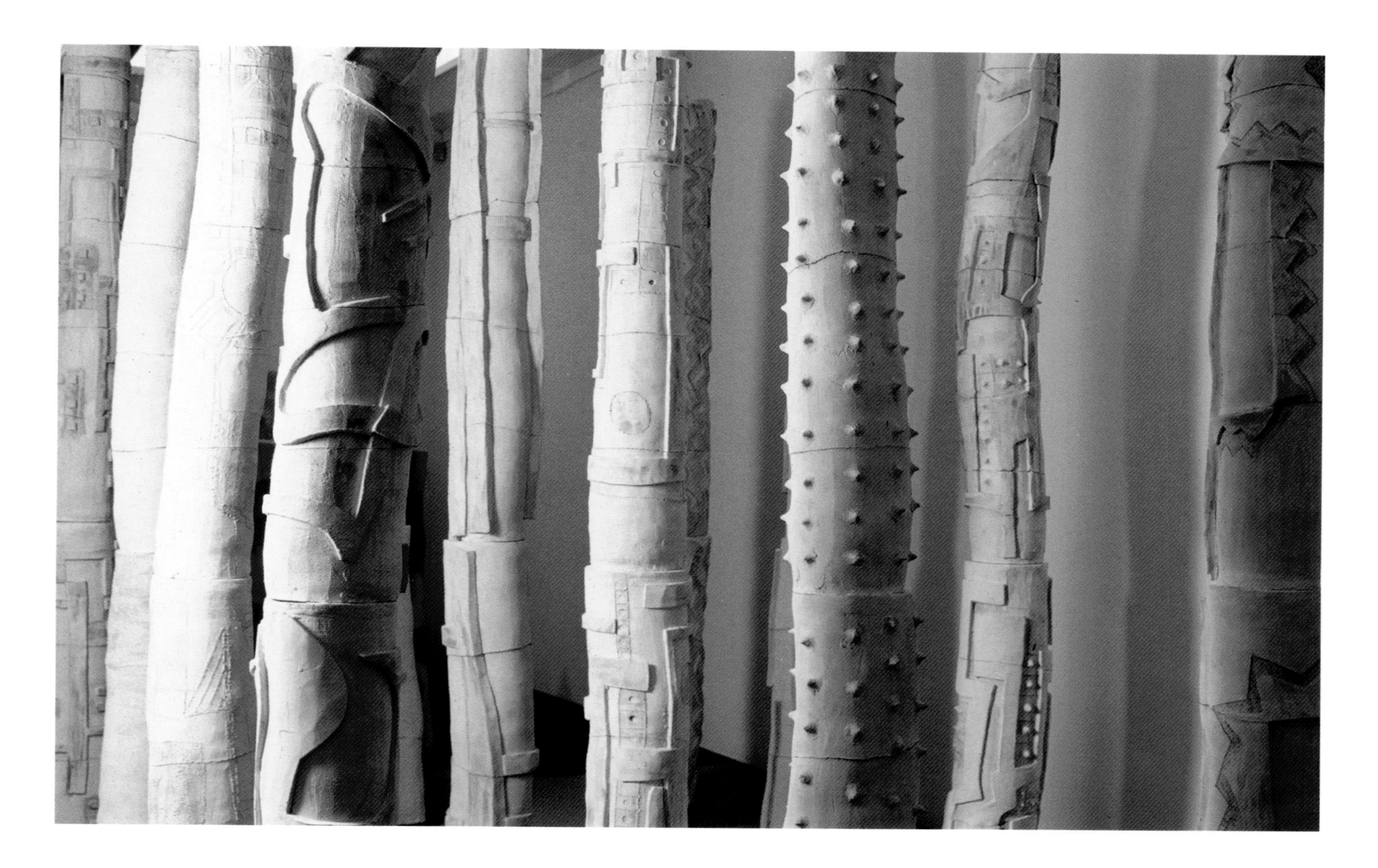

PALOMA TORRES
SERIE DE COLUMNAS, 1997
Barro de Zacatecas y engobes, instalación de 12 piezas
325 x 45 cm. de diámetro cada una

Empiezas a recomponer paisajes dentro de la misma ciudad. La ciudad de México es muy agresiva. Nos agreden los espectaculares, el ruido, el color, los cables, el asfalto... Las piezas que presenté en el Museo Carrillo Gil contenían todo esto. Estaban llenas de colores, mostraban una ciudad saturada". De allí, Paloma avanza en un proceso de limpiar la ciudad, abandona el color y llega al blanco. De ella logra abstraer los elementos arquitectónicos, como el muro, la columna y la esfera, para darles vida propia y hacerlos una pieza en sí, cuidando a fondo el equilibrio y la armonía; dos atributos sumamente evidentes en su obra. Y en este proceso creativo, en el que Paloma no observa lo que hay en esta ciudad herida, lastimada y utilizada por el abuso del comercio, por la falta de aprecio y respeto de sus habitantes, ella mira las ilusiones de lo que quisiera ver, de lo que podría existir. En estas representaciones de ciudades utópicas, une con un gran sentido de equilibrio la fuerza del bronce con la calidez del barro, cualidades que armonizan y se complementan. En sus esculturas y relieves ella nos reconcilia con la gran urbe, y nos hace recuperar la ilusión de un lugar reconfortante para vivir.

Yo llamaría a Paloma Torres la escultora de las ilusiones, pues sólo basta ver sus ojos y mirar su obra para comprobar lo que estas palabras tratan de describir. Y un mundo tan creativo, sin ilusiones, no podría existir.

and showed a saturated city."From there, Paloma advanced in a process of cleaning the city: she abandoned color and reached white. She is able to make an abstraction of architectural elements, such as walls, columns and spheres, in order to infuse them with life and make them a single piece, with profound care for balance and harmony: two attributes that are extremely evident in her work. And in this creative process, Paloma does not see a city wounded and utilized by the abuse of commerce and the lack of appreciation and respect of its inhabitants, but instead observes the illusions of what she would like to see, of what could exist. In these representations of utopian cities, Paloma joins, with a great sense of balance, the strength of bronze and the warmth of clay—qualities that are harmonizing and complementary. In her sculptures and reliefs, Paloma conciliates us with the city, and makes us recover the illusion of a comforting place to live.
I would call Paloma Torres the sculptor of illusions. Seeing her eyes and looking at her work are sufficient to verify what these words are trying to say. And such a creative world, without illusions, could not exist.

Marco Vargas
Pareja, 1992
Cerámica y engobes, 130 x 50 x 25 cm. (cada pieza)

Marco Vargas

1961

La gran seducción que este camino le manifiesta, es justamente el misterio envuelto en el proceso de descubrir dentro del barro una figura, una forma o un concepto. Y después de ese gran descubrimiento de la figura, sobreviene un transplante del dibujo y el grabado a la escultura.

Lupina Lara Elizondo

Marco Vargas nació en la ciudad de México en el año 1961. Desde muy pequeño sus actividades estuvieron orientadas a las artes. Los fines de semana los tres hermanos se turnaban para escoger a dónde querían ir de paseo; sus dos hermanos siempre proponían ir a la feria, mientras Marco escogía ir al Museo de Arte Moderno. Al finalizar la primaria, Marco no desea continuar sus estudios; prefiere dedicarse a pintar. Sus padres buscan otra escuela y encuentran el Centro Activo Freyre, en donde el método de enseñanza motiva su interés por aprender, y logra terminar ahí hasta los estudios de preparatoria. Cuando adolescente, sus padres observaron que su interés por el arte no era pasajero y le instalan un estudio en su casa. Allí hacía pintura y dibujo, y trabajaba con yeso.

En 1981 se inscribió a la licenciatura en Artes Visuales en la Escuela Nacional de Artes Plásticas de la UNAM, la cual concluye en 1984. Paralelamente, pinta en su taller, ya que como dice él: *"Pintar en grupos muy grandes es algo que no se me da. Fue algo que nunca pude hacer. Yo llevaba mis cuadros terminados para que los maestros los calificaran"*. En 1982 sus inquietudes sobre el grabado y las técnicas de la litografía lo llevan a ampliar sus estudios con los maestros Octavio Bajonero Gil, Vlady y Rafael Zepeda, en la Escuela de Pintura, Escultura y Grabado La Esmeralda. *"Durante una buena etapa de mi vida, la litografía y el grabado se vuelven una gran pasión. Me interesaba la alquimia involucrada en su desarrollo"*. En 1983 busca nuevos procedimientos y técnicas de grabado en metal con el profesor Carlos García Estrada, en el Centro de Investigación y Experimentación Plástica del INBA. En 1985, al concluir estos estudios, cursa la maestría en Grabado en la Academia de San Carlos de la UNAM. En ese período descubre y se inscribe al taller de esmaltes, impartido por la maestra Aurora Guerrero, y comenta: *"Me encanta el acabado del vidriado en el metal. En ese momento empiezo a jugar con la lámina en metal, a doblar el plano y a hacer formas más escultóricas. Así, surgen planos que se sostienen, en los cuales se integran el dibujo y la pintura. Este fue mi primer acercamiento a la escultura"*.

Cuando se encontraba por concluir la maestría, surgió en él la inquietud por la cerámica. Al experimentar la manualidad de este material, sintió en sus manos la libertad creativa que el

MARCO VARGAS
HOMBRES PATO, 1990
Cerámica y engobes, 170 x 50 x 40 cm.

MARCO VARGAS WAS BORN IN MEXICO CITY IN 1961. From a very young age, his activities were related to art. On the weekends, the three children in the family would take turns selecting the family outing; his two brothers would always propose the carnival, while Marco would choose a visit to the Museo de Arte Moderno. After finishing primary school, Marco preferred painting over further study. His parents, however, decided that a change in schools was in order, and found the Centro Activo Freyre; the school's teaching method motivated Marco's interest in learning, and he was able to finish high school there. When Marco was a teenager, his parents realized that his interest in painting was not a passing fancy, and installed a home studio for him. He used the space to paint, draw and work with plaster.
In 1981, Marco enrolled in the visual arts major at the UNAM's Escuela Nacional de Artes Plásticas, and concluded his degree in 1984. In parallel form,

barro ofrece. *"Tener en tus manos un poco de barro crea una sensación de no poder estar quieto. El barro te obliga a hacer algo con él. Yo empecé en el barro así, jugando con él y encontrando agrado por la expresión espontánea. Cuando haces una escultura en barro, lo que estás haciendo es hacer crecer algo, a diferencia de partir de un bloque de mármol en que se quita material para llegar a lo que se desea, pero con la limitante del volumen. El barro es más lírico, es más enloquecido".* En un principio sus piezas en barro fueron de pequeño formato; sin embargo, poco a poco el volumen empezó a inquietarlo, inspirado por el gran arte de las esculturas chinas. *"Yo empezaba una pieza con la idea de hacerla de treinta centímetros y, cuando me daba cuenta, ya estaba trabajando en una proporción de un metro. Yo mismo me sorprendía de no poder contener la dimensión. El barro simplemente te pide más y más material".* Marco no contaba con un horno para quemar las piezas de gran formato; buscó un horno grande, y encontró uno en una fábrica de loza en Coyoacán. Moldeaba el barro en su taller y lo transportaba hasta allá. Algunas piezas se desmoronaban en el camino y era necesario repetirlas. Esto le permitió adquirir una gran experiencia. Otra opción para su trabajo fue ensamblar piezas y hacer crecer la escultura de esta manera. Después de un tiempo, Marco consigue un taller de trescientos cincuenta metros cuadrados en el Bosque de Chapultepec, en donde inicia su producción escultórica a gran escala.

Tanto su obra escultórica como su obra gráfica han participado en más de ochenta exposiciones colectivas, de las que destacan: en 1990, *Avances*, en el Museo Alvar y Carmen T. de Carrillo Gil; en 1991, *Las esculturas y la Universidad Nacional Autónoma de México*, en el Museo Universitario del Chopo. En 1992 surgió el proyecto *Terra incógnita*, que involucró el trabajo de cinco escultores ceramistas: Miriam Medrez, Paloma Torres, Javier Marín, Gerardo Azcúnaga y Marco Vargas; las obras fueron presentadas en el Museo de Arte Moderno de la ciudad de México. Este proyecto tuvo una importante repercusión en la carrera artística de los cinco participantes. En aquel momento, Raquel Tibol escribió: "Marco Vargas tiene elementos comunes con la escultura de Henri Matisse, la de algunos surrealistas: Joan Miró, Víctor Brauner y la de Pablo Picasso. Con fluidez pasa del modelado al esgrafiado. Nunca es realista, pero siempre es figurativo. Sus argumentos giran en torno a la intimidad del individuo; representa los afectos como adherencias: a una cabeza le florecen las cabezas de los seres en los que piensa; los bienes materiales –principalmente los hogareños– se vuelven segundas pieles, segundos órganos. [...] Sin violencia, en su obra hay un amplio cuestionamiento a la moral imperante. Aborda con soltura en los tamaños monumentales con partes embonadas o combinadas..." Ella también resalta que los participantes han elaborado piezas complejas, de difícil factura. Ese año también participó en la exposición *Barro de América*, del Museo de Bellas Artes de Caracas, Venezuela, y en 1998–1999, en la exposición *Sólo un guiño*, presentada en la Feria de Lisboa, Portugal, que de allí viajó al Centro Cultural de México en Francia, para presentarse posteriormente en ocho ciudades de Irlanda, y de allá regresar al Museo de Arte Contemporáneo de Oaxaca.

he painted in his workshop: "Painting in very large groups is something that is not easy for me. I could never do it. I would take my finished paintings to my teachers for them to grade." In 1982, Marco's interest in engraving and lithographic techniques motivated him to take classes from Octavio Bajonero Gil, Vlady and Rafael Zepeda, at the Escuela de Pintura, Escultura y Grabado La Esmeralda. "During a considerable part of my life, lithography and engraving were my great passion. I was interested in the alchemy involved in their development." In 1983, he searched for new engraving techniques and procedures with Professor Carlos García Estrada at the INBA's Centro de Investigación y Experimentación Plástica. In 1985, after finishing his courses there, he began studying for a master's degree in engraving at the UNAM Academia de San Carlos. During that time period, he discovered and enrolled in an enamel workshop taught by Aurora Guerrero. Marco comments: "I love a glass finish on metal. At that time, I began to play with sheet metal by folding planes and making sculptural forms. In this manner, I made free-standing planes that combine drawing and painting. This was my first introduction to sculpture." Near the end of his master's program, Marco became interested in ceramics. Experiencing the manual qualities of clay gave his hands creative freedom. "Having a little bit of clay in your hands creates a sensation of not being able to stay still. Clay obligates you to do something with it. I began working with clay by playing with it and beginning to like spontaneous expression. When you make a clay sculpture, you are making something grow—the opposite of taking a block of marble and removing material to reach what you desire, but with the limitation of volume. Clay is more lyrical, more insane." Marco's early pieces in clay were small; however, inspired by the grand art of Chinese sculptures, he began to develop an interest in volume. "I would start a piece with the idea of making it thirty centimeters tall, and before I knew it, I would be working with proportions of one meter. I would surprise myself by not being able to contain the dimension. Clay simply asks you for more and more material." Marco did not have a kiln of his own to fire the large pieces, but found one available for use in a dishware factory in Coyoacán. He would mold the clay in his workshop and transport it to the kiln. Some pieces would crumble on the way and would have to be repeated—providing him with extra

Marco Vargas
Los rebaños hablan con el frío
Cerámica y engobes, 80 x 80 x 40 cm.

experience. Another option was to create sculptures by assembling pieces. After a time, Marco found a workshop of three hundred and fifty square meters in the Bosque de Chapultepec, where he began sculpting on a large scale.

Marco's sculptures and graphic work have participated in more than eighty collective exhibitions, including Avances, at the Museo Alvar y Carmen T. de Carrillo Gil in 1990, and Las esculturas y la Universidad Nacional Autónoma de México, at the Museo Universitario del Chopo in 1991. In 1992, the Terra incógnita project came into existence with the work of five sculptors in ceramics—Miriam Medrez, Paloma Torres, Javier Marín, Gerardo Azcúnaga and Marco Vargas—and their work was presented at the Museo de Arte Moderno in Mexico City. The project had important repercussions in the art careers of all five participants. Raquel Tibol wrote: "Marco Vargas has elements in common with the sculpture of Henri Matisse, and with some surrealists: Joan Miró, Víctor Brauner and the work of Pablo Picasso. He fluidly passes form modeling to graffito. He is never a realist, but is always figurative. His arguments revolve around individual intimacy. He represents affection like adherence: sprouting from a head are the heads of the people he thinks about; material goods—primarily household goods—become second skins, second organs... Without violence, there is broad questioning in his work of reigning morals. He confidently addresses monumental sizes with interlocking or combining parts..." The commentary also emphasizes that the participants produced complex pieces of a difficult nature. That same year, Marco participated in the exhibition, Barro de América, at the Museo de Bellas Artes of Caracas, Venezuela, and in 1998/1999, in Sólo un guiño, at the fair of Lisbon, Portugal. This exhibition subsequently traveled to the Mexican Cultural Center in France, eight cities in Ireland, and the Museo de Arte Contemporáneo of Oaxaca.

Marco Vargas' individual exhibitions include En cualquier gallinero: esmaltes, at the Academia de San Carlos, UNAM, in 1989, while he was working at the enamel workshop. In 1990, after moving into his own workshop in the Bosque de Chapultepec, Marco prepared the showing, Escultura en cerámica, for the Museo Alvar y Carmen T. de Carrillo Gil. He produced large pieces measuring up to 1.8 meters high for the exhibition. Sculptural spaces were integrated: colored geometric pieces painted orange, phosphorescent pink and lime green, strongly influenced by folk art, and large duck-like men. Marco explains these influences: "I have always adored folk art and its techniques. There is a tradition in the town of Ocumicho, Michoacán: the whole population is devoted to working in clay. The townspeople produce figures that are generally devils and religious scenes. They paint the pieces with intense colors that

Dentro de sus exposiciones individuales se encuentran: *En cualquier gallinero: esmaltes,* en la Academia de San Carlos, UNAM, en 1989, que corresponde a ese período de trabajo en el taller de esmalte. Posteriormente, en el año 1990, al contar con el taller en el Bosque de Chapultepec, preparó la exposición *Escultura en cerámica* para el Museo Alvar y Carmen T. de Carrillo Gil. Para esta exposición trabajó piezas grandes, de hasta 1,80 metros de alto, que integraron espacios escultóricos: piezas geométricas de colores, pintadas en naranja, rosa fosforescente, amarillo limón, con una fuerte influencia del arte popular, y hombres pato de gran formato. Marco nos explica acerca de las influencias que motivan estas figuras: *"Siempre he tenido una adoración por el arte popular y por sus técnicas. Actualmente existe una tradición en el pueblo de Ocumicho, en Michoacán, en donde su población se dedica a trabajar el barro, haciendo figuras que por lo general son diablos, y escenas que tienen que ver con la religión. Pintan las piezas con colores intensos que le dan una presencia sobresaliente a las piezas".* Esta exposición creó una gran expectativa, por tratarse de una propuesta que se abría camino rompiendo los esquemas convencionales de la escultura.

A lo largo de su carrera, también ha exhibido en importantes galerías, entre ellas la Galería Florencia Riestra y la Galería Oscar Román. En 1996 Marco participó en una interesante exposición junto con otra escultora mexicana, *Mexican Ceramic Masters – Paloma Torres y Marco Vargas,* en la Couturier Gallery de Los Angeles, California. En 1998 realizó tres relieves monumentales para las oficinas de la empresa Aeroméxico en la ciudad de México, París y Santiago de Chile. Y en el año 2001 preparó la exposición *Rapsodia –Instalación fuga 9,* que se llevó a cabo en el Museo de la Escultura, en Jalapa, Veracruz, en donde preparó una instalación que más bien podría definirse como espacio escultórico, con dimensiones de tres por tres metros, integrada por nueve cabezas en cerámica, de ochenta centímetros cada una.

La obra de Marco Vargas nos remonta a un arte primitivo, a esos orígenes en donde la expresión se sobreponía a la forma y a la técnica. Y no lo hace porque desee recurrir a ese tiempo, a ese lugar o a esos trabajos de manera formal, sino simplemente porque su proceso creativo le solicita de una gran libertad expresiva, de un ir y venir de ideas y proposiciones entre la pieza y él, las cuales culminan en un punto en el que confluyen estética y armonía. La gran seducción que este camino le manifiesta, es justamente el misterio envuelto en el proceso de descubrir dentro del barro una figura, una forma o un concepto. Y después de ese gran descubrimiento de la figura, sobreviene un transplante del dibujo y el

Marco Vargas
Mujer deseos, 1992
Cerámica y engobes, 85 x 46 x 30 cm.

grabado a la escultura. Entonces nos encontramos con figuras con ideas digeridas desde el interior, que se asoman con su forma bajo la piel; figuras pintadas, dibujadas y esgrafiadas.

Su tema ha sido por lo general el cuerpo y la figura humana, ya sea como un todo o fragmentada. No existen en su trabajo falsas pretensiones, ni formalismos, ni encasillamientos, pero sí, un compromiso firme y fecundo por atestiguar con cada obra que la expresión no tiene límites, y que la búsqueda y el encuentro son una expresión en sí mismas. Pero, para permitirse esa libertad es necesario contar con una buena plataforma de despegue: buenos cimientos, habilidad y sobre todo el don y el impulso creador, herramientas que en Marco Vargas existen de sobra.

make them stand out." The Escultura en cerámica exhibition generated high expectations since it was at the forefront in breaking away from conventional ideas in sculpture.
Throughout his career, Marco Vargas has also exhibited in important galleries, including the Galería Florencia Riestra and the Galería Oscar Román. In 1996, Marco participated with another Mexican sculptor in an interesting exhibition entitled Mexican Ceramic Masters — Paloma Torres and Marco Vargas, at the Couturier Gallery in Los Angeles, California. In 1998, he made three monumental reliefs for the Aeroméxico offices in Mexico City, Paris and Santiago, Chile. And in 2001, he prepared the exhibition, Rapsodia —Instalación fuga 9 for the Museo de la Escultura in Jalapa, Veracruz, where he prepared an installation that could be described as a sculptural space of three by three meters, with nine ceramic heads measuring eighty centimeters each.
Marco Vargas' work reminds us of primitive art— those distant origins in which expression surpassed form and technique. Marco does not work because of a desire to return to that time, to that place or to that production in a formal manner, but simply because his creativity requires broad expressive freedom to enable the communication of ideas and proposals between the artist and his piece. The culminating point is the union of aesthetics and harmony, and the great seduction is the mystery involved in discovering a figure, a form or a concept in the clay. After the figure is discovered, the drawing and engraving are transplanted onto the sculpture. As a result, we find figures with inner ideas appearing under the skin; figures from painting, drawing and graffito.
Marco Vargas' topic has generally been the human body and figure, either whole or fragmented. His work contains no false pretenses or formalisms, but a firm and fertile commitment to manifest, through each piece, that expression has no limits, and that searching and finding are expression in themselves. But such freedom requires a solid basis: a good foundation, skill, and creative talent—tools in which Marco Vargas is not lacking.

Lote: 26789
DE INGERIRLO NO SE
SOLICITE ATENCIÓN MÉDICA
POR NIÑOS DEBE SER
POR ADULTOS

Entrevistas

Interviews

Pablo Almeida-*marzo 2002, ciudad de México*

Pedro Diego Alvarado-*junio 2002, ciudad de México*

Jorge Alzaga-*septiembre 1999, ciudad de México*

Fernando Andriacci-*marzo 1999, Oaxaca*

Enrique Canales-*junio 2002, Monterrey*

Alberto Castro Leñero-*abril 2002, ciudad de México*

José Castro Leñero-*abril 2002, ciudad de México*

Teresa Cito-*julio 2002, ciudad de México*

Alejandro Colunga-*junio 2002, ciudad de México*

Luis Fracchia-*julio 2002, ciudad de México*

Luis Granda-*mayo 2002, ciudad de México*

Ismael Guardado-*junio 2002, Zacatecas*

Rubén Leyva-*noviembre 2001, Oaxaca*

Abelardo López-*agosto 1999, Oaxaca*

Pedro Martínez-*junio 2002, ciudad de México*

Raúl Oscar Martínez-*abril 1997, Monterrey*

Dulce María Núñez-*mayo 2002, ciudad de México*

Hiroyuki Okumura-*junio 2002, Jalapa, Veracruz*

Teresa Olabuenaga-*julio 1996, ciudad de México*

Guillermo Olguín-*abril 2002, Oaxaca*

Guillermo Pacheco-*abril 2002, Oaxaca*

Roberto Parodi-*junio 2002, ciudad de México*

Rosendo Pinacho-*enero 2002, Oaxaca*

Georgina Quintana-*mayo 2002, ciudad de México*

Mario Rangel-*junio 2002, ciudad de México*

Carla Rippey-*marzo 2002, ciudad de México*

Herlinda Sánchez Laurel-*junio 2002, ciudad de México*

Alejandro Santiago-*mayo 2002, Oaxaca*

Nunik Sauret-*mayo 2002, ciudad de México*

Naomi Siegmann-*abril 2002, ciudad de México*

Luciano Spanó -*mayo 2002, ciudad de México*

Paloma Torres-*agosto 2002, ciudad de México*

Marco Vargas-*agosto 2002, ciudad de México*

José Villalobos-*junio 2002, Oaxaca*

Luis Zárate-*abril 2002, Oaxaca*

Indice Alfabético

Alphabetical Index

páginas 238-239
Hiroyuki Okumura
Cavilante, 1997
Mármol, 22 x 66 x 16 cm.

páginas 270-271
Paloma Torres
Paisaje con chimeneas, 2001
Barro de Zacatecas, 170 x 300 cm.

página 277
Carla Rippey
Lo luminoso precede a lo obscuro, 1998
Grafito sobre papel, 60 x 60 cm.

Visión de México
y sus Artistas

Encuentros Plásticos,
Umbrales del Siglo XXI
Tomo III

Se terminó de imprimir en el mes de septiembre de 2002, en la ciudad de México.
Impreso en los talleres de Servicios Profesionales de Impresión S.A. de C.V.,
Mimosas 31, Col. Sta. Ma. Insurgentes, 06430, México D.F. La pre-prensa estuvo a cargo de ColorFast.
La edición consta de 6,000 ejemplares.
En su formación se utilizaron tipos de la familia Mrs. Eves.
Impreso en papel Creaprint de 200 grs. para interiores y forros.